U0093072
一笑
古龍百四著

盛期之風貌

臥龍生作品 帶動武俠風潮

《飛燕驚龍》開一代武俠新風

《飛燕驚龍》(1958)爲臥龍生成名作，共48回，約120萬言。此書承《風塵俠隱》之餘烈，首倡「武林九大門派」及「江湖大一統」之說，更早於香港武俠巨匠金庸撰《笑傲江湖》(1967)所稱「千秋萬世，一統」達九年以上。流風所及，臺、港武俠作家無不效尤；而所謂「武林盟主」、「江湖霸業」等新提法，竟成爲社會大眾耳熟能詳的流行術語了。

《飛燕》一書可讀性高，格局甚大。主要是寫江湖群雄爲覬覦傳說中的武林奇書《歸元秘笈》而引起一連串的明爭暗鬥；再以一部假秘笈和萬年火龜爲餌，交插敘述武林九大門派（代表正派）彼此之間的爾虞我詐，以及天龍幫（代表反方）網羅天下奇人異士而與九大門派的對立衝突。其中崑崙派弟子楊夢寰偕師妹沈霞琳行道江湖，卻如夢似幻地成爲巾幗奇人朱若蘭、趙小蝶之絕世武功技驚天龍幫，而海天一叟李滄瀾復接連敗於沈霞琳、楊夢寰之手；致令其爭霸江湖之雄心盡泯，始化解了一場武林浩劫云。

在故事佈局上，本書以「懷璧其罪」（與真、假《歸元秘笈》有關）的楊夢寰屢遭險難，卻每獲武林紅妝垂青爲書膽(明)，又以金環二郎陶玉之嫉才害能，專與楊夢寰作對(暗)爲反派人物總代表。由是一明一暗交織成章，一波未平，一波又起，極盡波譎雲詭之能事。最後天龍幫冰消瓦解，陶玉帶著偷搶來的《歸元秘笈》跳下萬丈懸崖，生死不明，卻予人留下無窮想像空間。三年後，作者再續寫《風雨燕歸來》以交代陶玉重出江湖，爲惡世間，則力不從心，當屬狗尾續貂之作。

在人物塑造方面，臥龍生寫男主角楊夢寰中看不中用，固然乏善可陳，徹底失敗；但寫其他三名女主角如「天使的化身」沈霞琳聖潔無瑕，至情至性，處處惹人憐愛；「正義的女神」朱若蘭氣質高華，冷若冰霜，凜然不可犯；「無影女」李瑤紅則刁蠻任性，甘爲情死等等，均各擅勝場。乃至寫次要人物如「賓中之主」海天一叟李滄瀾之雄才大略，豪邁氣派；玉簫仙子之放蕩不羈，爲愛痴狂；以及八臂神翁聞公泰之老奸巨猾，天龍幫軍師王寒湘之冷傲自負等，亦多有可觀。

與

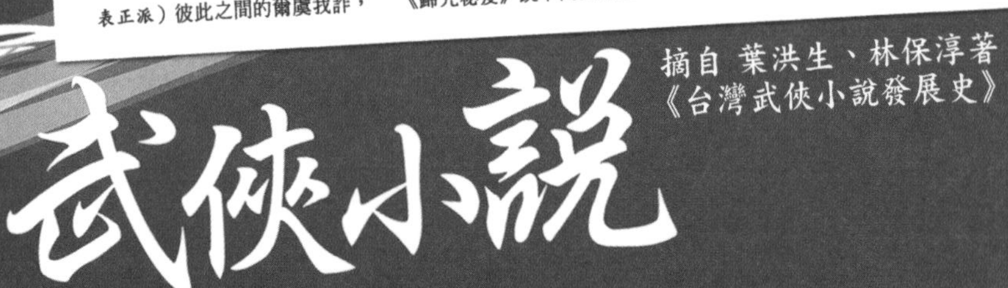

摘自 葉洪生、林保淳著《台灣武俠小說發展史》

台港武俠文學

流行天王

臥龍生

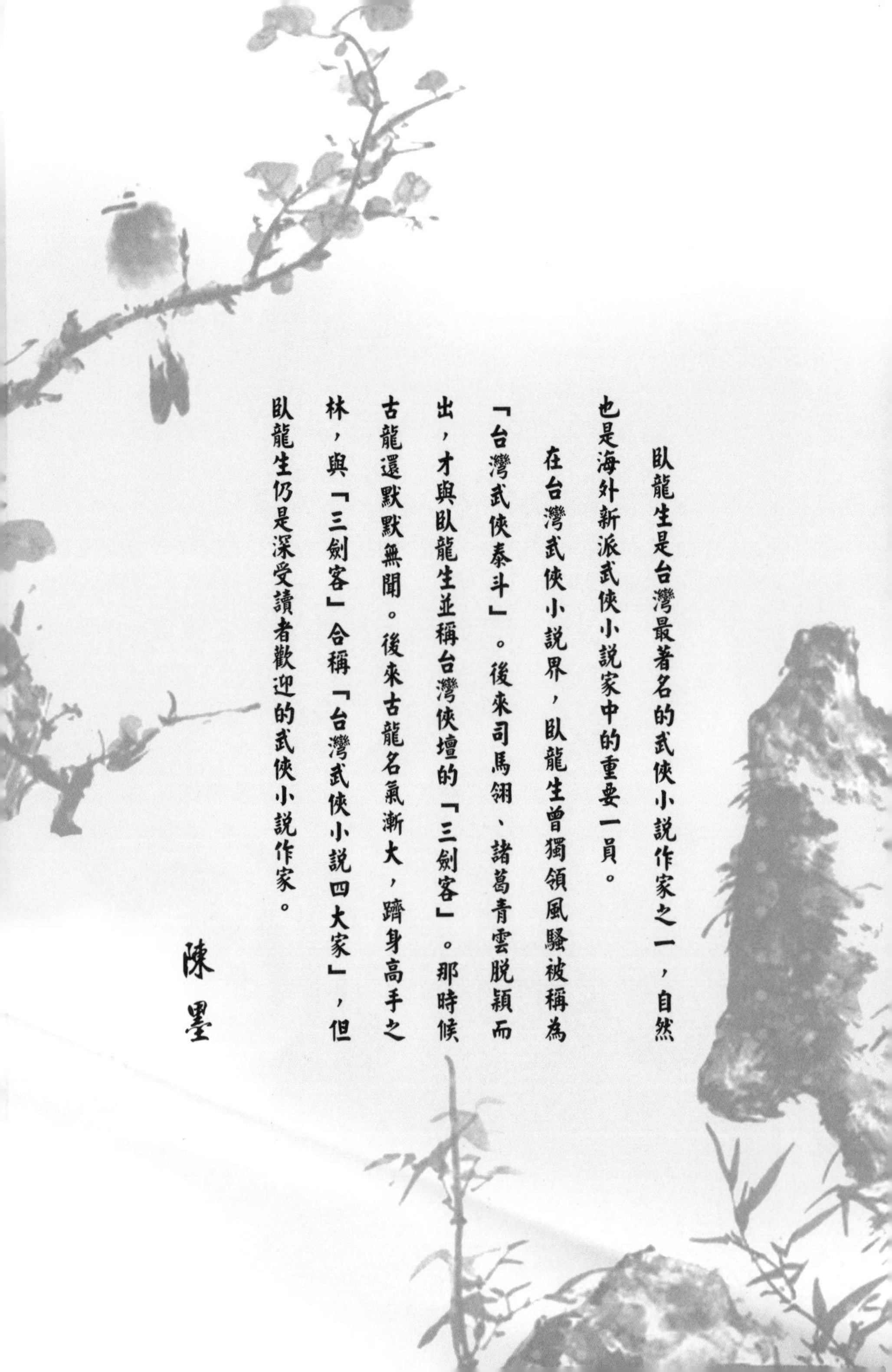

臥龍生是台灣最著名的武俠小說作家之一，自然也是海外新派武俠小說家中的重要一員。

在台灣武俠小說界，臥龍生曾獨領風騷被稱為「台灣武俠泰斗」。後來司馬翎、諸葛青雲脫穎而出，才與臥龍生並稱台灣俠壇的「三劍客」。那時候古龍還默默無聞。後來古龍名氣漸大，躋身高手之林，與「三劍客」合稱「台灣武俠小說四大家」，但臥龍生仍是深受讀者歡迎的武俠小說作家。

陳墨

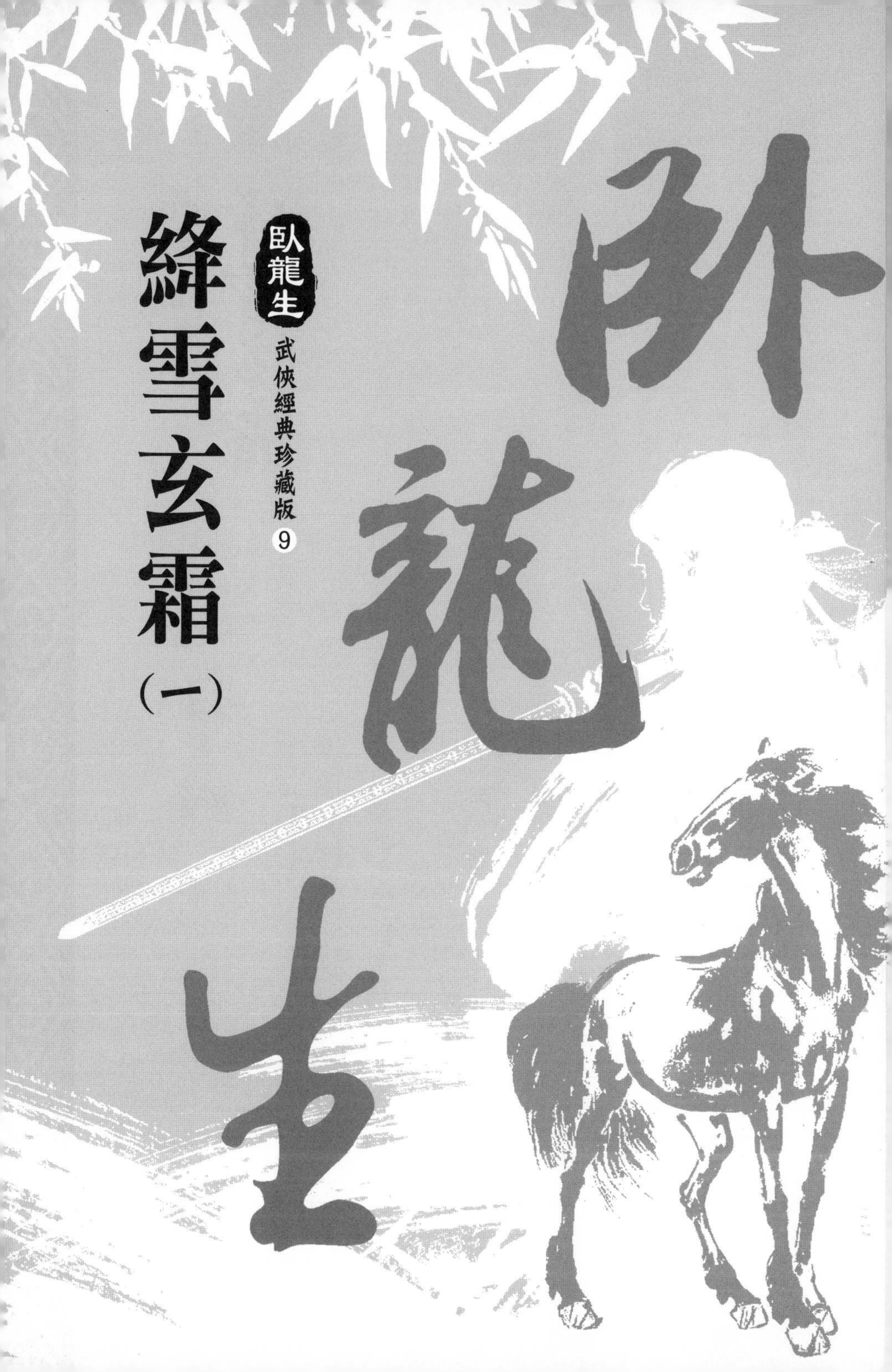
絳雪玄霜
(一)
臥龍生
武俠經典珍藏版
9
臥龍生

臥龍生精品集⑨

(一)

目錄

【導讀推薦】

江湖就是永不止息的追求與覺悟：《絳雪玄霜》賞析

著名小說評論家及電影研究專家
陳墨

提起臥龍生小說的名篇，人們首先想到的恐怕是《飛燕驚龍》和《玉釵盟》，繼而又會想到《天香飆》，《絳雪玄霜》當然也不錯。

有一年，大陸某出版社策畫出版一套「港台新武俠小說精品點評叢書」，臥龍生當然入選，可是具體選哪一部卻眾說不一。恰好臥龍生先生當時正在北京參加武俠小說創作研討會，於是順理成章，請臥龍生先生自荐一部。他自荐的正是這部《絳雪玄霜》。有點出乎大家意料，倒也平息了紛爭，解決了難題。

傳奇故事與人生感慨

武俠小說家創作方法有很多，但基本的方法卻不過兩種，一種是純粹的智能操作，編織曲折玄奇的傳奇故事；另一種則是更進一步，有心借武俠傳奇故事去記寫世間的悲歡和抒發作

者的人生感慨。作為武俠名家的臥龍生，尤其是寫《絳雪玄霜》時的臥龍生，則是介乎二者之間，他的基本創作動機及目標當然只不過是寫傳奇故事，但卻又不知不覺，或有意小心翼翼，或實在忍不住，在自己編織的人物及故事情節中，寫出自己心中塊壘。這樣，我們用心讀起來，就很有意思了。

《絳雪玄霜》從某種意義上講，是方兆南這位敘事主人公在武林世界中尋找自己的位置，確定自己的角色的過程。

他的雄心壯志，是要為武林正義盡一份心力，以至於報復師仇以及男歡女愛都成了次要之事。他不想成為武林霸主，卻夢想成為真正的武林英雄，希望受到武林人物的尊重和愛戴，希望讓人刮目相看……因為他是一個心存正義而又聰明機智的青年，更是一位熱情澎湃而又壯志凌雲的青年。

可是，這種雄心壯志，在這樣的武林世界中，只能是一種道道地地的夢。實際上，命運分派給他的角色，令他、也令讀者無比的感慨，那就是充當真正的武林強者的工具。——（一）俞罌花要他去九宮山以圖換藥，這是他身不由己的第一遭；（二）陳天相（**陳玄霜之祖父**）之所以教他武功，是要他替他們護法、托囑身後之事；（三）少林高僧覺夢、覺非教他武功，只不過是要他代少林出力，還要他代表他們去與羅玄比武；（四）盲眼道長傳他武功，是要他代做信使；「蜂王」楊孤教他馭蜂之術，是要托付那一籠他鍾愛一生的奇蜂；（五）羅玄要他去幫助武林群雄，是為了清理自己的門戶；（六）少林寺要他去當掌門，是要維護少林的威名（**戰勝武林高人羅玄的弟子**），更是要讓少林武功回歸少林……

人在江湖，身不由己

這一連串的遭遇，使我們不禁想到了金庸的《笑傲江湖》中的主人公令狐沖（比《絳雪玄霜》及方兆南晚出五年以上）。此人也是被他的師父岳不群、他的岳父任我行，以及各大江湖門派的掌門人當成了權力鬥爭的工具，使他產生「人在江湖，身不由己」之感慨。

而方兆南的遭遇其實比令狐沖要可悲得多，令狐沖不過是華山一派的異己，而方兆南則是整個武林世界的異己。他在少林保衛戰中是何等的無私無畏、何等的卓越輝煌，住方丈室、與大愚並肩同行，少林寺中千百弟子對他是何等的尊敬，然而大事一過，他迅速的由大恩公降為座上賓，繼之再降為階下囚！血池尋寶，落入了冥嶽弟子的手中所受的苦痛和磨難，相信遠不如少林寺戰後審判對他的傷害那麼深。

在《絳雪玄霜》的落幕戰中，我們看到了方兆南這位早先雄心勃勃且至今仍懷俠義之心的年輕主人公，其身分的尷尬達到了極點，從而進入角色的迷惘及人生的迷惘之中。曾幾何時，他顧不上找結義兄弟南北二怪，甚至也顧不上救出周、陳兩位師妹，而是去佈置眼線（張一平）、探聽敵蹤，要為武林盡一己之力。最後，他倒也盡力了，可是，一方面，他成了羅玄的一個小小的信使；另一方面，他又根本沒有得到武林群豪的真正認可，在那個以九大門派為主的俱樂部中，仍然沒有他的位置。他只有以參謀的身分幫助伽因禪師指揮進攻，但華山掌門人洪方等人顯然不將他放在眼中；那位伽因禪師雖明知他的才智、武功、對敵情的了解都高過自己，並且還客氣一句，要以盟主指揮一職相讓，但方兆南這回學乖了，他沒有接受，而伽因禪師亦再不說第二句客氣話。因為他知道方兆南這樣年輕而又無名的年輕人，要想獲得他這樣的地位，並且得到俱樂部成員及武林公眾的認可，難！難於上青天！

英雄情懷與命運悲愴

聰明的方兆南，何嘗不知道這一點？正因如此，他才對自己的角色，乃至進而對自己的人生追求及意義產生了根本的迷惘：爲什麼？到底要得到什麼？又能得到什麼？得到的又是什麼？

經歷了上述一切，不能不使雄心萬丈的方兆南產生幻滅，亦不能不使胸懷俠肝義膽的方兆南感到悲愴：你得到的，未必是你所追求的；你追求的，偏偏總也得不到。以爲是正的，偏偏卻比邪更惡；以爲是邪，倒又有正大光明。盡力而爲的義舉非但得不到世人的認可，反而遭到懷疑與誹謗；盡性而爲的怪傑並未被世人唾棄，反而舉世讚譽和崇慕……

「鬼仙」萬天成的出現，用封脈之法傷了腿，不但使他明白自己技不如人，從而興起了重修武功而救師妹的決心；更讓他有機會結識爲他治腿的盲目道人與「蜂王」楊孤。這兩位性格古怪的江湖前輩不僅讓他學到了三招掌法及馭蜂之術，更讓他產生了對「瓦罐不離井上破，將軍難免陣上亡」的武林生涯徹底的沉思和深刻的幻滅。

方兆南半年之後重新進入江湖，練好的武藝原只是爲報師仇、救師妹而來，適逢冥嶽教主聶小鳳與「鬼仙」萬天成聯合邀武林群雄參與鵲橋之會，這是萬、聶二人的爭霸江湖之戰。這一局勢又激起了方兆南的雄心與俠心，這將是他最後的機會證明自己的價值，追求自己的人生目標，找到自己適當的位置，以及自己人生的意義，沒有人請他、求他，他照樣興奮不已，覺得責無旁貸。可是他卻遇上了羅玄，這位武林景仰的當世第一高人（當然也是老人）的出現，使方兆南只有聽訓的份兒，儘管方兆南也找機會說了羅玄幾句，而羅玄亦以寬容的態度對待之，但實質上，兩人的身分與地位是早已定好了的：方兆南只能作羅玄的一個小小的信使——

這就是他最後的身分之「定位」。他成了一種可有可無的人物（沒有他，誰都可以當信使）。

複雜的江湖，微妙的人生

這雖然使鵲橋大陣迅速的、出人意料被羅玄輕而易舉的剿滅了，但方兆南卻因他的雄心大志無法實現而充滿悲愴。因而當羅玄離去之時，他出乎意料的向羅玄挑戰，與其說這是在執行覺非的遺囑、完成覺夢的心願，更不如說他是為自己的光榮與夢想，及其幻滅和悲愴而戰！這是他真正幻滅的產物、悲愴的結果，當然在潛意識之中，他仍然想要證明什麼。沒想到這一戰的結果，居然會成為少林方丈的一種考核：他合格了。他終於得到了一張「入會」的證明，可是，此時的方兆南，又怎麼能像以前那樣去接受它呢？

只要我們認真的去品味，我們不難體會到其中微妙而複雜的人生感受。這也就是我們說的，《絳雪玄霜》一書的非同一般的隱性主題。

一 師門鉅變

西北風勁吹，漫天飄著大雪。

河北入魯的官道上，奔馳著一匹健馬，得得蹄聲，蕩起了片片飛雪。

馬上坐著個二十餘歲的少年，一身藍色服裝緊裹，外罩著鵝黃色披風，左肩上露出飄垂著綠穗的劍柄，揚鞭顧盼，豪興橫飛。

這少年長相異常清秀，劍眉朗目，虎背蜂腰，面如冠玉，英風逼人，雖在瀰天大雪、凜冽寒風之下，卻全無畏寒之意，眉宇間歡愉洋溢，嘴角間不時露出笑意。

突然，一隻低飛的寒鴉，喳的一聲，掠頂而過，振翅西去。

藍衣少年似被寒鴉的叫聲，驚醒了歡愉的回憶，微微一皺眉頭，探手入懷摸出了一粒形如蓮花、大如核桃的金色暗器，抖手間，破空飛出，去勢勁疾，劃起了輕微嘯風之聲。

但聞一聲哀鳴，那急飛的寒鴉，應手而落，一團黑影，摔在了雪地上。

刺骨的西北風，仍然勁吹，鵝毛般的大雪，仍不停地飄落著，四野寂寂，仍和剛才一樣的安靜，除了他之外，再無第二個人知道那皚皚的白雪之下，已埋葬一隻飛行在風雪中的寒鴉。

一個不祥的預感，陡然間襲上心頭，他不自覺地打了一個冷顫，忽地放馬加鞭，向前疾奔而去。

嚴寒的風雪中，只見那健馬身上一滴滴紅色的汗珠，滴灑在白雪地上，用重金選購的長程健馬，終於無法負擔長時不停疾奔的勞累，用盡牠最後一點氣力之後，倒了下去。

藍衣少年在健馬倒地之時，雙足微一用力，忽然凌空而起，飛躍出八、九尺外，輕飄飄地落在雪地，回頭望著那倒臥雪地上的健馬，輕輕地嘆息一聲，自言自語道：「馬兒，馬兒，生死由你去吧！恕我無暇照顧你了！」

說完霍然轉身，放腿向前奔去，其疾如箭，速度並不在那健馬奔馳之下。

天色逐漸地暗了下來，風雪卻越來越大，那藍衣少年一面不停舉手揮著頭上的汗水，一面仍然拚著餘力向前奔走，鵝黃的披風，被怒吼的寒風吹得颯颯作響。

大約有一刻工夫，走到一湖畔所在，就在這湖畔邊緣，巍然矗立著一座孤零零的宅院，卻看不見一點燈光，暗夜的籠罩下，呈現出一片淒涼。

他抖抖身上積雪，慢慢地走向那所宅院。

只見兩扇漆黑大門緊緊關閉著，他舉手拍擊一下門環，半晌不聞宅院中有何聲息，心中一急，不覺雙手加力一推。但聞呀然一聲，兩扇漆黑大門突然大開。向裡望去，只見院中的雪光盈盈，各室內漆黑如墨，一片幽寂、淒涼。

藍衣少年略一沉吟，挺身而入，回頭把兩扇大門關好，緩步向前走去。

穿過一所庭院直到寬敞的大廳中，夜色更加黝暗，伸手難見五指，凜冽的寒風，從門外吹入，刮動壁間的字畫，全廳一片沙沙之聲，更加重了陰森恐怖氣氛。

這藍衣少年雖有著一身武功，也不禁心頭微生寒意，不自覺地伸手摸摸劍柄。

他本有黑夜視物之能，微微一閉雙目，調勻真氣，再睜眼時，已可看清室中景物。

只見靠壁處，放著一張八仙桌，四張太師椅，排列得十分整齊。他略一沉思，急步向後院奔去，走過一段通道，到一處幽靜的跨院門旁，兩扇木門，緊緊地關閉著，一股驚恐的衝動，使他毫不考慮地伸手推向那兩扇木門。

但他右手將要觸到木門上時，又突然縮了回來，他知道這是師父靜修內功的所在，任何人都不能擅自闖入。

他輕輕咳嗽了一聲，恭敬地對著兩扇木門說道：「弟子方兆南，特來向師父請安……」

這兩句話說的聲音極高，餘音蕩漾繚繞空際，歷久不絕，但那幽靜的跨院之中，仍然是一片死寂，聽不到半點回音。

一陣勁風吹來，刮落了房上積雪，灑了他一頭一臉，臉上一涼，心中也同時泛上來一股寒意，不禁打了個冷顫，雙手一推木門，但卻紋風未動，想是裡邊已上了栓。

他向後退了一步，暗中運起真氣，集於左肩，正待撞開木門，忽然想起師父那莊嚴肅穆的面孔，立時一收架勢，雙臂一振，凌空而起，躍上圍牆。

放眼望去，兩株盛放的臘梅，雪光中傲然挺立，幽香花氣，撲鼻沁心。

一個秀慧娟雅的倩影，陡然間展現腦際，他想到了十幾年前，曾和一個美麗絕倫的小女孩，共同手植這兩株臘梅的情景。

那時，他和她都還是八、九歲的孩子，青梅竹馬，一起長大，一塊兒學習武功，一塊兒淘氣遊戲，轉眼流光，似水年華，十幾年的歲月，很快地過去。

當他藝滿離開師門之時，她已是亭亭玉立的大姑娘，一晃眼又是兩年時間，他這次由千里之外趕來這東平湖畔，一半是探望師父，一半是想看看幼小在一起長大的師妹……

他望著梅花出了一陣子神，才飛身而下，緩步向師父修習內功的靜室走去。

忖思之間，人已到了師父修習內功的靜室門外，運足真氣舉手一推，兩扇門應手而開。

但見滿室佈垂素帷，觸目一片銀白，兩具銅棺，並放在素帷環繞之中。

他呆了一陣之後，大叫一聲：「師父！」縱身躍撲過去，雙手分扶兩具棺蓋，淚水泉湧而出。

一陣痛泣之後，心情逐漸平復下來。暗道：「師父武功絕世，譽滿武林，師母亦是巾幗女傑，一手金蓮花，名震大江南北，縱受當世一流高手圍攻，亦足可全身而退，這兩具銅棺之中，也許不是師父、師母。」

心念一動，急於要查明真相，暗中潛運功力，正待揭開左面棺蓋，一看究竟，突聞一個嬌如銀鈴般的聲音，起自身後，道：「住手！」

轉頭望去，不知何時，身後已站立一個白衣白裙，長髮披肩的少女。

雖然那少女美麗絕倫，但在此時此地，陰氣森森，素帷低垂，雙棺並陳的靜室之中出現，而且又來得無聲無息，方兆南縱然膽大，也不禁嚇得心頭一跳。

只見那白衣少女微一啓動櫻唇，冷冷地問道：「你是什麼人，深更半夜，跑到這裡哭哭啼啼？」

方兆南略一沉吟道：「在下乃周老英雄的門下，賤姓方，草字……」

白衣少女接道：「好啦！我又沒問你姓名。」

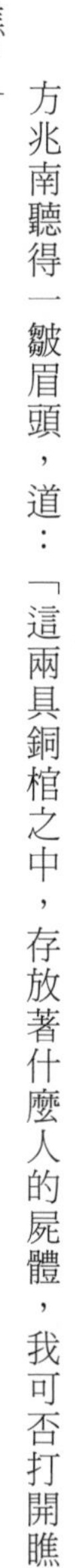

方兆南聽得一皺眉頭，道：「這兩具銅棺之中，存放著什麼人的屍體，我可否打開瞧瞧？」

白衣少女冷冷地答道：「別瞧啦！一個是周佩周老英雄，一個是周夫人。」

方兆南只覺一股熱血由胸中直沖上來，厲聲喝道：「此事當真？」

白衣少女神色不動地冷然答道：「不信你就打開棺蓋瞧瞧吧！」

方兆南雙手用力，喀咔的一聲，啓開了左面一具棺木，探手懷中摸出千里火筒一晃，火光閃動，幽暗的靜室中，亮起了一道熊熊的火焰。

目光及處，只見兩具棺木之間，放著一張很小的茶几，茶几上置放著一支已經點殘的蠟燭。

他抖動著右手，燃起蠟燭，素帷環垂下，燭光更顯得明亮。

只見白綾覆蓋著一具仰臥的屍體，單單露出一顆花白長髯、白布包髮的人頭，十幾年教養深恩，在他心目之中早已深刻地留下師父的音容笑貌，一望之下，立時辨認出來，那仰臥在棺木中的屍體，正是他兩年未見的恩師遺體。

只覺胸中熱血翻騰，再也難以控制悲憤激動的情緒，大喝一聲，噴出一口鮮血，撲拜在棺木之前，放聲大哭起來。

溫馨的舊情往事，現下都化成了悲憤痛苦，這一哭真是哀倒欲絕。

不知過了多少時間，方兆南已哭得淚盡血流，這一場大哭，暫時發洩了他壅塞在胸中的悲憤情緒，心神逐漸地安靜下來。

定神望去，只見那茶几上的蠟燭，只餘下了半寸長短，那冷如冰霜的白衣少女，仍靜靜地

站在一側，臉上神色，毫無變化。

方兆南緩緩地站起身子，目光凝注那白衣少女身上，問道：「妳是什麼人？我師父、師母的屍體，都是妳收殮的嗎？」

白衣少女望也不望方兆南一眼，冷冷地答道：「我父母受過周老英雄的濟助，我收殮他們屍體，算替父母報恩，你已哭鬧了一個更次，現在該走啦！」

說完，慢慢地轉過身子，緩步向素帷後面走去。

方兆南急道：「姑娘暫請留步，在下還有幾句話說。」

那白衣少女已快走入白帷，聞言停住腳步，道：「什麼話快說！」

方兆南見她背己而立，連頭也不轉一下，不禁心頭微生怒意，忖道：「這少女好生冷傲。」

就在他心念轉動之間，那少女似已等得不耐，身軀晃動，人已隱入白帷之中。

方兆南久隨師父身側，常得周佩召入這靜室之中受教，知那素帷後面，並無複室，當下提高聲音，問道：「姑娘可知家師膝下一位女兒，哪裡去了麼？」

只聽素帷後面傳來那少女冷冰冰的聲音，道：「不知道。」

方兆南雙眉一挑，又問道：「姑娘幾時到此，可曾見到家師被害的經過？」

但聞白衣少女簡短的答話，道：「我來此時，他們已被人殺害很久了。」

方兆南疑心突起，略一沉吟，追著問道：「姑娘何以知道家師夫婦遇害，特地趕來此地收殮屍體？」

素帷後面傳出那白衣少女清脆冰冷的笑聲，道：「怎麼？你懷疑我是殺害了你師父母的兇

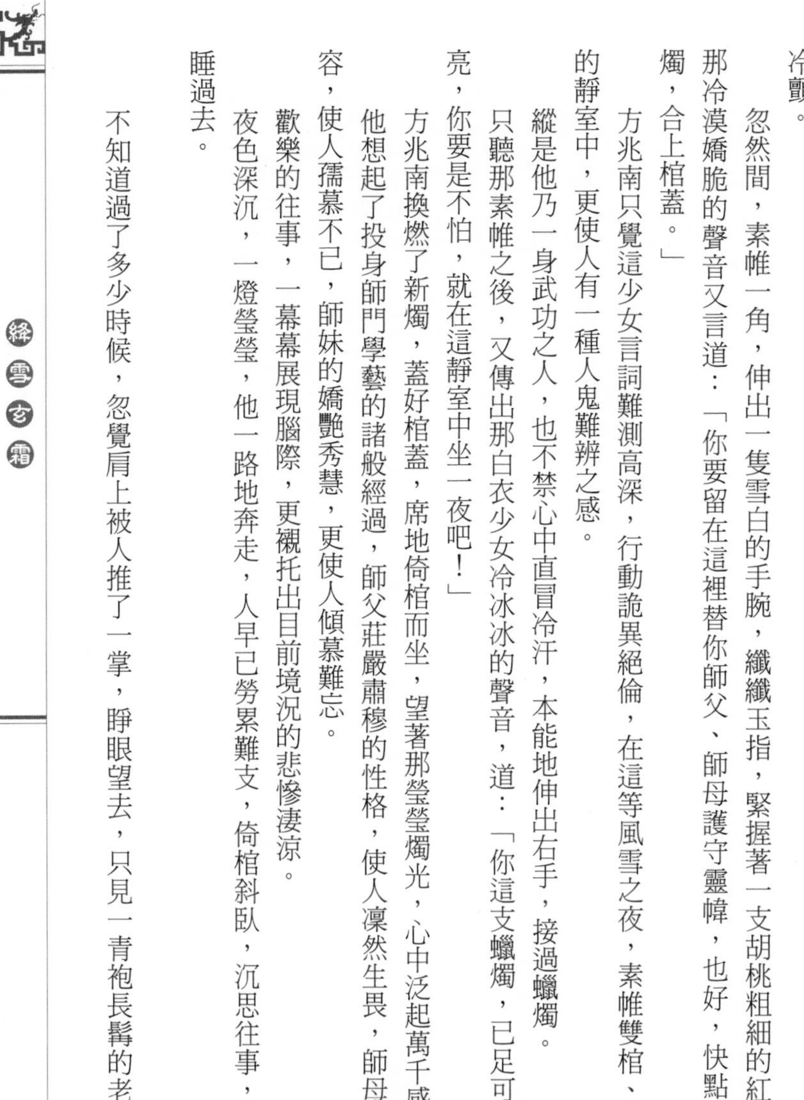

手麼？」說完又是一陣大笑。

方兆南只覺那嬌脆的笑聲之中，似乎含蘊著一股陰寒之氣，聽得人毛骨悚然，連打了兩個冷顫。

忽然間，素帷一角，伸出一隻雪白的手腕，纖纖玉指，緊握著一支胡桃粗細的紅色蠟燭，那冷漠嬌脆的聲音又言道：「你要留在這裡替你師父、師母護守靈幃，也好，快點著這支蠟燭，合上棺蓋。」

方兆南只覺這少女言詞難測高深，行動詭異絕倫，在這等風雪之夜，素帷雙棺、陰風森森的靜室中，更使人有一種人鬼難辨之感。

縱是他乃一身武功之人，也不禁心中直冒冷汗，本能地伸出右手，接過蠟燭。

只聽那素帷之後，又傳出那白衣少女冷冰冰的聲音，道：「你這支蠟燭，已足可支持到天亮，你要是不怕，就在這靜室中坐一夜吧！」

方兆南換燃了新燭，蓋好棺蓋，席地倚棺而坐，望著那瑩瑩燭光，心中泛起萬千感慨。

他想起了投身師門學藝的諸般經過，師父莊嚴肅穆的性格，使人凜然生畏，師母的慈愛笑容，使人孺慕不已，師妹的嬌艷秀慧，更使人傾慕難忘。

歡樂的往事，一幕幕展現腦際，更襯托出目前境況的悲慘淒涼。

夜色深沉，一燈瑩瑩，他一路地奔走，人早已勞累難支，倚棺斜臥，沉思往事，不覺間沉睡過去。

不知道過了多少時候，忽覺肩上被人推了一掌，睜眼望去，只見一青袍長髯的老人，滿臉悲憤之容，靜靜地站在棺木旁邊。

方兆南一見來人，不知是驚是喜，霍然躍起，撲拜身前，淚水泉湧而出。

原來這老人乃周佩最爲知己的好友，江南四劍之一的張一平。

那老人輕輕地嘆息一聲，道：「你起來，慢慢地告訴我事情的經過。」

方兆南舉起衣袖，拂拭一下臉上的淚痕，說道：「晚輩昨夜趕來，師父、師母已然遭人毒手多時……」

那老人微感心頭一震，道：「什麼？難道你師父、師母的屍體，不是你收殮入棺的麼？」

方兆南突然想起那白衣少女，搖搖頭道：「不是。」

口中應著那老人問話，卻突然轉身，掀開素幃。

但見素幃之後，齊齊地排列一排人頭，那白衣少女，已不知何時離去。

青衫老人臉色一變，大踏步直入素幃後面，方兆南呆了一呆，緊隨那老人身後進去。

只見素幃後面壁角之處，堆積著十幾具無頭屍體，方兆南暗暗一數，和那排列的人頭剛好符合，不多不少的十五具。

張一平咬牙切齒，冷笑了一陣，道：「好毒辣的手法，當真是雞犬全誅，一口不留。」

方兆南學藝師門之時，已拜認過這位譽滿武林的大俠客，知他一身武功，已達出神入化之境，聲譽之隆，猶在師父之上。

此時此地，遇上這位行蹤一向飄忽難覓的奇人，極度悲苦之中，油然生出一線爲恩師夫婦復仇的希望。

當下躬身說道：「師伯見聞廣博，和家師交誼篤厚，師門不幸遭遇這等慘變，要全仗師伯

大力，查出仇人姓名，替家師洗雪這滅門沉冤，晚輩雖自知武功不濟，但願憑藉滿腔熱血，一顆復仇的心，先試敵鋒。」

張一平輕輕嘆息一聲，道：「孩子，你不用拿話激我，我和你師父交情彌篤，三十年前承你恩師、師母仗義執仁，救了我一條性命，迄今，我一直耿耿於懷，無時不思圖報，他遭此滅門慘禍，我心悲痛之深，決不在你之下，只要我有一口氣在，必報此仇！」

話至此處，再難自制，兩行老淚，滾滾而下。

方兆南噗通一聲，拜倒在地，道：「晚輩先代亡師夫婦，叩謝張師伯高誼隆情。」

張一平畢竟是涵養極深之人，一陣激動過後，心中逐漸平復下來，兩道冷劍般的眼神，從頭到腳地把方兆南打量了一遍，道：「起來，把你昨宵所見之事告訴我。」

方兆南依言起身，暗中留神望向那堆積的屍體之中，並無師妹遺體，心中略感寬慰，黯然一嘆，把昨宵經過之情，很詳盡地對張一平說了一遍。

張一平聽那白衣少女奇異的舉動之時，心中不禁大感驚奇。

他暗道：「女孩子家，大都天生膽小，縱是習武功的人，也不可能有這般超異鬚眉的膽氣，在風雪淒冷的夜裡，一所寂寂無人的大宅院中，伴守著一堆屍體……」

方兆南似看出了張一平臉上疑慮之情，當下接道：「晚輩之言，句句屬實，那白衣少女的奇異行動，實使人有一種人鬼難辨之感。」

張一平淡淡一笑，道：「世界之大，無奇不有，如果賢侄不是因極度悲苦的一種幻覺，那白衣少女，倒是一條最好的追查線索。」

方兆南嘆道：「晚輩如非親目所睹，只怕也很難相信，天下竟有這等奇特之事，難怪師伯

要心存懷疑了。」

語聲甫落，突見一道白光，破帷飛來。

方兆南幼得師母傳授金蓮花暗器絕技，耳目極是靈敏，右手一招，接住飛來白光，只覺入手冰冷，定神看時，所接暗器竟是一團雪球。

這雪球似經人用力捏成，大如杏子，堅硬異常，發這雪球之人的手法，亦似極有分寸，穿幔破帷，應位奇準。

但方兆南舉手接住雪球之時，不覺得勁道猛烈，這種不輕不重，恰到好處的腕力，如非身具上乘內功之人，實難拿捏如此之準，不禁心頭大感凜駭。

張一平冷哼一聲，雙足微一用力，身軀如箭平射而出，身法奇奧，果然是一代名家身手。

方兆南左手一撥素帷，一個「燕子穿雲」身法，躍出靜室，抬頭一看，只見張一平站在屋脊之上，正四下眺望。

忽見他左腳向後一滑，人不起步，腿不屈膝，身子已自屋上直滑下來。腳落實地，長嘆一聲，道：「罷了，罷了，我張一平今天算栽到家啦！孩子，快快捏碎你手中的雪球看看。」

方兆南右手指微一用力，雪球應手而碎，果然那球之中，包著一片白綾。

只見上面寫道：「此非善地，早離爲上，以免遭殺身之禍。」

下面既未署名，也未畫什麼標記符號。

張一平雖是見聞廣博之人，但一時之間，也爲之愕然一呆，他想不到這竟是一封善意示警的短箋。

方兆南突然一揚兩道濃濃的劍眉，道：「張師伯，咱們留在這裡等他們。」

張一平黯然一嘆，道：「年輕輕的孩子，能有這份膽氣，誠是可貴，不枉你師父教你一場，不過，你留在這裡，於事無補。」

方兆南突然滾下來兩滴淚珠，接道：「晚輩亦自知武功難望家師項背，可是師門仇恨，不共戴天，再謀報仇之策，方兆南如今生不能殲仇劍下，有如此樹。」

右臂一翻，長劍出鞘，寒光閃處，但聞喳的一聲，一株臘梅，應手而斷。

張一平雙目神光閃動，似是被眼下少年的沖霄豪氣，激起了故舊之情。

但只一瞬間，他又恢復鎮靜神色，淡淡一笑，道：「小不忍則亂大謀，單依那飛雪示警之人的武功而論，已可預測來敵，定然是武功奇高之人，別說你留此於事無補，就是老夫，只怕也難是來人敵手。不過，我已是行將就木之年，生死之事，早已不放在心上，故友情重，濺血何憾，縱然埋骨這東平湖畔，常伴故友泉下英靈，也是人生一件快事，如能僥倖脫難，定當設法邀集武林高手，殲仇雪恨！」

話至此處，突然住口，一把抓住方兆南右腕，向外奔去。

一口氣跑出了五、六里路，張一平才鬆了方兆南右腕，嘆息一聲問道：「你認爲你師父、師母死得很突然麼？」

方兆南被張一平突然扣住脈門要穴，失去抵抗之力，拖著跑了五、六里路，慜了一肚子怒火。正想出口相責，但卻被張一平這突如其來的一問，心中疑念陡生，呆了一呆，道：「師伯此言，究係何意？難道說我師父、師母，事先已預知這場滅門慘禍不成？」

張一平仰天長長吁一口氣，道：「不錯，你師父、師母不但事先預知這場滅門慘禍，而且還預知無法逃過這場劫難，所以，既未邀人助陣，亦未避難遠走。」

方兆南道：「師伯此言，難使晚輩心服，別說天下之大，到處可以藏身安命，單以恩師夫婦兩人的武功而論，縱然不敵來人，亦可全身而退，不致雙雙陳屍並棺，如非遭人暗下毒手殺害，豈會落得如此悲慘結局？」

張一平略一沉吟，道：「這也就是我費解之處了，周賢弟生性莊肅，律己甚嚴，生平又結怨不多，自看破世情、隱居東平湖畔後，更是絕緣江湖，除了老夫和一、二知己故交之外·很少和武林人物交往。二十年來深居簡出，都以植花課徒爲樂，三年前我和他相晤之時，發覺他內功精進極多，就是你那師母，也有了驚人的成就。縱觀大江南北，當今黑白兩道高手，能勝過他夫婦兩人的，確是難以找出幾個，但我細查全室所得，令師夫婦分明預知慘事，早已做了安排。」

方兆南道：「師伯請恕晚輩愚蠢，敬祈不吝明示教言，以開茅塞。」

張一平舉目四顧，張望一陣，道：「這不過是由閱歷中得來。說穿了，也算不得什麼，你可曾在那靈房屍體之中，發現到你那師妹的遺體麼？」

方兆南道：「想我那師妹，乃蕙質蘭心之人，舉世能有幾個，也許她已被人劫持而去，晚輩實不敢因而……」

張一平拂然一笑，道：「好孩子，反問得好，你不敢苟同老夫的意見，對麼？」

方兆南道：「晚輩不敢。」

張一平道：「那靈房屍體之中，未發現你師父愛女遺體，可做兩種解說，說她被人活擒而

去，不能算錯，說她早被令師遣往他處避難亦可，關鍵就在那堆積的屍體上了。」

方兆南奇道：「恕晚輩智思愚拙，難解師伯弦外之音，願聞其詳。」

張一平嘆道：「如果你留心那靈帷後群積的屍體，一個個身著勁裝，即可了然你師父早知慘禍難逃，不甘束手待死，故而著令家中所有僕人，準備應變，想以數十年修習的武功，和來人一拚。不想來人武功奇高，抗拒之下，落得個滿門滅絕的悲慘收場，其間使人不解的是，既然預知慘禍將臨，何以竟不肯先行避走，此策縱然不能長期逃避敵人鐵蹄追蹤，但總可暫時避開敵人耳目，然後再徐謀對敵之策不遲。唉！天啊！為什麼不讓我早來三日，想不到這晚到一步，竟造成終身大憾。」

方兆南細想靈帷後那堆積的屍體，果然都是一個個身著勁服。當下說道：「師伯觀察入微，一言點破晚輩迷津，家師既自知這場慘禍難免，何以竟未邀人助陣？」

張一平沉思良久，說道：「你師父自隱居東平湖後，很少和武林人物來往，再說縱是有意邀人相助，也難找到適當之人。如果我推論不錯，你師父宅院附近，定然還有人在暗中監視那雪球示警之人，也許就是你所見那人鬼難辨的白衣少女。老夫自信輕身之術，不算太差，但我躍落院中之時，竟然未能目睹來人一點蹤跡。這次慘事，恐非一般武林中仇殺事件，對方手段之辣，武功之高，都非一般江湖人物所能比擬，而且殺人之後，不掩藏滅跡，分明另有作用，那白衣少女守護靈帷，亦恐有所用心。」

他略一沉吟，又道：「就老朽眼下所見，有兩件急事要辦，一是尋找你那師妹下落，二是查出仇人是誰，最低限度，也要找出一些蛛絲馬跡，以便追索。」

方兆南道：「師伯見慮深遠，晚輩五體投地，尚望師伯看在和亡師一場相交分上，代籌復

仇之策，則晚輩感恩不盡了。」話一說完，人已拜倒在雪地之上。

張一平黯然一笑，伸手扶起方兆南，道：「孩子，你起來，我和令師交誼，深逾骨肉，情重生死，你不求我，我也要豁出這條老命，非要追出事情真相不可。現下咱們分頭行事，你去尋找你師妹下落，老朽重返兇宅，再做一番仔細勘查，也許故友英靈佑護，使我能暗中睹得仇人一面，也好早謀報仇之策。」

方兆南道：「晚輩身沐師門十餘年教養之恩，粉身碎骨，罔報萬一，眼下師父、師母罹此慘禍，晚輩豈可退縮不前，避重就輕……」

張一平搖搖頭，接道：「此返兇宅，旨在搜查敵人遺留痕跡，並非和人拚命，行蹤愈是隱密愈好，你如和我同去，不但於事無補，且將累我分心顧你，何況找尋你師妹下落之事，乃此次慘劇最爲重大關鍵，比重探兇宅，更爲重要。」

方兆南知他武功高強，譽滿大江南北，綠林道上人物，聞名喪膽，自己武功和人相差甚遠，如堅持同去，只怕真有累人之處。

略一沉思，嘆道：「老前輩既然如此說，晚輩自是不便再堅持愚見，但天涯茫茫，我師妹行蹤何處，叫晚輩到哪裡去找？」

張一平探手入懷，摸出一枚口面鋒利如刃的金錢，說道：「你帶著這枚金錢，即刻趕往魯南抱犢崗朝陽坪，去見袖手樵隱史謀遁，如果他不肯相見，你就出示這枚金錢。他收下這枚金錢，必然會問你有什麼事要他相助，此時千萬不可說出要他助你尋找你師妹之言，只說還錢索恩的原主未到，晚輩只是奉遣來此，先行通報史老前輩一聲。不管他如何冷嘲熱諷於你，都要盡力忍耐，不可反唇頂撞，待他把金錢還你之後，再提來此尋你師妹之事。此事關係重大，非同兒戲，你必須要以最大耐性，忍受他譏諷之言，否則一著失錯，不但你無法見得你師妹之面，且將破壞我全盤計劃。」

方兆南只聽得皺起眉頭，一臉茫然之色，但見張一平說得鄭重異常，只得隨口應道：「如若真能尋得晚輩師妹，有助我恩師夫婦復仇之事，晚輩就是受他一頓打罵，也絕不還手就是。」

張一平嘆道：「袖手樵隱為人怪僻，生平不願管人閒事，聽他那『袖手』二字的綽號，就不難知他為人，眼下寸陰如金，我無暇與你解說，好在一、兩天內，我也要趕到抱犢崗去……」

他微一沉忖之後，又道：「如果我在三天以內仍然未到，你可再用這枚金錢，要求袖手樵隱在三十日內查出殺害你恩師夫婦的兇手姓名來歷……」

方兆南本是極為聰明之人，已聽出張一平言詞弦外之意，無異告訴他三日內不能去抱犢崗朝陽坪和自己相會，定已是遭人毒手，埋骨東平湖畔。

他不禁泫然說道：「師伯義薄雲天，晚輩感佩至極，師門血債，深如江海，方兆南有生之年，必要雪此大仇，縱然濺血碎骨以赴，亦是在所不惜……」

張一平仰臉望天，豪氣頓發，呵呵一笑，接道：「縱然退得敵人，也未必真能把我張一平留在東平湖畔，賢侄但請放心去吧！倘若見得你師妹後，先不要告訴她你師父、師母遇難慘事。袖手樵隱生性冷僻，從不和武林中人物往來，這枚金錢雖然可使他臣服，但只能限定求他一事，賢侄人極聰明，屆時不妨見機而做，切莫濫用了這枚金錢，老夫言盡於此，你快些上路去吧！」

方兆南微一沉忖，撲身一拜而起，道：「晚輩敬領師伯教言。」

當下一提真氣，轉身疾奔而去。

張一平望著方兆南的背影逐漸消失，才長長吁一口氣，緩步重向來路歸去。

方兆南一路放腿疾奔，入暮時分，到了一處小村鎮上。

只覺腹中饑腸轆轆，極是難耐，原來他急於趕路，已一天一夜沒有吃飯。

抬頭望去，只見村口臨路處，一片白布招展，正有一所賣酒人家。

方兆南放緩腳步進了店門，只見店中三張破舊的八仙桌上，已有兩個酒客對面而坐，這等小村鎮上酒店，大都是一個人兼具掌爐跑堂，人手極少。

入得店後，立時呼叫酒菜。哪知他叫了半晌工夫，仍不見有人出來招呼，不禁微生慍意，高聲喝道：「店裡面有人麼？」

只見垂掛在套間門口的布簾啓動，緩步走出一個十五、六歲，衣著襤褸，頭梳雙辮的女孩，嬌聲應道：「我爺爺趕集去啦！還未回來，餘下的酒菜，都被先來的兩位客人叫了。」

方兆南聽那女孩回答酒菜俱無之言，不覺怒火沖心，呼地一聲擊在案上，道：「既然酒菜已賣完了，爲什麼不把酒招取下？」

忽然想到自己乃堂堂七尺之軀，如何能對一個未見過世面的鄉村姑娘，發這種無名之火。

當下改容接道：「在下急於趕路，已一日一夜未進食，酒菜既已賣完，在下自不便強索強買，尚望姑娘行個方便，替在下張羅點充饑之物，當以重金相謝。」

那村姑雖然衣著襤褸，但人沉穩至極，目睹方兆南發怒之情，毫無驚懼之色，只是冷冷地

站在一側，瞪著又圓又大的眼睛，望著方兆南。

那鎮靜從容、一派大家閨秀風範，和她一身襤褸裝束，大不相稱。

方兆南由發怒到和顏相向，她一直靜靜地站著，未接一言。

直待方兆南話完，她才微微一笑，道：「大爺衣著華麗，器宇軒昂，分明是貴家公子身分，像我們這僻野鄉村，路旁小店，每日酒客有限，酒菜之物，必要量出而備，既已賣完，就無點滴存貨，重金相謝之言，恕村女歉難白受。」

說來不疾不徐，風雅婉轉，分明是一位知書達禮的姑娘，不知何以竟在荒僻的山村之中，掌爐賣酒？

方兆南心頭微感一震，不自覺地抬頭仔細打量了對方兩眼。

只見她身材纖細，眉目似畫，微啓雙唇中，齒如扁貝，瑤鼻端正，輪廓秀美至極，只是膚色黑了一點，雖然年歲尚幼，氣度卻很高雅，滿臉笑意，風姿撩人。

當下一抱拳，道：「姑娘談吐不俗，想是深藏不露的高人。請恕在下方才冒犯之言。」說完，轉身出店而去。

忽聽那村姑嬌脆的聲音，起自身後道：「公子慢走一步。」

方兆南轉身望去，那村姑已站到店門口旁，微笑道：「這等寒冷之天，公子兼程趕路，想必有要緊之事，眼下天色又將入夜，嚴寒更重，前去不遠，就進山區了。公子雖是身負武功之人，但在漫山大雪覆蓋之下，鳥獸都已經絕跡了，想打鳥獸充饑，只怕難以如願。」

方兆南大大地吃了一驚，暗道：「此女何以竟能猜到我心中所思之事，又看出我身負武功。」不禁呆了一呆。

只見那衣著襤褸的村姑，又是微微一笑，道：「公子請返小店略息片刻，容村女為你籌點食用之物吧！」

方兆南只覺對面少女不但談吐文雅，而且舉動著著出人意外，心中又是敬佩，又感害怕，雖想推辭，但又覺腹中饑餓難耐，略一沉吟，重又隨那村女返回店中。

只見那兩個面對面而坐的酒客，神情木呆，仍是原姿未變，似乎動也沒有動過一下，不覺心起疑竇，定神一看，驚得他怔在當地。

原來那兩個對面而坐的酒客，都已被人點了穴道，因為自己饑火攻心，入店後只顧呼叫酒菜，未曾留意兩人神情，暗自道了聲慚愧。

那襤褸衣著的村姑，似是已看出方兆南驚愕之情，淡淡一笑，道：「公子如不覺噁心，不妨就把這兩位客人叫的酒菜，先用下充饑如何？好在他們尚未動過一筷，食過一口。」

說來輕輕鬆鬆，神情不慌不忙，這就更使方兆南心中發毛了，一皺眉頭，道：「姑娘盛情心領，酒菜是別人叫好，在下豈可侵占自用。」

那村姑微微一笑，答道：「公子既不食別人叫的菜，就請略候片刻，容村女入內，張羅食物。」說完輕啓布簾，緩步入室。

方兆南藉機打量這座小店，只不過有三間大小，中間用木板分遮，靠壁留有一個小門，藍簾低垂，難窺內室。

外面一半除了三張木桌和十幾個竹椅之外，再無他物，看不出一點可疑之處。

心中大感迷惑，暗自忖道：「這等荒僻之處，能有多少過路旅客，若說這小小酒肆，是一座殺人劫財的黑店，實又不像，這村女來路，實使人難測高深……」

忖思之間，那村姑又啓簾慢步而出，手中捧著十個熟的雞蛋，笑道：「僻荒小店，無物敬客，這十個煮熟雞蛋，請公子帶著充饑吧！」

方兆南心中急於離開，也不推辭，雙手接過雞蛋，探懷摸出一錠銀子，放在桌上，笑道：「些微心意，敬請收納。」

褸衣村姑望也不望銀子一眼，答道：「十枚雞蛋，能值幾文。公子厚賜，如何能受。」

方兆南道：「人在饑餓之時，一餐飯價値難計，區區一錠白銀只不過聊表謝意。」

說話之間，人已閃身出店，頭也不回地向前奔去。

一口氣跑出了十餘里路，才放慢腳步，張望四周景物。

這時，天色已到了掌燈時分，抬頭四顧，夜色中隱隱可見皚白的峰嶺起伏，行程即將進入山區。

方兆南仰望夜空，長長地吁一口氣，取出懷中雞蛋食用。

他片刻間，把十枚雞蛋吃完，盤膝就座雪地，閉目調息，直待疲累盡復，才一躍而起，辨認了方向，就道登山。

行約半個更次，山勢逐漸險惡，觸目峰嶺聳雲，絕壑斷路。

大雪封閉之下，但見一片瓊瑤鋪地，連一道登山的小徑，也沒法兒找出。

方兆南雖然是一身武功之人，此刻也覺出寸步難行之感，拔劍點路，冒險攀登，這一場艱苦的踏雪夜行，直累得他滿身大汗，當真是步步凶危，險象環生。

直走到次晨五更時分，才到了抱犢崗下，抬頭望去，高峰聳雲，立壁如削，夜色中難見峰

頂。

他一日夜奔走未停，人已困乏難支，自知無能再連續攀登絕峰，只得找一處擋風的大山石下，盤坐運氣調息，準備天亮之時，再設法登山。

哪知疲勞過度，不知不覺間，竟然靠在山石上面睡去，醒來已是日上三竿時分，只覺全身奇冷難耐，手足均已凍僵。

他提聚真氣，運功活開血脈，又繼續他未完成的行程。

他已得張一平的指點，告訴了他朝陽坪的位置，那是一塊突出絕峰山腰的岩石，不但天然形勢險要，而且必須經過一段人工開鑿而成的斷石樁。

如不得袖手樵隱的許可，罕有人能飛渡過那一段險要絕倫的人爲險阻。

他照著張一平指示的方向，找到了朝陽坪。

放眼望去，只見峭立的山壁之間，突懸著一塊六、七丈方圓的大岩石，原有通往突岩的小徑，已爲人工鑿斷，在峭壁之間只留下了幾處僅可容一人停身的突出石樁著足。

方兆南看那每個著足的突石樁，相隔約八尺到一丈的距離，下臨絕壑，只要微一失神、拿捏不準落足之處，摔下去勢非粉身碎骨不可。

他估計自己的輕功，尚能應付，當下一提丹田真氣，高聲喊道：「末學後進方兆南，有要事拜謁史老前輩，敬望能賜晚輩一面之緣。」

話甫落口，人已同時拔身而起，躍起七、八尺高，挫腰振臂、穿空斜飛，落足在第一道突石上。

低頭望去，深澗無底，不覺一陣頭暈目眩，趕忙閉起雙目，調勻真氣，雙足一登，身貼峭壁飛起，落到第二道著足石樁上面。

這次已有經驗，不再探頭向下注視，微一調息真氣，立時向第三道著足石樁上飛去，連渡八道之後，石樁已盡。

但他停身之處，相距那大突岩，還有三丈左右的距離，他估計自己的輕功，無論如何無法在一躍之間，穿越三丈，不禁發起愁來。

正自六神無主當兒，忽聞一個冷冰冰的聲音傳入耳際，道：「我師父已謝絕生人造訪，二十年未和武林同道往還，你還是早些退回去吧！」

方兆南定神看去，只見一個年約二十五、六歲的黑臉大漢，身著藍布大褂，站在對面突岩之上，雙目神光閃動，注視著自己，一臉冷漠不屑之情。

處此情景，方兆南不得不忍氣吞聲，抱拳一禮，笑道：「方兆南有要事求見史老前輩，尚望兄台代爲通稟，不勝感激！」

黑臉大漢仰臉大笑一陣道：「在下生平尚未遇到像你這般喋喋不休的男人，這樣求告之言，也虧你能說得出口，家師不見客，就是不見客，你要不信，就請站在斷石樁上，等上個十天、八天試試！」

說完話，轉身緩步而去。

方兆南心頭一急，不禁大喝一聲：「站住！」

黑臉大漢聞言停步，轉過身來，怒道：「男子漢大丈夫，這等囉囉嗦嗦，不覺得有失體面麼？」

方兆南探手入懷，摸出張一平授賜的金錢，高舉手中道：「兄台可認得我手中之物？」

黑臉大漢仔細望了一陣，臉色突然緩和下來，笑道：「你身上既然帶著我師父索恩金錢，爲什麼不早拿出來？致使在下出言開罪。」

說話之間，右手已從懷中摸出一束繩索，一抖手直向方兆南拋擲過來，手法奇準，不近不遠地剛好投擲到方兆南胸前尺許之處。

方兆南右手一伸抓住繩索，心中暗暗忖道：「不知他要我如何越渡，難道要我抓住這繩索一端，垂身飄蕩過去不成？」

只聽那黑臉大漢笑道：「如果兄台能夠信任我，就請抓緊繩索，飄蕩過來，如果兄台不信任於我，那就把繩索結在石樁上，你就施展草上飛行功夫走過來。」

方兆南朗朗一笑道：「兄弟百分之百信任兄台。」

暗中一提真氣，雙手緊握繩索，縱身躍下石樁，懸空游蕩過去，只覺涼風拂面生寒，去勢迅快至極，眨眼間已到對面石壁。

他早已運氣戒備，游飛的身子快到石壁之時，左腳疾伸而出，一吸丹田真氣，腳尖輕輕一點岩壁，把急於向前衝的身子一穩，人已依壁停住。

方兆南剛剛穩住飄蕩的身子，忽覺全身向上升去，轉瞬之間已到那突岩上面。

黑臉大漢收了繩索笑道：「兄台身懷家師索恩金錢，想必定已知道求見家師的規矩了。」說罷右手一伸：「拿來。」

方兆南聽見一呆，但他究竟是異常聰明之人，略一沉思，立時接道：「史老前輩這索恩金錢，乃武林中無比珍貴之物，兄弟想親手奉還史老前輩。」

那黑臉大漢皺眉道：「家師正在坐息時刻，兄台要面見他老人家，只怕要等過午時了。」

方兆南抬頭望望天色，只不過辰未時光，等過午時，還得要等上兩個時辰，不禁心頭一急，長嘆道：「兄弟確是有火急之事，必須面謁史老前輩，兄台若能相助，兄弟感激不盡。」說完話，深深一揖。

黑臉大漢沉吟一陣道：「好吧！我就去替你稟報一聲，能否早見，那要看你的造化了。」

說完，轉身向山壁處一所茅廬走去。

片刻之後，那黑臉大漢興沖沖地跑出茅廬笑道：「兄台造化不淺，家師已允破例相見。」

方兆南抱拳一禮：「多謝兄台賜助，敢問高姓大名？」

黑臉大漢笑道：「兄弟賤姓盛，草字金波。」

方兆南笑道：「想盛兄必已得史老前輩絕學，異日出道江湖，定可為武林放一異彩。」

盛金波笑道：「家師生性淡泊，不願與人爭霸江湖，隱居抱犢崗，杜門謝客。兄弟雖然無家師清高志節，但對爭名之心，亦甚淡漠，方兄謬獎，兄弟愧不敢當。」

兩人談話之間，已到了茅廬門，方兆南拂整一下衣冠，緊隨盛金波身後，進了籬門，直入廳堂。

只見一個精神矍鑠、年約七旬的枯瘦老叟，端坐在一隻棗木椅上面，身著天藍布短褂，腰結草繩，下著淺灰套褲，足登高沿芒履，臉色一片冷漠，望也不望兩人一眼。

方兆南整衣長拜，抱拳過頂，說道：「晚輩方兆南，叩候史老前輩大安。」

袖手樵隱口中冷冷地哼了一聲道：「老夫生平不和彼此無關之人說話，先把索恩金錢拿出來，待老夫過目之後，你再講話不遲。」

方兆南心頭微微一震，暗道：「此人當真是冷傲得可以！」探手入懷，摸出張一平相授金錢，雙手奉上。

袖手樵隱史謀遁緩緩伸出左手，接過索恩金錢，瞧了一陣，搖搖頭嘆道：「這是老夫的最後一筆恩債了，賞完之後，這世界就沒有老夫可管之事了，你說吧！有什麼需要我相助之處？」

方兆南看他只辨金錢，不問來歷，心中暗道：「袖手樵隱綽號，果是名不虛傳，依他神能看來，大概這世上任何淒慘之事，也難啓動他惻隱之心，這『袖手』二字，實在可算是當之無愧。」

心裡在轉著念頭，口中卻敬謹答道：「還錢索恩原主，因事未克即時趕到，晚輩只是奉差遣而來，先行通稟老前輩一聲。」

袖手樵隱臉色一沉，冷冷地說道：「什麼人遣你來此？快說！老夫爲了幾枚索恩金錢，已多留朝陽坪二十寒暑。你今日如不能說出需要我相助之事，就別想離開我這朝陽坪。」

方兆南雖感此人言行乖張，不通情理，但外形卻保持著鎮靜，笑道：「老前輩盛名卓著，當今武林之世，誰不敬仰……」

袖手樵隱怒道：「滿口胡說八道，眼下江湖道上，知道老夫之人屈指可數，哼！小小年紀，哪來的這麼多油腔滑調。」

方兆南心記張一平相囑之言，雖受斥責，仍然不以爲意，微微一笑接道：「老前輩武功絕世，志行高潔，不屑和江湖道上人物往來，晚生後輩，自是很少人知道老前輩大名。」

史謀遁眉一揚，眼神如電，逼視方兆南厲聲喝道：「老夫生平不喜浮滑之人，如有需我相助之事，快說出來，再延誤時刻，可莫怪老夫翻臉無情，出手殺人了。」

方兆南看他聲色俱厲，言詞咄咄逼人，不覺心頭冒火，正待反唇頂撞，忽然想起師門慘罹巨變的悲凄情景，自責道：「方兆南啊！方兆南，你如不能忍辱負重，受人冷嘲熱諷，設若反唇頂撞，激怒此老，自己生死事小，延誤師門復仇事大。」

念轉氣消，淡淡一笑道：「晚輩只是受命而來，不敢擅自作主，敬望老前輩明察。」

袖手樵隱被他一味軟磨得毫無辦法，皺皺眉說道：「你既不能作主，跑到我朝陽坪做什麼來了？難道還要我把這枚索恩金錢還你不成？」

方兆南急道：「晚輩這裡叩謝老前輩還錢大德。」

話一出口，人也同時拜了下去。

史謀遁氣得冷哼一聲道：「老夫活了六十多歲，還是第一次遇到你這等難纏之人。」

口中雖然說得難聽，但卻把左手拿的索恩金錢，緩緩地交還到方兆南手上。

方兆南收好了索恩金錢，笑道：「晚輩想向老前輩打聽一個人的下落，不知老前輩知是不知？」

袖手樵隱冷笑一聲道：「你如肯把索恩金錢交給老夫，只要你能說出姓名，世間確有其人，老夫就能把他捉到朝陽坪來，交付於你。」

方兆南道：「那倒不必，晚輩只是隨口問問而已，老前輩如不知道，也就算了，不過晚輩卻已知道她現在老前輩這朝陽坪中！」

袖手樵隱怒道：「什麼人敢不經我允許，擅入我朝陽坪來，你且說來聽聽。」

方兆南笑道：「此人姓周，芳名蕙瑛，今年一十八歲，老前輩想想看，晚輩猜得錯是不錯？」

史謀遁輕輕哼了一聲，揮手對站在方兆南身後的盛金波道：「這娃兒調皮得很，你帶他去見那女娃兒吧！免得我看著他，心裡生氣。」

方兆南深深一揖，退出廳堂，心中暗道了聲慚愧，隨在盛金波身後，出了茅廬。

盛金波側臉望了方兆南一眼，笑道：「方兄這軟磨工夫，實使兄弟佩服，自兄弟投入師門之後，還未見過家師和人說過這麼多話。」

方兆南笑道：「武林中都傳說史老前輩性情怪異，但在兄弟看來，卻大謬不然，他老人家，不但重諾守信，而且還是一位外冷內熱之人。」

盛金波臉色一沉，冷然說道：「方兄最好不要評騭家師性格，免得招惹出殺身之禍。」

方兆南口中應道：「多謝盛兄指點，兄弟以後不再妄論令師之事就是。」

心中卻暗自笑道：「這人倒是大有乃師之風，喜怒無常，怪僻難測，當真什麼樣的師父，教出什麼樣的徒弟，一脈相承，半點不錯，不知他們師徒，怎麼能這般巧合地遇在一起？」

忖思間，已到了突岩盡處，盛金波伸手指指突岩邊沿一角。

說道：「兄弟生平最怕和女人談話，那女孩子就在那壁角一所石室中，方兄繞到壁角，就可看到洞門了。」

說完話，不待方兆南答話，轉身一躍，人已到一丈開外。

二　嬋娟亡命

方兆南依言走近壁角，仔細一瞧，果然緊依壁角處，有一座可容兩人並肩而過的石洞。

他略一猶豫，舉步向洞中走去。

轉了兩、三個彎，形勢突然開朗，只見一座丈餘大小的石室中，有一位全身綠衣少女，支頤靜坐在石墩之上。

她似是有著很沉重的心事，秀眉微顰，呆呆地望著室頂出神。

方兆南一瞥之下，立時辨認出那綠衣少女，正是他日夜縈繞心頭，兩年未晤的師妹周蕙瑛。

目睹玉人無恙，風姿依舊，也不知是驚是喜，只覺心頭一陣跳動，呆在當地，良久才心波靜止，低聲喊道：「瑛師妹。」

那綠衣少女思想心事，似正入神，方兆南走近石室門側，她仍然毫無所覺，直待聽到了那一聲瑛師妹的呼喚，才霍然轉過臉來。

此時此地，驟然間看到她料想不到之人，好像甚感意外，眨動了兩下又圓又大的眼睛，才盈盈笑道：「啊！你是方師兄麼？」

忽地站起身子，一躍出室。

方兆南看她見到自己的驚怔喜悅表情，洋溢在眉宇之間，心中忽然想到了恩師夫婦並棺陳屍的悲慘景象，只覺心頭一酸，淚水湧到眼眶。

周蕙瑛躍落到方兆南的身側，正想開口問他何以會來此地。

忽見方兆南滿眶熱淚，濡濡欲滴，不覺芳心微生驚駭。略一怔神，道：「方師兄，你怎麼啦？」忽然若有所感地又追著問道：「師兄可到我家裡去過麼？我爹娘都好吧？」

方兆南只覺一股熱血，直沖上來，身子微微一顫，笑道：「師父、師母都很好。」

周蕙瑛秀眉輕顰，略一沉吟，說道：「那你怎麼無端地流出淚呢？」

方兆南只覺她每一句話，都問得如巨錘擊胸一般，叫人難以忍受。

他趕忙舉起右手，借著拂拭淚痕，掩遮住激動情緒，強作笑容說道：「咱們師兄妹已兩年未見，今日驟然相逢，師兄心中太過高興，以致有失常態，望師妹不要見怪才好。」

周蕙瑛聽他說得親熱，不禁嬌靨泛羞，忸怩一笑，嗔道：「師兄的壞毛病，總改不了，兩年沒有見面啦！一見面，就尋人家開心。」

嘴中雖然在斥責對方，右手卻從衣袋之中，摸出一方素帕，多情地交到方兆南手中，又道：「哼！二十多歲的人了，還像小孩似的，用衣袖擦拭眼淚，也不怕人家看了笑話。」

方兆南接過手帕，拂拭一下臉上淚痕，道：「師妹怎生跑來此地，害我連夜奔走，找得妳好苦。」

周蕙瑛微微一笑道：「半月之前，爹爹突然拿出一枚金錢，要我跑到這抱犢崗朝陽坪來，找什麼袖手樵隱史謀遁，要他傳授我一種武功，誰知那老頭子又冷又怪，話也不肯和我多說，

見面之後，就把那金錢收下。

「他好像一輩子沒有見過錢一樣，拿在手裡瞧來瞧去，高興地哈哈大笑，待我說出要學武功之事，他就突然沉下臉色，要他徒弟把我送到這石室之中。

「第二天，他才來石室中傳授我初步功夫，並且不准我擅自走出這石室，每日由他那個黑臉徒弟給我送飯，這哪裡是來學武，簡直像是坐牢一般。

「現在算來，已經快半個月了，那史老頭就沒有再來過第二次了，早知如此，拚著爹爹生氣，挨頓打罵，我也不會來學什麼武功的。」

方兆南知她從小在恩師夫婦嬌寵下長大，生平從未受過別人的閒氣。當下微微一笑，道：「師父要妳來學習什麼武功？」

口裡說著話，心中卻在暗暗忖道：「這麼說來，師父確實已預知有人尋仇，既然能把師妹遣來避禍，何以自己不肯棄家走避，世界這等遼闊，到處都可以安家立命，爲什麼偏偏保守宅院之中，等待慘禍臨頭？」

他想到感慨之處，不自覺地黯然一聲長嘆。

周蕙瑛一皺眉頭，道：「你是怎麼啦？一副神不守舍的樣子！」

方兆南如夢初醒般，口中啊了兩聲，笑道：「袖手樵隱史老前輩，生性雖然冷僻，但他一身武功卻是精奧絕倫，師妹能得他指點，定當獲益不淺。」

周蕙瑛噗的一笑，道：「你呀！你的心不知飛到哪裡去了？說話顛三倒四，哼！不知道在想什麼鬼心事。」

方兆南看她說話神情，仍是和兩年前一般的嬌憨神態，可憐這天真無邪的少女，竟然一點

也不知道父母已身罹慘禍。

他趕忙振起精神，排除心中雜念，笑道：「妳說師父要妳來學武功，但還未告訴我學的什麼武功？」

周蕙瑛笑道：「好像是閃避敵人襲擊的身法，我也看不出有什麼新奇之處，但那姓史的傳授我初步武功之時，卻十分鄭重地告訴我，這是一種很深奧的身法，並不是任何人都可以學得成功的。他只管按著心法教我，能不能學會，是我的事，他決不藏私，但也不傳第二遍，按部就班，三個月中傳完，我能學多少，就算多少。三個月後，就把我送出朝陽坪，傳人武功竟有這等傳法，不授第二遍、不准人問，那怎麼能學得好呢？」

方兆南微一沉吟，道：「師妹可知道妳學的身法，叫什麼名字嗎？」

周蕙瑛道：「父親告訴我什麼『七星遁』，倒是不錯，只有七個基本步法，走來走去，身不離方丈之地，我就不信，在這一丈左右的地方轉來轉去，能夠讓避開敵人襲擊之勢！」

方兆南仔細望去，果然在石室地上，發現了人工畫出的七個腳印，依照天罡北斗之位，分布在一丈方圓的中心。

他暗暗忖道：「恩師武學精博，劍術、內功造詣均深，輕功提縱術更是冠絕群倫，師妹幼承衣缽，輕功本已在我之上，何以會要師妹來學這閃擊避敵的身法，而不讓她學劍術、指掌之類功夫？莫非這七星遁形身法，其中有什麼奇奧之處不成？」

細看那七個腳印方位，除了暗合天罡七星之外，實難看出什麼出奇之處。

心中雖然不解，但口中卻微笑說道：「師父既然指定妳來學這門功夫，那是決然不會有錯，袖手樵隱乃一代武林奇人，師妹千萬不可放過！」

周蕙瑛笑道：「你問我半天，我還沒問你呢！你怎麼會知道我到朝陽坪來了？」

方兆南藉和她談話機會，心念已千迴百轉，決定暫時把恩師夫婦已罹難之事隱瞞起來，是以，在神色之間勉強裝出歡愉之色，笑道：「師父告訴我妳在此地，特地要我趕來看妳。」

周蕙瑛道：「哼！你別打算在我面前說謊，不錯，爹爹會告訴你我到朝陽坪，但是他絕不會要你來看我。」

方兆南一時之間想不透她問話含意，不禁微微一怔，道：「爲什麼？」

周蕙瑛格格一笑，道：「這件事最是容易想得明白，爹爹在給我索恩金錢之時，再三告誡於我，說這索恩金錢只有一枚，要我珍重收藏，親手交給袖手樵隱，當面向他提出求學『七星遁身法』。朝陽坪斷石樁驚險絕倫，如沒有人接迎你，你怎麼能過得來？我雖帶有索恩金錢，仍被他那個黑臉徒弟刁難了半天，爹縱然要你來看我，但也沒有第二枚索恩金錢給你。袖手樵隱又冷又怪，只認錢不認人，你若沒有索恩金錢，他絕不會允許你停留在朝陽坪，所以我知道絕不是爹要你來的。」

方兆南微微一笑，道：「兩年未見，師妹長了許多見識……」說著話，探手入懷，摸出索恩金錢，托在掌心。

周蕙瑛瞧得呆了一呆，道：「你哪裡來的索恩金錢？難道爹爹……」

方兆南急道：「師妹不要亂想，這枚索恩金錢，乃是張師伯所有之物，承他老人家慨然相贈……」

話至此處，腦際突然泛起恩師夫婦並棺陳屍的淒慘景象，只感胸中熱血向上一沖，再也接不下去，趕忙重咳一聲，含含糊糊地拖了過去。

周蕙瑛看他雙頰漲紅，言未盡意，卻倏然中止，眼眶中淚水濡濡，心中疑慮陡生，目光凝注在方兆南臉上，緩緩問道：「師兄今日神情大異往昔，莫不是有什麼隱衷之苦麼？」

方兆南急道：「我哪有什麼隱衷，師妹千萬不要多疑，只因……」

他雖是聰慧之人，但要他隨口捏造謊言，欺騙青梅竹馬、一起長大的師妹，總覺有些難出口，只因了半晌，還是只因不出個所以然來。

周蕙瑛疑心大起，突然一沉臉色，道：「只因什麼？哼！今天你如不把心中隱密之事相告於我，咱們今後就別再見面！」

方兆南被她一陣怒斥，心中更覺慌亂，一時之間，呆在當地，不知如何是好。

忽聽身後響起一個冷冰冰的聲音，道：「現在該是傳妳身法變化的時候了。」

轉頭望去，只見袖手樵隱史謀遁雙手背在身後。

他來得無聲無息，不知何時進了這石室，昂首望著室頂，看也不看兩人一眼，真不知他是對誰說的話。

方兆南借機下台，笑對周蕙瑛道：「師妹學習武功要緊，咱們等會兒再談不遲。」

也不待對方答話，轉身對袖手樵隱恭恭敬敬的一個長揖，疾向石室外面退去。

袖手樵隱史謀遁，直似沒有看到方兆南一般，頭也沒有轉動一下，神情冷漠至極。

周蕙瑛氣不過，哼了一聲，說道：「老前輩傳我那『七星遁形』身法，不知可否縮短幾日，每日把我關在這石室之中，三個月悶也要把我悶死了，別說再學武功啦！」

史謀遁目光仍然望著石室頂上，冷冷地答道：「三個月，一天也不能少！」

周蕙瑛道：「我要是不學呢？」

史謀遁臉色一變，怒道：「妳學不學我不管妳，但我非要教完不可，老夫生平不願欠人點滴恩惠。」

周蕙瑛聽他說話，句句強詞奪理，心中越發生氣，嬌軀一側，疾向石室外面奔去，口中大聲應道：「我就是不要學你傳的武功，怎麼樣？」

袖手樵隱大怒，背在身後的左掌突然疾拍而出，一道奇功潛力，把石室門口封住。

周蕙瑛疾向前衝的嬌軀，奔到門口，突然被一股無形的暗勁壓了回來，不禁驚得一愣。

只聽史謀遁冷笑一聲，道：「用心看著，我現在就傳妳『七星遁形』的身法正七變。」

說完，也不管周蕙瑛看了沒有，立時就在那預先畫就天罡七位的腳印之上，縱躍游走起來了。

周蕙瑛賭氣閉上了眼睛不看，袖手樵隱也不管她，只自管依照原定傳授之法，在天罡七位上面移動游走。

她雖然想賭氣不看，但過了片刻之後，怒氣漸消，心中忽然想到臨行之前，父親諄諄告誡之言，再三叮嚀要自己珍惜這枚索恩金錢，指定以金錢易學袖手樵隱的「七星遁形」身法。

如果自己和他賭氣不學，三月期滿歸見父親之時，只怕要大傷爹娘之心，心念電轉，突然睜開眼睛望去。

只見袖手樵隱史謀遁腰結草繩，不停地旋轉飛舞，身軀有如電閃雷奔一般滿室飛繞，看得人眼花撩亂。

周蕙瑛不覺一顰秀眉，心中暗自說道：「這等繞室飛轉，雜亂無章地跳來蹦去，有什麼好學的，只要是輕身功夫高強之人，哪個不會。」

正自心念轉動之間，忽見史謀遁疾轉如輪的身子倏然而停，冷冰冰說道：「這『七星遁形』正七變的身法，共有四十九步變化，每個星位七變，這是『七星遁形』身法的基本步法，現下我已走完四個星位。

「四七二十八步，每一步一個變化，已去了二十八變，還有三個星位未走，三七二十一步，尚餘二十一變，妳自己閉目不瞧，不能怪我不傳。

「不過，我這『七星遁形』身法，合則一體，分則各具妙用，每一個星位變化，都有它的用處。妳已錯過四個星位，念妳中途知悔，我破例提示於妳，錯過的已經設法補救，餘下的三個星位變化，希望妳能留神看著，只要妳能記一半，就算妳不虛此行了。」

周蕙瑛道：「你轉得那等快法，教人如何能看得清楚，分明是借故推諉、隱技自珍，不想傳人罷了。」

袖手樵隱一連冷笑數聲，道：「要不是看在索恩金錢份上，老夫早就一掌把妳活活劈死了，妳自己看不懂，怎麼能怪老夫藏私？」

周蕙瑛大怒道：「我要能一眼就看得懂，哪個發了瘋跑到你這朝陽坪學它不成？」

這兩句話說得理直氣壯，聲色俱厲，義正詞嚴，無懈可擊。

只見袖手樵隱史謀遁怔了半晌，伸手拍著腦袋自言自語說道：「難道真的是我教的方法錯了麼？」

周蕙瑛道：「哼！自然是你教的方法錯啦，還會是我學的錯了不成？」

袖手樵隱冷冷地說道：「不管我教的方法有沒有錯，但妳自己不能一看就會，那也怪不得我，反正我沒有藏私，這後三個星位的二十一變，我走得慢點，妳要再瞧不懂，看妳還有什麼話說。」

說完話，身軀微晃，人已站上星位。

突然若有所悟地哼了一聲，大聲問道：「妳看的什麼地方？」

周蕙瑛道：「看你的身子，團團亂轉，疾如風輪，看得人眼花撩亂，哪裡還能看出你轉動的身法。」

袖手樵隱道：「那就難怪妳看不懂了，如是在對敵之時，被人看出身子轉動方位，假人以可乘之機，那還算是什麼身法？」

周蕙瑛被他反問得怔了一怔，暗道：「不錯，如是身子未動，先被敵人看出了方位，無異先輸敵人一著，這身法自是不必學。」

略一沉吟，問道：「那要瞧什麼地方？」

史謀遁道：「老夫生平尚未見過像妳這丫頭一般的笨人，我預先在這石室地上，布下天罡七星之位，而且又在每一星位之上，畫下了一個腳印，那自然是要妳瞧我的腳步移動了。」

說完之後，不待答話，立時移步游走起來。

周蕙瑛心中想瞧他的身法，不敢分散精神，顧不得口上吃虧，屏息靜氣，聚精會神地看著他移動的腳步。

這次袖手樵隱果然慢了許多，移步出足，均清晰可見。

只見他一移步，身軀必先搖動兩下，而且著足起步的姿勢，無一雷同。

在三個星位之上，交互移動了二十一步後，倏然而停，道：「這正七變的身法四十九步，我已傳完，妳能記住多少學會多少，和我無關，現在給你三天時間，自己練習，三日之後，我

開始傳妳反七變的身法。」

說完，大跨步直向室外走去，一派冷漠神情，連望也不望周蕙瑛一眼，其人生性之冷，當真如冰澆石刻一般。

周蕙瑛幼得父母悉心傳授，已具極深厚的武功基礎，雖因她天性嬌憨喜玩，未能全部承得父母衣缽，但因周佩夫婦相授得法，又是從小調教，其武功造詣已非一般江湖武師能望其項背，內外輕功，均有相當成就。

再加上她蘭心蕙質，冰雪聰明，自留心目睹袖手樵隱史謀遁移動的身法之後，心中已覺這是一種極爲深奧的奇罕武學。

她不禁暗自悔恨，賭得什麼閒氣，白白放過千載難逢的機緣。

但她乃心高性傲之人，心中雖大感後悔，卻又不肯去相求袖手樵隱再教一遍。

何況她心中亦很明白，縱然厚顏央求，以他那冷漠生性，也只是白受一頓訓斥譏笑，於事無補。

呆了一陣，心中突然一動，暗自責道：「人家罵我傻丫頭，想來真是不錯，再要呆想下去，只怕連心中所記後三個星位的步法，也要忘了。」

念轉意生，凝神澄慮，排除心中雜念，依照胸中所記，模仿袖手樵隱搖身移步之法，在後三星位上，游走起來。

她在看人游走間，雖然覺出不易，但尚可看得清清楚楚，哪知仿人一走，立時感到繁難異常，不是出步不對，就是姿勢變樣。

走了二、三十遍，竟無一步走得和人一樣，這才體會到，「七星遁形」身法，原來是一門

博大深奧、蘊蓄玄機的非常武功，不禁又急又氣。

她自幼在父母嬌寵之下長大，自恃聰慧，不論什麼武功，一學就會，是以對學習武功一道，從未耗費過多少心血。

現今聚精會神，竟難仿學一步，只覺自己從未如此笨過，心煩氣躁，越走越錯，越錯越急，越急越氣，索性停下身來，坐在地上休息。

但感滿腔委屈，湧上心頭，愈想愈是難過，不覺間嗚嗚咽咽地哭了起來。

哭了一陣，胸中的無名怨氣漸消，氣消神清，人遂安靜，靜生慧、慧萌智明，立時盤膝坐好，閉目運氣調息。

行功一周，心神頓覺寧靜平和，緩緩站起身子，重又開始仿效游走身法。

這一次，她已智珠在握，果然覺得走對了兩步。

但是，走對兩步之後，立即發覺以後的步法，又錯亂不對。趕忙停下，再行運氣調息，待心神安靜之後，又再仿走。

奇奧的「七星遁形」身法，占據了她全部的心神，方兆南兩度入室探看，她都毫無所覺。

方兆南不敢驚擾她用功，只好悄然而入，又無聲無息地退走。

冷僻的袖手樵隱，傳過周蕙瑛的武功之後，就逕自返回茅舍之中。

盛金波也不知忙的什麼，一出茅舍，從不停留，就又匆匆地進去，他雖和方兆南相遇數次，但卻從未和方兆南打過一個招呼。

方兆南也不好自討沒趣地和人攀談，只好一個人在大突岩上遊來走去。

待到天色入夜時分，才見盛金波走出茅舍，到他身側，說道：「兄弟已代方兄備好安宿之處，請隨兄弟瞧瞧去吧！」

方兆南只覺這師徒兩人，冷傲得直似要把世上之人全部摒棄一般，也不願和他扯談，點點頭，淡淡一笑，道：「有勞盛兄了。」隨他身後走去。

盛金波領他進了茅舍籬門，伸手指指左側兩間茅屋說道：「方兄宿處，就在那廂房之中，兄弟已在方兄室中備好食用之物。」

說完話，隨即轉頭而去。

方兆南緩步走入房中，果見靠壁角處，放著一塊尺許見方的山石，上面放著兩碗素菜，一張麥麵大餅，一大碗小米稀粥。

另一個室角處，放著兩張羊皮，堆著一床氈毯，除此之外，再無他物。

他腹中早已覺著饑餓，匆匆地吃罷餅粥，便解下佩劍和衣仰臥在茅草上面，輕拉氈毯覆體。

方兆南輾轉在茅草堆上，久久不能成寐，師妹一向在僕女環侍之下長大，嬌生慣養，眼下獨處石室，不知她如何能受得了。

還有，恩師夫婦罹難慘死之事，也絕不能長久瞞騙著，他想她在知道此凶訊之後，定然要哭個死去活來，悲痛欲絕……

就在他長嘆未絕之際，驀聞一聲長嘯，劃破夜空傳來。

方兆南聞聲警覺，霍然挺身坐起，隨手抓起長劍，身軀一晃，穿門而出，直向那斷石椿來路處奔去。

他剛到突岩邊緣，已瞥見一條人影，冒著夜暗，躍踏斷石樁飛渡而來，眨眼之間，來人已到最後一道斷石樁上。

這時，方兆南和來人相距不過三丈多遠，運足目力，藉繁星微光望去，看來人身著一襲長衫，正是他念念不忘、急於早見的張一平。

不覺心頭一喜，立時高聲叫道：「張師伯，晚輩方兆南特來迎駕。」

只聽張一平口中輕微一哼，聲音異常低弱地說道：「賢侄快請助我一臂之力，接引我越渡這斷壁絕壑。」

方兆南聽他說話聲音有氣無力，心中大感驚駭，趕忙解下身上披風，但聞一陣嘶嘶聲響，一件黃緞披風，被他撕成數條，迅速地連結在一起，抖手向張一平投擲過去。

最後一道斷石樁，和突岩相距約有三丈多遠，他這連結的披風，只不過一丈有餘，情急之下，沒有想到，投擲出手，才知相差一半還多，趕快收回，說道：「師伯暫請稍等待，我去找條長索來接你。」

張一平嘆息一聲，叫道：「不必了，我已無能再控制發作的傷勢，時機轉瞬即逝，你用力拉住，投擲過來吧！」

方兆南聽他說話之聲，時斷時續，心中雖感此舉太過冒險，但又怕自己去找繩索的時間，他真的傷勢突然發作，跌下斷崖。

當下喝聲：「師伯小心。」第二次把手中連結的披風投擲出去。

張一平在他披風擲出手的同時，強提一口真氣，從最後一道斷石柱上躍起，身軀橫越絕壑，凌空直飛過來。

他身負之傷，似是很重，雙手剛剛抓到投來的披風的一端，身子已直向下面墜去，當真是生死一髮，驚險萬狀。

方兆南知他身負重傷，如果在中途真氣消散，定然要急墜下去，早已氣沉丹田，穩住馬步，一見張一平雙手抓住披風，立即用盡生平之力，往回一帶。

但見張一平疾沉而下的身軀，忽然間又升飛起來，直向大突岩上衝來，方兆南雙臂疾張，一把抱住張一平的身子，急退兩步，卸去急撞而來的一股猛勁。緩緩把張一平放在岩石之上，問道：「師伯的傷勢很重麼？」

張一平急喘了口氣，微微點頭道：「我……傷得很重……」

話未完，忽地一張嘴，吐出一大口鮮血，又緩緩閉上雙目。

方兆南看他傷勢慘重，不覺心神大亂。

正待把他抱入自己住的廂房之中，再去求袖手樵隱替他療治，哪知一轉臉，即見袖手樵隱就站在自己身後四、五尺處，雙手背在後面，仰臉望著天上星辰。

不知他何時已經到來，也不知他是否看到張一平受傷之情。

只見他神態之間，卻是一派悠然自得，不覺一皺眉頭，道：「史老前輩，這位是……」

袖手樵隱頭也不回地冷冷答道：「不必說了，他叫張一平，三十年前，已和老夫相識，哪裡還用得著你引見！」

方兆南聽得心頭一涼，暗道：「好啊！你對三十年前相認之人，竟也是這般冷漠，看來那

『袖手』二字，恐怕還不足以形容你的爲人。」

心中在暗責他冷漠寡情，但口中卻道：「老前輩既和在下師伯誼屬老友，那是更好不過，現下他身受內傷甚重，深望老前輩，看在故舊情誼之上，能爲我師伯療治一下。」

袖手樵隱道：「如果你以索恩金錢相求於我，我自然要立時替他療治，如果不願以索恩金錢交換，請恕老夫沒有這份替他療治傷勢的逸興。」

方兆南道：「救人一命，勝造七級浮屠，何況老前輩還和我師伯早已相識呢！一個人的生死大事，豈可當做兒戲說笑？」

袖手樵隱怒道：「誰和你說笑，我說的句句都是真實之言，老夫生平只認那索恩金錢，除此之外，什麼人也和我沒有關係，生死由他，與我何干？」

方兆南冷笑一聲，道：「老前輩當真是鐵石心腸，晚輩今宵算是開了眼界，見了一代奇人啦！」

袖手樵隱冷冷地接道：「張一平昔日雖曾相助過我，但我已贈送給他索恩金錢一枚，他要把金錢轉送於人，我豈能還他兩次恩不成？」

方兆南緩緩從懷中摸出索恩金錢，正待交於袖手樵隱，忽見張一平睜開眼睛，立時一縮手，又把索恩金錢放回懷中。

張一平目光緩緩由袖手樵隱的臉上掃過，投注在方兆南身上，一字一字地問道：「我那蕙瑛侄女兒可在這朝陽坪麼？」

方兆南道：「不出師伯所料，師妹已得師父賜受的索恩金錢，以錢來易換史老前輩的『七星遁形』身法。」

袖手樵隱側頭冷冷望了方兆南一眼，但卻默然未言。

張一平突然哈哈大笑道：「很好，很好，那你就把身懷索恩金錢易學他的『伏虎八掌』，……」

他身受之傷，異常慘重，哈哈一笑，牽動內腑傷勢，話未說完，只覺胸前劇痛如絞，雙手捧胸，接不下去。

方兆南道：「師伯內傷甚重，晚輩想以索恩金錢，索求史老前輩先替師伯醫好傷勢再說。」

袖手樵隱道：「以錢索恩，要我療傷，那才是公平之事，不是老夫誇口，他這點區區傷勢，老夫手到病除。」

張一平左手捧胸，右手亂搖著對方兆南說道：「不可，不可，那『七星遁形』和『伏虎八掌』，乃是他生平精力聚萃的武功。精奇深奧，獨步武林，你們師兄妹，如各得他一種絕技，強似我一條命了。」

袖手樵隱冷哼了一聲，道：「我那『七星遁形』身法，博傲玄奇，『伏虎八掌』威勢無儔，豈是三、五個月之內，能夠學得精髓，縱然老夫悉心相授一遍，只怕他們也未必能學得十之一、二，你以生死作賭，不覺得太可惜麼？」

張一平道：「莫說在下未必就會死，就算死定了，也不會用你那索恩金錢求命。」

方兆南道：「家師夫婦含恨慘死之仇，尚要依賴師伯運籌策畫，謀求洗雪，師伯任重道遠，豈能以命作注，再說那『伏虎八掌』，也未必就是武林絕學了，晚輩不學也罷。」

張一平細想方兆南之言，頗有道理，萬一自己難以自療內腑傷勢，就此死去，只剩下這兩

個孩子無人照管，難免心急親仇，罔顧利害，到處尋找仇人，那時無人勸阻他們，只怕大仇未雪，反而送了兩個孩子的性命。

心念一轉，長嘆一聲，不再言語。

方兆南看他不言，已知他心中同意，當下又取出懷中索恩金錢，向袖手樵隱遞去。

史謀遁冷著冰霜的臉上，忽然間現出笑容，正待伸手接錢，突聞一陣衣袂飄風之聲，劃破夜空傳來。

星光下閃起一道銀虹，迅如電光一般，疾向張一平劈下。

袖手樵隱微一晃身，陡然向後躍退了五步，讓了開去。

方兆南左手抱著張一平向旁側一滾，右手長劍反手一招「天王托塔」，硬架來人一擊。

但聞鏘然一聲大震，方兆南手中長劍吃來人一擊之下，反彈回去，雖未脫手飛出，但已覺虎口發麻。

他急中生智，不待來人第二次出手，一抖手，把長劍當做暗器，用盡全身勁道，向來人投擲過去，人卻藉勢一躍而起，飛落袖手樵隱身邊，道：「還你索恩金錢。」

袖手樵隱伸手接過金錢，橫跨一步，擋在方兆南前面，冷然喝道：「什麼人？深更半夜跑到我這朝陽坪來胡鬧！」

來人一擊未中，方兆南長劍已脫手飛到。

這等把兵刃當做暗器投擲之事，江湖上很少見聞，雙方距離又近，飛來劍勢，既快且猛，待他揮刀擋開長劍，方兆南已躍落到袖手樵隱身邊。

袖手樵隱手中托著金錢，目光抬望著天上寒星，始終未正眼瞧過來人。

就這一瞬之間，那斷石樁上，又連續躍越過來兩條人影，能一舉橫越這三丈寬窄的絕壑，如非有極佳的輕功，絕難辦到。

方兆南在一眼之間，連續目睹三個人，橫越斷石樁絕壑而來，不禁心頭大感駭然。定神望去，只見先來之人，年約四十開外，身材瘦小，一身勁裝，留著兩撇八字鬚，滿臉精悍之氣，手中橫著一柄厚背薄刃的鬼頭刀。

隨後兩人年齡相若，都在三十四、五左右，黑絹包頭，背插單刀。

這三人有一個相同之處，都是不足五尺的身材，但個個眼神如電，分明都有著精湛的內功。

袖手樵隱微一轉臉，看了一眼，冷冷地問道：「你們還有幾個？」

那當先躍上突岩的矮瘦之人，道：「就是我們弟兄三個，怎麼？覺得太多了麼？」

袖手樵隱面色一直陰沉沉的，叫人看不出他是喜是怒，聽完那話，淡淡一笑，道：「不多，不多，不知幾位到我這朝陽坪來，有何貴幹？」

那最後躍落突岩的矮子，怒道：「老大，這人說話陰陽怪氣的，叫人聽著刺耳，他既然敢窩藏著咱們追殺之人，想必有關係，索性連他一起殺了算啦！」

那矮瘦之人，輕輕一哼，道：「老三不要胡說……」

拱手對袖手樵隱道：「我們弟兄因追殺一個仇人，誤入貴地，並非有心相犯，只要你能袖手不問，那就沒有你的事，我們兄弟殺了仇人，立時就走。」

袖手樵隱道，「老夫生平最不愛管人閒事，人不犯我，我不犯人，不知三位要殺哪個？」

那瘦矮之人一指張一平，道：「就是這個。」

袖手樵隱望望手中金錢，道：「你們追殺於他，本來不關我事，但必須要等我替他療好傷勢之後，你們才能動手，你們未得我的允可，擅渡斷石樁，闖進我這朝陽坪，各人自行斷去一指，以抵擅闖我禁地之罪。三日後，你們再來這朝陽坪斷石樁處等他，但是你們能否殺得了他，那可不干我的事。」

說得不疾不徐，心平氣和，毫無慍怒之意，好像別人定會俯首聽命於他一般。

那年紀較長的矮瘦之人，突然仰臉呵呵大笑一陣，道：「咱們冥嶽三煞自出道江湖以來，還是第一次聽到有人敢對我們這般說話，聽來倒是新奇別緻得很……」

袖手樵隱臉色一沉，怒道：「什麼冥嶽天堂，三煞六煞的，老夫不喜和人多說廢話，你們三人聽是不聽？」

矮瘦之人回頭望著同來的兩人，笑道：「這糟老頭子火氣倒是不小．老三去教訓他一頓。」

左面站的人應聲而出，身軀微晃，人已向袖手樵隱欺去。

呼的一拳，當胸擊去。

袖手樵隱左腳微抬，突然向後一退，輕描淡寫，把一記凌厲迅猛的拳風讓開。

他這一讓之勢，看來隨隨便便，十分容易，其實步步玄機，叫人難以猜測得到他讓避的地位。

方兆南還看不出什麼奧妙之處，但冥嶽三煞卻是識貨之人，不覺心頭大感一駭。

那出手的矮子，右手一擊落空，左手緊接著遞出一掌，平推過去，右拳卻在左掌擊出的同時收回來。

袖手樵隱冷笑一聲，左腳抬動，身軀忽然一轉，疾如風輪般地閃到那矮子身後，左手一伸，喳的一聲，把矮子斜插背上的單刀拔了出來，隨手一揮。

但聞那出手的矮子悶哼了一聲，左手小指應聲而落。

方兆南只覺兩人動手幾招之間，出手之快，身法之奇，無一不是生平罕聞罕見之學。

他不禁豪氣頓消，暗自嘆道：「風塵之中，果然不乏高人，像我這點微末之技，真是渺如滄海一粟了。」

就在他心念轉動之間，場中形勢，已有了極大的變化。

那瘦矮之人，一見袖手樵隱身法奇奧，出手迅快無比，一掃狂傲之氣，立時一掄手中鬼頭刀，縱身而上，一招「陰雲掩月」，鬼頭刀幻化成一片光影，當頭罩下。

袖手樵隱冷笑一聲，身子忽地一轉，竟自刀光中脫身而出。

反向另一個矮子欺去。

那瘦矮之人一刀落空，藉勢長身，凌空而起，刀光電奔，猛然轉向張一平劈去。

方兆南吃了一驚，他手中早已沒有了兵刃，無法拒擋敵勢，又知憑自己輕身功夫，絕難以避讓敵人追襲之勢，正感爲難之際，忽見眼前人影一閃。

袖手樵隱不知施的什麼身法，竟在那瘦矮之人身軀尚未落下之前趕了回來，擋在兩人面前，手中單刀一揮，硬接那瘦矮之人一招。

金鐵大震聲中，飛出一串火星，那瘦矮之人向下疾落的身軀，又被震飛起來，連在空中翻了兩個跟頭，但袖手樵隱卻也被震得向後退了一步。

冥嶽三煞，自從出道江湖以後，尚未栽過跟頭，想不到今宵逢此勁敵，動手數招之間，連

續吃了大虧。

平日凶焰驕氣，一掃而空，並肩而立，瞪著袖手樵隱發愣。

袖手樵隱冷冷一笑道：「老夫一向言出必踐，識時務的，趕快自斷一指，退出我這朝陽坪，三日後在斷石樁出口之處等候你們追殺之人，如若再和老夫囉囉嗦嗦，今宵就別想活著出去。」

那瘦矮之人望了斷指矮子一眼，道：「你傷勢如何？」

斷指矮子朗朗一笑，道：「大哥放心，別說斷去一根手指，就是斷去一臂，又有何妨！」

瘦矮之人一揮手中鬼頭刀，對袖手樵隱說道：「咱們冥嶽三煞，自出道以來，還未遇過敵手，你能在數招之中，削去我兄弟一根手指，武功自然在我們兄弟之上，不過……」

袖手樵隱怒道：「你們若不服，不妨一起上來試試，老夫讓你們每人十掌，在十掌之內，我不還手……」

那瘦矮之人冷笑一聲，接道：「如若我們十掌內傷你不著，自願斷指而退。」

袖手樵隱微一沉吟，道：「老夫如非急於清結恩債，洗手歸隱，哪有這等便宜之事，生平之中，破此一例，你們快些出手吧！」

說完，左腕一抬，把手中單刀投向那斷指矮子，接道：「老夫索性給你們更大的便宜沾沾，讓你們十掌改爲十刀。」

他這等狂傲口氣，不單使冥嶽三煞聽得心頭火起，就是方兆南和張一平，也覺得他口氣太過托大。

那斷指矮子，探手撿起單刀，當先縱身而上，一刀橫掃過去。

他一發動，另兩人也緊接出手，剎那間，刀光交錯，直砍橫掃，密如光幕罩體。

袖手樵隱身軀晃動，在那刀光之中穿來閃去，飄忽如風，每一舉步落足，無不恰到好處，均是對方招術用老，力盡招收之時。

冥嶽三煞劈出的刀勢雖然迅猛，但卻被他奇異輕靈的閃避身法讓開，眨眼間，冥嶽三煞已各自劈出了十刀。

但聞那瘦矮之人，大喝一聲，「住手！」波翻浪湧的刀光，應聲而斂。

他當先舉起左手，回頭望了站在左側的老二一眼，刀光一閃，削去小指，振腕把鬼頭刀投下絕壑，俯身撿起斷指，一口吞下。

左側矮子一皺眉頭，也把左手小指削去，三人一齊轉身，魚貫躍上斷石樁，疾奔而去。

袖手樵隱望著三人的背影，消失在夜色之中，微微一聳雙眉，回頭對方兆南道：「你把他送到茅廬之內，我現在就動手替他療傷。」

說完話，隨即緩步離去。

方兆南本想說幾句感謝之言，但見他冷漠之態，不禁心中有氣，一言不發，抱起張一平，直回到臥室之中。

片刻之後，盛金波左手高舉著一支松油火燭，右手提著藥箱，推門而入。

袖手樵隱緩步隨在身後，冷冷地望了張一平一眼道：「快盤膝坐好，運氣調息，我要先用金針，洞透你受傷穴道，再用本身真氣，助你行血過穴，然後再服我九轉活血丹，三日內，大概就可以復元了。」

張一平冷笑一聲，道：「但請放心，不管傷勢能否好轉，張一平三日內自當離開你這朝陽坪就是。」

袖手樵隱道：「老夫決不願拖欠別人恩債，你傷勢一日不好，就別想離開我這朝陽坪一步，傷勢好了，也別想多留我這朝陽坪一天。」

張一平淡淡一笑，不再和他多說，盤膝坐好，緩緩閉上雙目，運氣行功。

他內腑傷勢極重，一運氣，立覺痛苦難當，頭上汗水如雨，滾滾而下。

袖手樵隱打開藥箱，取出兩根三寸多長的金針，分握兩手，目光凝注在張一平的前胸，直待張一平運行真氣，逼得胸中淤血上翻，張口吐血之時，他才突然雙手齊出，兩根金針一一刺入張一平的前胸。

隔衣施針，毫厘不差，雙針中穴，張一平翻動的氣血，立時平復下來。

三　索恩金錢

大約過了一頓飯工夫，袖手樵隱拔下張一平前胸金針，盤膝在張一平後背坐下，雙手互搓一陣，右手頂在他「命門穴」上，掌觸背心。

張一平立覺由他手掌之上，傳出一股滾滾不絕的熱流，由背心直攻內腑，緩緩向四肢流去，逐漸催迫血行加速。

他暗中試行運氣，覺出原感閉塞的穴道，都已暢通，胸中疼痛也已消去，口雖未言，心中卻暗暗佩服袖手樵隱的醫術高明。

又過片刻，袖手樵隱起身從藥箱之中，取出一瓶黑色丹丸，道：「這一瓶九轉活血丹，雖非什麼珍貴之物，但也耗去了我數年之功去採集藥物，每一時辰，服用五粒，如果明日午時之前，你傷勢沒有變化，不出三天，即可完全復元。」說完放下藥瓶，提起藥箱，回身就走。

張一平閉目而坐，眼皮也未眨動一下，直似不知袖手樵隱離去。

方兆南也不似初來之時的拘謹多禮，望著盛金波師徒一先一後離去，既未說一句感謝之言，亦未起身相送，只是用目光望著兩人的背影。

忽聽張一平輕嘆一聲，道：「袖手樵隱的爲人，如此冷怪，連我事先也沒有料到，他說只允許我們停留三天，大概多一天，也別想留，你必須在兩日之內，想辦法離開這朝陽坪。」

方兆南道：「師伯傷勢未癒，我……」

張一平接道：「這個你盡可放心，他既然說三天內可使我傷勢痊癒，定然是有很大把握，眼下最大的難題，是你如何闖過斷石樁去，冥嶽三煞個個武功高強，任何一人均非你力所能敵。他們雖被袖手樵隱驚退，但我料他們絕不會就此離開，八成埋伏在斷石樁外，以你武功而論，絕無法闖過他們的攔截。」

方兆南道：「師伯正值養傷之際，不宜多分心神，好在還有數日時間，也許能想出離開這朝陽坪的辦法。」

張一平仰臉思索了一陣，道：「除非再有一枚索恩金錢，讓袖手樵隱保護你闖過斷石樁，否則別無他法可想……」

方兆南道：「小侄出道江湖，時間雖然不久，但像冥嶽三煞這般武功高強的魔頭，也應該有所耳聞才對，何以從未聽人談過，難道他們也是初出江湖的人物不成？」

張一平嘆道：「我雖不敢說盡知大江南北武林高人、綠林巨擘，但數十年漂泊生涯，確使我會見過不少高人，慚愧的是，不知三煞何人，冥嶽何地，不但未能查出你師父仇人是誰，反落得身負重傷。」

方兆南自目睹冥嶽三煞和袖手樵隱動手情形之後，已自知所學有限，把往昔自負之心，一掃而空，長嘆一聲道：「師伯已盡了心力，查不出仇人姓名，那也是無法之事。」

張一平道：「我雖未查出殺死你師父、師母的兇手，但此事已略有端倪，只要能找出冥嶽其地，就不難追索出仇人下落，推敲這次慘事經過，似非一般江湖仇殺……」

他微一沉忖之後，又道：「也許在你師妹身上，可找出這次慘事線索。」

方兆南道：「晚輩去問她一問，再……」

張一平搖搖頭，低聲說道：「你師父為人，心思縝密，事前必有妥當安排，但你師妹卻是個天真未鑿之女孩，如我猜想不錯，她必然身懷著什麼機密之物，而且此物，關係巨大，非同小可，一經洩露，凶殺慘禍必將接踵而至……」

話至此處，倏然而住，沉吟一陣又道：「眼下最為要緊的兩件大事，一是查出你師妹身懷之物，二是想法子避開冥嶽三煞攔截，逃出這朝陽坪。此次，我帶傷逃來此地，乃一大大失策之事，所幸眼下追蹤敵人，尚不知他們追尋之物，就在這朝陽坪上，如果知道此事，只怕……」

方兆南道：「師伯暫且靜息一下，晚輩去問她一下就來。」

說完，起身離開茅舍，直向那崖壁角中的石室走去。

石室中高燒著一支松油火燭，照得滿室通明。

周蕙瑛滿臉大汗，紅腫著雙眼，不停地滿室遊走。

她心神專注，竟不知方兆南到了石室。

方兆南不願驚動她練習武功，佇立門口，等候了足足一盞熱茶工夫，忽見她停下身子，掩面哭了起來，不禁心中大奇，索性一語不發，兀地站在那兒看著。

周蕙瑛哭了一陣，心中似是逐漸平靜下來，盤膝坐好，閉目運氣行功。

方兆南目光流動，看那石室一角之處，仍然放著未動的菜飯，不覺生出憐惜之意，暗自嘆道：「師妹從小在師父、師母嬌寵之下長大，幾時吃過這等粗茶淡飯，縱然學習武功，也是半玩半學，師父、師母都不厭再三講授。眼下遇上袖手樵隱這等冷僻怪人，只肯教授一遍，也難怪她受著滿腹委屈。」想到傷情之處，不自主地一聲長嘆。

周蕙瑛經過一刻靜坐，早已心靜神凝，聽得嘆息之聲，霍然睜開眼睛。

只見方兆南靜靜地站在石室門口，脈脈注視，深表關情，立時盈盈一笑，站起身道：「師兄幾時來的，怎麼也不叫人家一聲。」

方兆南道：「我見師妹正在心神貫注，未便出聲驚嚇。」

周蕙瑛道：「哼！這麼說，你已來了很久時間啦！」

想到他看見自己啼哭之事，不禁玉靨泛霞，幽幽一嘆，接道：「那老樵夫傳我的什麼『七星遁形』身法，看去簡單，哪知學起來，卻是繁難的叫人意想不到，我學了半天，才勉強走對了三步……」

一眼瞥見壁角燭火，不禁微微一怔，問道：「天已經黑了麼？」

原來她集中全神，學那「七星遁形」身法，竟不知天色入夜。

方兆南微微一嘆道：「天色已經三更過後了，師妹這等辛苦，也該休息一下了。」

周蕙瑛道：「唉！以往我總覺自己是個很聰明的人，現在才知道自己卻是個很笨很笨的廢料。」

方兆南聽她口氣，知她完全不知剛才洞外打鬥之事，心中大感佩服，暗道：「她過去在父母嬌寵之下，學起武來，漠不用心，哪知離開父母之後，竟然似變了一個人般，這般地全神貫注，心意集中。」

當下微微一笑道：「那『七星遁形』身法，乃袖手樵隱生平絕學，自非輕易能夠學會，師

妹能在半日之間，走對三步，已經是難能可貴，如若換我，只怕一天也難走對兩步。」

周蕙瑛聽他稱讚自己，心中甚是高興，表面卻故做生氣神情，道：「你不要笑話我笨，等我學會了轉傳於你之時，哼！你就知道學之不易了。」

方兆南笑道：「我哪裡敢取笑師妹，剛才所說實在是由衷之言，師妹只顧用心習武，連飯也忘記食用了。」伸手取過壁角飯菜送上。

周蕙瑛聽他一說，果覺腹中饑腸轆轆，伸玉手接過飯菜。

匆匆用畢，道：「師兄那索恩金錢呢？」

方兆南道：「已經還給袖手樵隱了。」

周蕙瑛道：「那他定也要傳你一種武功啦！」

方兆南微微一笑，避開話題道：「師妹離家之時，師父、師母可有什麼叮囑之言？」

周蕙瑛想了一陣道：「是啦！我離家之時，父親曾經對我說過，武功學成之後，要到杭州西湖棲霞嶺，去找垂釣逸翁林清嘯，和他相見，他和娘都在那邊等我。」

方兆南只覺心頭一酸，幾乎又滴下淚來，趕忙咳了兩聲，掩飾過去，笑道：「西湖乃江南名勝之地，師妹如能前去一遊，定然會玩得十分歡暢。」

周蕙瑛笑道：「久聞西湖勝景，名甲天下，師兄最好能暫住在這朝陽坪上，等我學好武功之後，咱們一起去西湖找我爹娘。」

方兆南道：「那袖手樵隱冷怪無比，做事素不通人情，只怕他不讓我長留這朝陽坪上。」

周蕙瑛道：「哼！老樵夫真是可惡……」

方兆南一皺眉頭道：「師妹不可出口傷人，如若被他聽到，只怕……」

周蕙瑛道：「怕什麼？最多他把我逐出朝陽坪，他如不肯傳我武功，那自然怪不得我，爹爹知道了，也沒理由責罵於我。」

方兆南知她任性嬌縱，再說下去，恐怕要激起她心頭怒火，拂袖而去。立時扳轉話題，笑道：「天下之大，什麼怪人都有，史老前輩天性冷漠，不喜和人交往，咱們不能苛責人家，師妹自幼在師父、師母百般愛護之下長大，生平從未獨自涉足江湖，想必在離家之時，師父、師母定然要送妳很珍貴好玩之物，不知師兄說得對是不對？」

他怕引起周蕙瑛心中懷疑，不敢直言相詢，只好轉彎抹角的，讓她在不知不覺之中，洩露身懷之物。

周蕙瑛天生嬌憨，如何會想到垂髫幼侶，在用心機逗她吐露隱密，當下搖頭笑道：「送是送了我一個黃綾小包，不過，可不是什麼好玩之物。」

方兆南道：「不知可否拿出來給我觀賞一番？」

周蕙瑛道：「不行，爹爹在交給我之時，再三告誡於我，不可隨便打開查看，必待見著那垂釣逸翁之時交給人家，我都不能隨便觀賞，你自然也不能看了。」

方兆南皺皺眉頭，道：「咱們不打開也就是了，難道連看一眼也不行嗎？」

周蕙瑛看他愁眉苦臉，心中甚是不忍，探手入懷，摸出一個黃綾製成的小包，嗔道：「告訴你是個黃綾小包，你偏偏不信人家，拿去看去，可不能打開，真是，這又有什麼好看的？」

方兆南接過黃綾小包，在手中掂了一掂，只覺輕若無物，暗暗用手一捏，柔軟異常，實難猜出何物。

他沉忖一陣，低聲笑道：「不知何故，師兄今宵好奇之念特重，咱們打開瞧瞧好麼？」

周蕙瑛搖搖頭，道：「那怎麼成，如若讓爹爹知道此事，問起我來，叫我何言答對，何況，這又是別人之物，咱們偷瞧人家隱密，豈不有損私德？」

方兆南聽她說得義正詞嚴，心中又是佩服，又是愁苦，既不能打開黃綾小包，自無法探得隱密，如果強她打開，只怕要大費一番口舌，甚或更將因此使她對自己生出藐視之心。

一時之間，甚感爲難，沉忖良久，才把黃綾小包交還於她，笑道：「師妹平日言笑無忌，童心極重，想不到一旦面臨禮義關頭，竟然是一絲不苟，真叫師兄佩服。」

周蕙瑛接過黃綾小包，放入懷中，笑道：「你別想激我打開，哼！我才不會上你的當哩！」

方兆南緩緩站起身來，笑道：「天色已過子夜，師妹也該好好地休息一下，明天再練不遲，我要告辭了。」

周蕙瑛道：「你記著問那老樵夫，可不可以留在這裡等我三月期滿之後再走。」

方兆南點頭一笑，轉身出了石室，返回茅舍之中。

張一平經過一陣調息後，似已好轉許多，目睹方兆南回來，微微一笑，道：「她可帶有什麼東西？」

方兆南道：「果不出師伯所料，師妹身帶一只黃綾小包，但卻不知裡面藏有何物。」

張一平道：「你爲什麼不打開看看呢？」

方兆南道：「師妹說那是別人之物，堅持不允打開，我怕啟動她懷疑之心，未便強她所難。」

張一平道：「別人之物？什麼人？」

方兆南道：「不知師伯是否認識杭州西湖棲霞嶺，垂釣逸翁林清嘯其人？」

張一平道：「是了，那是你師父的師叔，算起來你該叫他師祖了……」

微微一頓之後，又道：「那黃綾小包之中包藏之物，也許就是招惹出此次慘事的禍根，唉！你師父安排雖然周到，卻不料現在被我破壞，想來實覺愧對老友。」

方兆南道：「師伯此言，更叫晚輩難解了，怎麼師伯會破壞了師父計劃？」

張一平輕輕嘆息一聲，道：「依我勘察所得，再經這一日夜的推想，把這次慘變的起因，大約已推想出來，你師妹果然身懷有物，更證明我推想不錯。」

方兆南道：「師伯一向料事如神，言無不中，不知可否將其中情形，告訴晚輩？」

張一平嘆道：「目前江湖上各門各派根基之地，以及幾個綠林巨擘的巢穴，我雖未去過，但卻都有耳聞，但是從未聽人說過有冥嶽其處，亦未曾聽過冥嶽三煞其人。就字辨義，不難猜想得到，所謂冥嶽，定然是指一處地方而言，定是無人知道這地方究竟在何處罷了。

「單以這冥嶽二字聽來，想那地方必然是一個陰森可怖的所在，這個從未聽人談過的地方，從未聽人談起過的人物，陡然之間在江湖上出現，自非一般的尋仇報復，除此之外，自然是爲爭奪什麼珍貴之物了。

「你師父雖然收藏了很多古玩玉器，但放眼當今之世，比他豪富之家，不知多少，絕不致找到他的頭上，是以，那爭奪之物，定然是世間罕見的奇珍，也許遍天下只此一件……」

話至此處，倏然住口，沉忖了一陣，嘆道：「眼下要緊之事，是你們如何設法離開這朝陽坪。」

方兆南道：「怎麼？師伯要我和師妹一同走麼？」

張一平道：「你師祖垂釣逸翁林清嘯，武功絕不在袖手樵隱之下，你師父讓你師妹到抱犢崗朝陽坪來，只不過是一時應變之策，東平湖到棲霞嶺，關山迢迢，而且你師妹又毫無江湖閱歷，單身少女行走江湖之上，極易惹人注日，恐被人跟蹤鐵騎追上……」

話至此處，突聞茅廬外面，響起盛金波的聲音道：「什麼人敢跑到朝陽坪來，當真不想要命了麼？」

但聞一個冷漠清脆的女子聲音喝道：「出口傷人，我先打你兩個耳光。」餘音未絕，耳際間已聞得啪啪兩聲脆響。

方兆南霍然起身，縱身躍到門外一看，登時心頭一驚。

只見黯淡的星光之下，站著個全身白衣的少女，正是那自稱收殮師父、師母屍體之人。她身後站著適才削指而退的冥嶽三煞。

盛金波似乎被人出手打了兩個耳光的快速手法震住，呆了半晌，才突然大喝一聲，舉手一拳擊去，風聲呼呼，去勢威猛。

那白衣少女冷笑一聲，不閃不避，左手向上一拂，掠腕而過，盛金波卻悶哼一聲，向後退了三步，一條右臂緩緩直垂而下，似已被人點了穴道。

這等罕見罕聞的武功手法，只看得方兆南心底冒上來一股寒氣，不自覺地打了一個寒噤。

白衣少女一拂之勢，擊退盛金波後，卻未再出手，目光投注到數尺外的袖手樵隱身上，道：「你還不出手，等什麼呢？」

袖手樵隱點點頭，笑道：「妳的拂穴斬脈手法，已有了八成火候，也難怪妳一出手，就把我這不成材的徒弟制住。」

方兆南聽得一皺眉頭，忖道：「此人當真是冷僻得可以，對待自己徒弟，竟也是這種樣子，如若那白衣少女，再趁勢攻上一掌，豈不要了他徒弟性命？」

白衣少女回頭望了冥嶽三煞，問道：「可就是這個老頭子麼？」

窮凶極惡的冥嶽三煞，似是對那白衣少女十分尊敬，一齊躬身，答道：「正是此人。」

白衣少女打量了袖手樵隱兩眼，冷冷問道：「周佩，周老英雄的女兒，可是躲藏在你這裡麼？」

袖手樵隱道：「老夫生平不喜答人問話。」

白衣少女秀目轉動，掃掠了站在門口的方兆南一眼後，又轉望著袖手樵隱，道：「我瞧你還是少管閒事得好，趕快逃命去吧！」

方兆南心中一動，還未回味深思，袖手樵隱已接口說道：「一點不錯，老夫從不願管人閒事，可也從未逃避過人。」

白衣少女一沉吟，轉身向方兆南停身的茅舍走去。

方兆南想到張一平傷勢剛覺好轉，如讓她衝入茅舍中去，突然下手一擊，定然難以招架，當下一挺胸擋在門口，說道，「深更半夜之間，一個大姑娘家，豈可亂闖別人臥室。」

白衣少女秀眉微微一揚，冷若冰霜的臉上，陡然泛現出一抹殺機，但一瞬間，即告消失，望了望方兆南，停下腳步。

方兆南只覺她眼中神光，有如冷電霜鋒一般，直似要看透人的內腑五臟，不禁心頭微感一

震。

白衣少女忽然一側嬌軀，左腳又向前疾移一步。

方兆南怕她衝入茅舍，左掌橫擊一掌，封住門戶，右手平胸推出一招「浪撞礁岩」，向她當胸擊去。

他在情急之下，兩掌都用了九成真力，出手掌勢，極是威猛，心想縱不能把對方逼退，至少亦可把她前進之勢擋住。

哪知事實大謬不然，只見那白衣少女隨著他擊出的掌勢一轉，人竟然從他身側一滑而過。

方兆南用力過猛，一擊不中，身軀不由自主地向前一傾。

但覺眼前一黑，人影掠身而過，回頭看時，袖手樵隱，已緊隨那白衣少女身後，進入了茅舍之中。

那白衣少女衝過方兆南攔截之後，緩步向張一平盤坐之處走去，史謀遁背著雙手，亦步亦趨地緊隨在身後，兩人距離，也不過尺許之隔，袖手樵隱只要一伸手，即可遍及她後背各大要穴。

奇怪的是那白衣少女，竟似不怕袖手樵隱突然出手施襲，連頭也未回過一次，袖手樵隱竟也似未存暗算對方之心，只是緊緊相隨身後。

方兆南略一定神，急步奔入室中，超過兩人，橫身擋在張一平身前。

房中的松油大燭，早已熄去，黝暗的夜色中，但見白衣晃動，緩步直逼過來。

忽聽張一平輕輕嘆息一聲，道：「孩子，把火燭點著。」

方兆南心中很明白，眼下茅舍之中，算自己武功最弱，如白衣少女要對張一平下手，自己絕難擋拒得住。略一沉忖，依言點起火燭。

一陣火光閃動，室中登時一片通明。

張一平睜開雙目，望了望那白衣少女和袖手樵隱，又緩緩閉上眼睛，運氣調息，神色異常鎮靜，渾如不知有人進了茅舍一般。

白衣少女慢步走到方兆南身前，冷然喝道：「站開去！」伸手撥來。

這輕輕一撥之勢，用得恰當奧妙無比，方兆南心想封架，哪知左臂剛一抬起，對方撥來右手不早不晚地到了他肘間「曲尺穴」上。

如不移開身子，勢非被對方拂傷穴道不可，只得向右橫跨了兩步。

轉臉望去，只見冥嶽三煞並肩擋在門口，個個面現殺機，躍躍欲動。

白衣少女緩緩回頭望了袖手樵隱一眼，道：「是你留他在這裡養息傷勢的麼？」

袖手樵隱道：「不錯。」

白衣少女冷笑一聲，轉過頭去對張一平道：「周佩的女兒在什麼地方？」口氣冷傲至極。

張一平緩緩睜開眼睛，淡淡一笑，道：「妳是什麼人？找周老英雄的女兒有什麼事？」

白衣少女秀眉一顰，道：「你說是不說？」

張一平忽然一閉雙目，笑道：「大江南北，縱橫十萬里，何處不可藏身！」

白衣少女揚起右手一揮，冥嶽三煞一齊縱身躍入室內，一字排開。

袖手樵隱皺皺眉頭，但卻未出手攔阻。

白衣少女向後退了兩步，望著冥嶽三煞說道：「先把這人捉住綁起再說。」

冥嶽三煞正待出手，突聞袖手樵隱冷冷地大喝了一聲：「住手！我這朝陽坪上，豈是容人隨便捉人之處？」

白衣少女道：「我們要捉了，你待怎麼樣？」

袖手樵隱道：「妳不信不妨試試！」

白衣少女道：「好！」右手一揚，冥嶽三煞中的老大探手向張一平胸前抓去。

袖手樵隱看似無備，其實早已暗運真氣，蓄勢待發。

白衣少女右手一揚，袖手樵隱也同時出手，左手一揮，一股暗勁，直擊過去，潛力奇猛，把出手向張一平抓去之人，震得向後退了兩步。

白衣少女冷哼一聲，道：「怎麼？你們三人連一個身受重傷之人也對付不了麼？」

冥嶽三煞似是極怕那白衣少女，互相對望了一眼，一齊躬身說道：「這老樵夫武功甚高，如他出手相護……」

白衣少女冷然接道：「那你們就把這老樵夫殺了，再捉那受傷之人。」

冥嶽三煞聽得同時怔了一怔，道：「若是我們能夠打得過他，也不敢驚擾三姑娘玉駕了。」

白衣少女容色不變地淡淡說道：「不要緊，要是你們被他殺了，我替你們報仇就是。」聲音清脆，極是悅耳，但語詞含意卻是冷酷無比，聽得方兆南心頭猶生寒氣。

冥嶽三煞個個臉色大變，但卻又似不敢不聽那白衣少女的吩咐。

那年齡較長之人，望了望兩個兄弟一眼，道：「既是三姑娘吩咐咱們，死也是無可奈何之事。」

說罷，當先一躍，疾向袖手樵隱撲去。

史謀遁亦是生性冷怪之人，聽那白衣少女之言，忽然激起怒火，冷笑一聲，喝道：「難道老夫當真就不敢殺人麼？」

身軀微微一閃，讓過撲擊之勢，反臂劈出一掌。

此人武功既高，人又冷怪，殺機既動，下手就不再留情，錯身閃勢，正是他獨步武林的奇學「七星遁形」，反臂擊出的一掌，也是他生平絕技「伏虎八掌」中一記精奧之學。

但聞一聲悶哼，那撲向他的冥嶽三煞之首，被他一掌擊中了後背，當場震斷心脈，七竅噴血而死。

餘下二煞，眼看武功最強的老大，竟被人出手一擊而斃，不禁心生怯敵之意，不約而同轉臉向那白衣少女望去，目光中滿是乞憐之色。

白衣少女對眼下慘事，視若無睹，淡然說道，「你們三兄弟一向形影不離，如能同死在一人之手，也是一件極爲難得之事。」

二煞相對苦笑一下，道：「三姑娘這般成全我們兄弟，我們三人就是死在九泉之下，也是難忘大恩大德。」

白衣少女道：「你們儘管放心死吧！這報仇之事，我絕不食言。」

二煞同聲冷笑道：「三姑娘這排除異己的手段，也未免太陰毒了一點，今日我們三兄弟雖然被逼葬身在這朝陽坪上，稱了你的心願，但此事絕難瞞得過大姑娘慧眼的。」

說完，一左一右，猛向袖手樵隱撲去，分襲史謀遁四處要害。

袖手樵隱看來勢異常猛惡，連人帶掌一起撞來，倒也不敢大意，身子一轉，向右閃開兩

步，剛好把二煞攻擊之勢讓開，隨即展開「七星遁形」身法。
只見在數尺方圓之地，瞬息間連續移動了四、五個位置。
二煞一擊不中，立時一沉丹田真氣，腳落實地，翻身掄拳猛打，兩人既已存了拚命之心，擊出拳勢，招招威猛絕倫。
但袖手樵隱的「七星遁形」身法，步步含蘊玄機，奇奧無比，被他快速地移位轉動，逗得兩人團團轉，五、六個照面之後，兩人已被轉得暈頭轉向，出手拳勢，已拿捏不準。
冥嶽三煞中武功雖算老大最好，但脾氣卻算老二最暴，他連續擊出三、四十拳，始終未能擊中敵人一下，不覺心頭火起，雙拳橫掄直擊，奮不顧身地一陣猛打。
袖手樵隱目睹時機已到，故意把身子慢了下來，使兩人可以認清敵我，全力出手。
又鬥了兩個回合，袖手樵隱忽然在兩人之間一停。
二煞見對方身法的怪異，是生平未見，雖在幾間小小的茅舍之中，仍然靈動難測，眼前既然有了機會，如何還肯放過，各出全力，揮拳擊去。
袖手樵隱待兩人拳勢逼近身之際，突然滑步閃開，二煞用力過猛，一時收勢不住，彼此撞在了一起。
袖手樵隱雙掌左右合擊，每人背上各給了一掌。
二煞同時慘哼了一聲，雙雙栽倒地上死去。
白衣少女望了三人的屍體一眼，冷冷地對袖手樵隱說道：「你竟然一連殺了三條人命，難道還想活著麼？」
袖手樵隱道：「既然開了殺戒，我就再多殺幾個，也是一樣。」

白衣少女又緩緩走到了張一平身前，問道：「你身上的傷勢，還厲不厲害？」

張一平一直冷眼旁觀，看她逼死冥嶽三煞的諸般經過之情，極似有心相助，但又怕她是借機會利用袖手樵隱之力，殺死三煞，以逞排除異己之願。

是以，一時之間，難做決定，不知該怎樣答覆她是好。

白衣少女似已等得不耐，又重複說了一邊道：「我問你傷勢好了一點沒有？」

張一平道：「好了妳要怎麼樣，不好妳又將如何？」

白衣少女秀眉微微一聳，道：「好了，你就快想個自盡之法，趕快死掉，如果傷勢未癒，我再補你一掌，讓你死得快點。」

張一平何等老辣，微一沉忖，已想透對方話中含意，淡淡一笑，道：「老夫已屆就木之年，死了又有何可惜之處！」

說完，當下站起身子，舉步欲行。

袖手樵隱突然一晃身，擋在張一平前面，說道：「你傷勢還未痊癒，豈可隨便行動……」

白衣少女冷然接道：「那你就替他死吧！」

史謀遁霍然轉身，緩緩說道：「只怕未必！」

這兩人言詞雖然鋒芒相對，但誰也不肯先出手。

忽聞白衣少女提高了聲音，說道：「我們三條人命，換你一條還嫌少了不成？」

袖手樵隱還未來得及答話，突聞門外暗影中，一個沙啞的聲音說道：「三姑娘，什麼人這麼大膽子，敢殺咱們冥嶽中人？」

方兆南轉臉望去，只見一個黑色長衫，身材瘦高的怪人，當門而立，目光炯炯，盯在袖手

樵隱臉上。

此人長相難看至極，長頸闊口，面如黃蠟，雙眼卻是大得出奇，站在門口，宛如豎立著一根竹竿。

袖手樵隱冷笑一聲，道：「你如不服氣，不妨出手試試！」

瘦長怪人突然大邁一步，人已欺入室中，右臂一伸，直向袖手樵隱抓去。

史謀遁左手一抬，橫裡拍出一掌，反向瘦長怪人的手腕擊去，那瘦長怪人看去雖然骨瘦如柴，但出手卻是靈快無比，袖手樵隱左手拂出，他右手已收了回去，大邁一步，退到室外，道：「出來，咱們好好比劃兩下！」

袖手樵隱微一沉忖，道：「老夫從來不願聽人的話，想和老夫動手，你就進來。」

他怕自己一離開，那白衣少女突然對張一平下手，是以不肯出去。

那瘦長怪人卻因個子太高，在茅舍之中動手相搏，定然施展不開手腳，一聽袖手樵隱不肯外出，不禁大怒，厲聲喝道：「老子一把火燒光你這幾間茅屋，看你出不出來？」

此人聲音沙啞，大聲喝叫起來，有如破鑼一般，刺耳至極。

袖手樵隱冷冷答道：「你燒一下試試。」

瘦長怪人怒道：「這有什麼不敢？」

探手入懷，摸出火摺子一晃，頓時亮起一道火焰，長臂一伸，向茅舍頂上點去。

史謀遁早已暗中運集功力，蓄勢戒備，那瘦長怪人剛剛舉起火摺子，立時揚腕一掌劈去。

他內功本極深厚，這一掌又是蓄勢而發，威勢非同小可，一股強猛潛力，如排山倒海般直擊過去。

瘦長怪人左手一揮，平胸推出，硬接袖手樵隱一掌。

兩股潛力懸空一接，立時捲起一陣旋風，袖手樵隱身軀晃了兩晃，那瘦長怪人卻被震退後三步，手中火摺子一閃而熄。

兩人一較內力，彼此都暗暗心驚。

那瘦長怪人一呆後，陡然一個轉身，人已到屋簷之下，潛運真力，雙手向上一托，兩個房子大小的茅草屋頂，竟被他揭了起來。

一陣嘩嘩聲中，滿屋塵土飛揚，雙目難睜。

方兆南不自覺地一閉眼睛，突然覺著衣領被人一把抓住，剛想叫喊，已身不由己騰空而起，睜眼看時，人已到了牆堵外面。正自向下跌落。

他趕忙一提真氣，懸空一個翻身，輕飄飄地落在地上。

他本是極爲聰明之人，略一沉思，已知是那白衣少女所爲。

不禁心中暗道了聲慚愧，忖道：「如果她存心要我性命，今宵縱有十條性命，也是難以逃過，她這暗中相助於我，分明是要我即時逃走，只是張師伯傷勢未癒，如何能棄他不顧而去……如若此刻不走，只怕再難有逃走機會……」

正自忖思之間，忽然那白衣少女嬌脆冷漠的聲音響道：「你已身負重傷，要想殺你不過是舉手之勞，不過，我不願殺一個毫無抗拒能力之人，但如你想要逃走，可別怪我心狠手辣！」

張一平大聲說道：「妳先別誇口，今宵之戰，鹿死誰手，只怕還難預料。」

方兆南心中一動，暗道：「張師伯話中之意，分明暗示於我，他有袖手樵隱相護，要我早些離此。」

當下轉身，疾向石室之中奔去。

石室中，仍然高燃著松油火燭。

周蕙瑛靠在石壁一角，沉沉睡去，一則因這石室深入山腹，傳音不易，再者她苦練那「七星遁形」身法，人已累得筋疲力盡，外面雖鬧得天翻地覆，她卻毫無所覺。

方兆南略一沉忖，急急奔前兩步，顧不得她睡意正濃，伸手推了她兩下。

周蕙瑛嗯了一聲，睜開眼睛，望著方兆南微微一笑，道：「天亮了麼？」

忽見室外甬道，夜色仍深，不禁一皺秀眉，道，「深更半夜之中，你跑到這裡來做什麼呀？」

方兆南道：「朝陽坪來了強敵，已和史老前輩動上了手，對方不但人多勢眾，而且武功又極高強……」

周蕙瑛喜道：「你是來叫我去瞧瞧熱鬧的麼？那當真是好。」說著，轉身向外奔去。

方兆南心頭大急，一橫身攔住去路，道：「如非事情急迫，我也不敢在深夜之中，驚嚇師妹，我叫妳快些逃走，那裡是叫妳去瞧熱鬧？」

周蕙瑛笑道：「我看你呀！膽子越變越小了，你害怕我可不害怕，我非得去瞧瞧不可。」

方兆南急道：「袖手樵隱的武功，何等高強，但看樣子亦非來人敵手，咱們逃命還來不及，妳倒還想去看熱鬧呢！」

周蕙瑛看他說得認真，收拾起嘻笑之容，道，「真有這等事麼？」

方兆南正色道：「我幾時騙過妳了？」拉著她轉身向外奔去。

他乃異常機警之人，早已看清朝陽坪的形勢，心知除了那斷石樁來路之外，再無別徑可循。

只是此路太過險惡，別說自己無能一下飛渡那三丈左右的懸崖絕壑，縱然能夠飛越而過，只怕也難逃過埋伏在斷石樁外的敵人。

心念一動，低聲問周蕙瑛道：「師妹是否知道，除了那斷石樁外，還有別的可行之路麼？」

周蕙瑛仰臉思索了一陣，道：「我在初入朝陽坪之時，那黑臉大漢曾經再三告誡我，不得擅自深入石洞，如我不肯聽從他的話，有什麼凶險之事，不要怪他。」

方兆南心中忖道：「這朝陽坪不過數丈方圓大小，四面都臨萬丈絕壁，除了那斷石樁，又無可出之路，眼下之策，只有先找一個可容藏身的隱密之處，先躲起來再說，待敵人退走之後，再離開此地不遲，萬一被人尋到，也無可奈何了。」

他已自知，要憑武功和白衣少女或瘦長之人動手，必是難以勝得人家，心念一轉，沿著甬道，向裡走去。

大約深入有二十餘丈之後，甬道突然向左彎去，而且由三尺寬窄的道路，倏然變得異常狹窄，僅容一個人側身而過，看來甬道就似到此處已至盡頭。夜色正濃，這甬道之中，更是漆黑如墨，伸手難見五指，兩人雖有異於常人的目光，但也只不過可見三、五尺內的景物。

方兆南回頭對周蕙瑛道：「師妹暫時留守在這裡別動，我先到前面去看看再說。」

也不待對方回答，立時一側身，進入狹道之中。

這石道不但狹窄得僅可容一人側身通行，而且地勢忽高忽低，左曲右轉，崎嶇難行。

大約轉了七、八個彎，石道卻突然中斷，緊依石壁處，現露出一個水桶大小的穴洞，斜向地底而下。

方兆南望著穴口心中暗暗忖道：「像這等深山荒洞之中，大都藏有蟒蛇之類的毒物，但如退出此洞，又無法避開敵人耳目。」

正在為難之際，忽聽身後嗤的一聲嬌笑，道：「你怎不往前走啊！站在這裡發什麼呆呢？」

方兆南不需回頭，就知師妹追來，輕輕嘆息一聲，道：「已到了石道盡處，無路可走了。」

但覺一陣香風撲鼻，周蕙瑛已欺到了身側，道：「既然無路可走，咱們趕緊退回去吧！」

方兆南道：「追蹤強敵尚在朝陽坪上，咱們若退回去，只怕難以擺脫。」

周蕙瑛嚷道：「前去無路，後有強敵，既不能進，又不能退，那咱們要怎麼辦呢？哼！我看你越大越膽小了，你害怕敵人厲害，就一個人躲在這裡好啦！我要退出去看看他們是不是三頭六臂的人物！」說完了話，立時轉身而去。

方兆南已親眼看到敵人的武功，縱然和師妹聯劍出手，只怕也難和人拚上十個回合，如若退出這山洞，自是凶多吉少。

心念一轉，急道：「師妹，快些回來，這裡有路了，不過……」

周蕙瑛回頭接道：「不過什麼？」

方兆南暗道：「如若讓她跟在後面，她要是一時心血來潮，自行退了回去，在這狹窄的石洞之中，轉身都極不易，要想攔她，那可是千難萬難，不如讓她走在前面，先斷了她後退之路，也可少擔一分心事。」
當下說道：「這石道的盡處，有一個水桶大小的穴口，我怕穴洞之中，藏有毒物，故而不敢深入。」
周蕙瑛道：「原來如此，你不敢走前面，我走前面好啦！有什麼好怕的？」
她自幼在父母嬌寵之下長大，稚氣未退，童心猶存，如何能解得方兆南的用心，果然又轉了回來，擠到方兆南前面，低頭望了穴口一眼，心中作難起來。
方兆南道：「這怎麼行？我不能頭下腳上地爬下去呀！」
沉吟一陣，回頭笑道：「事實如此，只有請師妹委屈一下了。」
周蕙瑛嘆口氣道：「好吧！」一伏身，向穴洞之中爬去。
方兆南緊隨著側身而入。
這斜向地底延伸的石洞，傾斜的坡度很大，而且滿布青苔，滑不留手。
兩人用匍匐前進，極感吃力，每一落手，必須要暗運真氣，力透青苔，方能穩住身子。
爬有十餘丈時，周蕙瑛已自不耐，回頭叫道：「別再往下爬啦！這等陰濕的山洞，哪裡還有出口，再往下爬，也是白費力氣。」
方兆南一面爬行，一面打量著山洞形勢，希望能發現一處可容身之所，暫時躲避起來，哪知深入了幾十丈，仍然未見一處可資容身所在，心中甚是焦急。
但他卻不得不故作沉著地笑道：「怎麼？妳害怕了嗎？」
周蕙瑛怒道：「誰說我怕了？」忽地加快速度，直向下面滑去。

方兆南怕她碰上石壁，急得高聲叫道：「妳慢一點，別碰傷了……」嘴裡大聲叫著，人卻和周蕙瑛一般地加快速度向下滑去。

這洞穴傾斜的坡度既大，青苔又是極滑之物，兩人放手下滑，落勢迅快至極，轉眼之間，已滑落四、五十丈遠近。

忽聽周蕙瑛啊呀一聲驚叫，身子突然直摔下去。

方兆南吃了一驚，顧不得本身安危，向下疾衝，一面高聲地喊道：「師妹小心……」話還未完，忽覺身子懸空而下，趕快一提真氣，雙臂向上一抖，把急降之勢遲緩了一下，饒是他應變迅快，仍然晚了一步，砰的一聲，摔了下去。

忽聞周蕙瑛嬌笑一聲，問道：「你摔得可疼麼？」

方兆南定神望去，只見周蕙瑛兩手抱膝，依壁而坐，滿臉笑意，毫無痛苦之色，才放下了心中一塊石頭，道：「還好，師妹摔著沒有？」

周蕙瑛道：「怎麼沒有摔著？不過摔得不重罷了。」

方兆南打量了四周一眼，笑道：「這地方倒是不錯，只可惜太潮濕了一點。」

周蕙瑛忽然皺起眉頭道：「不知道石室之中，有沒有別的出路，如果只有來時那條穴道，咱們只怕要餓死在這裡啦！」

方兆南運足目力，向上一看，不禁一皺眉頭。原來這石室地底，相距穴口足足有二丈多高的距離，石壁光滑如鏡，毫無借足著力之處，以自己輕功而論，絕難躍越兩丈多高。

他心中雖感愁慮，口裡卻笑著答道：「不要緊，這區區一座石室，豈能真的把咱們困在這裡……」

忽聽石室一角，響起了一聲尖銳的冷笑，道：「你們既然到了這裡，今生今世就休想出去！」

聲音淒厲，聽得令人毛髮悚然。

周蕙瑛哎喲一聲，疾向方兆南身側偎去，問道：「這是不是人的聲音？」

方兆南也被這突如其來、淒厲刺耳的聲音，驚得一身冷汗，重重咳了一聲，壯著膽子，問道：「你是什麼人？」

口中在問問話，右手卻探摸出火摺子一晃，亮起一道火焰。

忽聞微風破空，黑暗中飛來一物，正套在他舉著火摺的右腕之上，剛剛晃燃的火摺一閃而熄，但覺一股強勁之力一拖，身不由主地被拖了過去。

周蕙瑛大吃一驚，一按背上劍柄彈簧，唰的一聲，抽出寶劍，道：「哼！不管你是人或是鬼，我都不怕，快些把我師兄放開，要不然……」

寶劍一揮，黝暗的石洞中，立時閃起一道銀虹。

石室一角，重又響起那尖厲的冷笑之聲，一物破空直飛過來。

周蕙瑛揮動手中寶劍，橫削過去，哪知飛來之物，竟似長了眼睛一般，忽地一沉，已套在她握劍的手腕之上。

這手法看似平淡無奇，其實奧妙絕倫，巧勁拿捏得恰到好處。

周蕙瑛眼看著一個索繩結成的環圈，向手腕上套來，竟是無法閃避，只覺手腕一麻，寶劍當堂脫手。

那繩索環圈正套中她的右腕脈門，對方用力一收，周蕙瑛身不由己地也被人拖了過去。

她乃生平初次和人動手，想不到連對方人影還未看到，就被人用繩索套住手腕，活捉過去。

心中既驚又怒，剛想開口罵他幾句消消心中之氣，忽覺「肩井」穴上一麻，又被人點中了穴道，摔倒地上。

周蕙瑛穴道雖然被點，但神智並未昏迷，只覺一隻枯硬的手，在她身上摸來摸去，芳心大感羞急，苦於穴道被點，既難開口喝罵，又無法逃避他人的搜摸，著急得熱淚泉湧而出。最妙的是她摔倒的姿勢，背人而臥，除了可見一隻枯瘦有如鳥爪般的怪手，在她身上到處搜摸之外，連對方面像如何，也無法看到。

忽然，那隻枯瘦的怪手，搜摸到她前胸之處，突然停下來，手指輕輕一劃，周蕙瑛衣衫，立時應手裂開了一道半尺長短的裂口。

那人手指所用力道，恰當至極，不輕不重地剛好把她衣服劃開，卻一點也未傷到肌膚。

周蕙瑛心中很明白，那怪手停留之處，正是父親要她轉交西湖棲霞嶺垂釣逸翁林清嘯之物存放之處。

周佩在交她此物之時，曾經再三諄諄叮囑，要她妥爲保管，現下被人取去，叫她如何不急。

但覺那枯瘦的怪手，緩緩取去黃綾小包，緊接著耳際響起嘶嘶之聲，顯然那人已打開小包。

大約一盞熱茶工夫之後，周蕙瑛突覺自己被點穴道之上，被人一推，登時血脈暢通。

她暗中運氣一試，覺出穴道已解，正待挺身坐起，忽聽身後響起一個尖銳、冷漠的聲音說

道：「女娃兒，妳如想借機會逃走，我就捏碎妳全身關節骨骼，要妳嘗試一下世上最慘酷的苦刑，讓妳求生不得，求死不能，留在這裡，陪我一輩子。」

這幾句話，說得陰氣森森，聽得周蕙瑛呆了一呆，道：「你不把東西還我，要我走我也不走！」說著話，轉頭向後望去。

一瞧之下，驚得她全身一震，趕忙閉上眼睛，心底寒氣上冒，頭上冷汗直流。

原來那人形狀的鬼怪，不但是見所未見，即使作夢也是難以想到。

只見他髮長數尺，全身赤裸，仰臥在一塊大青石上，臉上疤痕交錯，自小腹以下，肌肉都已乾枯不見，只餘下幾根森森白骨的架子，左臂軟軟地垂著，單餘一條右臂能動，握著一幅黃綾繪製的圖案。

那怪人似已瞧出周蕙瑛驚恐之情，忽然輕輕嘆息一聲，柔聲說道：「女娃兒不要怕，四十五年前，我也和妳一樣的美麗，也許比妳更美一點，不知有多少自負才貌雙絕的男孩子，拜倒在我的石榴裙下……」

周蕙瑛睜眼瞧了一下，打了一個寒噤，接道：「當真有這回事麼？」

她乃天真未泯之人，目睹「他」鬼怪之狀，如何肯相信「她」之言，不假思索地就問了一句。

長髮怪人怒道：「難道我還騙妳不成？」忽又輕輕一嘆，道：「這也難怪，像我眼下這等鬼怪面目，別說妳不肯相信我之言，就是換了別人，只怕也難相信，可是，我說的話，卻是千真萬確的事……」

她似是勾起淒涼的舊事，黯然長嘆又道：「其實，一個人生的醜怪與美麗，又有什麼區別

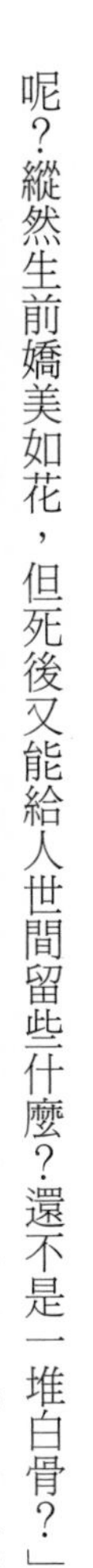

呢？縱然生前嬌美如花，但死後又能給人世間留些什麼？還不是一堆白骨？」

周蕙瑛聽她說話聲音，愈來愈是謙和，不覺膽子壯了許多，接口問道：「老前輩爲什麼會被人加害囚禁這石室中呢？唉！妳在這等陰暗潮濕的地方，度過了很多年的歲月，真是可憐。」

長髮怪人突然冷笑一聲，道：「我被人用一種慢性的化肌消膚毒藥，塗在身上，囚居在這石室之中，熬受著世界上最慘酷的化肌消膚之苦。不過，害我的正凶，已經被我殺了，總算稍出胸中之氣，如果我沒有遭人暗算，落得這般下場，哼！那就不知道我還要殺多少人了……」

周蕙瑛聽她口氣突然間又變得冷峻異常，夜暗之下，隱隱可見她雙目中閃動著惡毒的光芒，不禁心頭暗生凜駭，忖道：「這人忽喜忽怒，性格叫人難以捉摸，怎生想個法子，和師兄早些離此才好。」

她心念正在轉動，忽聞那長髮怪人長長嘆息一聲，問道：「你們爲什麼不早幾年來呢？」

周蕙瑛聽得怔了一怔，道：「這石洞深在山腹之中，平常之人，如何能到，再說，我們也不知道這石室之中囚居有人。」

那怪人拿著黃綾圖案的右手，突然向後面石壁之上一推。但聞喳的一聲，一陣涼風迎面拂來，耳際間水聲潺潺，迎面露出一片天光，繁星閃爍，室中景物清晰了不少。

周蕙瑛側頭望去，只見方兆南伏地而臥，左臂圈掩臉邊，剛好把目光遮去，難見室中景物，心中甚是驚奇。

她暗忖道：「這怪人只留下一條右臂，但她點穴手法的巧快，縱是雙臂齊全之人，也難有她這等高強的本領，隨心所欲的點中人的穴道不算，而且能在一瞬之間，連點中數人數穴道，

對方摔倒的姿勢，以及腿臂的放置，似乎都在她計算之中。」

她幼隨父母，習練過點穴之法，是以，一望之下，立時看出方兆南被人同時點中了數處的穴道。

那怪人望望天上星辰，道：「現下已是五更過後時分，再等片刻，天色就亮了，如你們能早來幾年，我腿上肌肉尚未被毒藥化去，那該多好，可是現在晚了，縱然我再能熬上幾月，只怕也來不及了。」

她自言自語，盡說些心中之事，周蕙瑛如何能聽得懂，愕然相向，接口不得。

突然間，夜色中傳來一聲呼喚「娘」之聲，其聲清脆，如鳴珮鈴。

那長髮怪人低沉地嘆息一聲，道：「妳回來了？」

周蕙瑛奇道：「怎麼?老前輩還有位女兒在這裡麼？」

長髮怪人笑道：「嗯，不信，妳可要看看我的女兒麼?」

周蕙瑛暗暗忖道：「妳女兒如能從壁間石洞中爬了進來，想那外間定有容人著足之處，我和方師兄大概也可以爬得出去。」

心中盤算著主意，口裡卻笑著接道：「既然有位姐姐在此，最好能請她出來和晚輩等見上一面。」

長髮怪人右臂向洞外一探，取進來兩個又白又大的雪梨，緊接著響起一陣鳥羽劃空之聲。眼前白影一閃，在那長髮怪人仰臥的青石榻旁，驀然間，落了一隻罕見的高大白毛鸚鵡。

雪羽在夜色中閃閃泛光，兩隻圓大的眼睛，不停地轉動張望。

四 血池秘圖

周蕙瑛生平未見過這等高大的鸚鵡，心中甚是喜愛，不自覺地伸手去撫摸一下。

長髮怪人道：「這就是我的女兒，妳看她可愛麼？」

周蕙瑛嘆道：「這鳥兒當真是好，老前輩定是花費過不少心血，調教於她了？」

長髮怪人道：「我自被人囚禁這石洞之後，就只有這白鸚鵡與我作伴，如非這隻鳥兒，我早就餓死在此地了。」

周蕙瑛忽然想到師兄仍被點著穴，伏臥在地，輕咳一聲，壯著膽子說道：「我們師兄妹被人所迫，無意闖入此地，老前輩和我們無冤無仇，不知……」

長髮怪人笑道：「妳可是要我解了那男娃穴道，是麼？」

周蕙瑛道：「老前輩武功淵博，就是解了我師兄穴道，我們也逃不了。」

長髮怪人笑道：「除非我願意讓你們離開此地，要不然，你們絕難離開這石洞一步。」說著話，一揮瘦若鳥爪的右臂，向方兆南身上拂去。

方兆南長長吁一口氣，霍然坐起身子，目睹師妹無恙，先放下了一半心事，轉臉看到石榻上仰臥之人醜怪形態。不禁心頭一跳。

但他究竟是有著江湖閱歷之人，微感驚震後，立時恢復了鎮靜。

那長髮怪人兩道冷電般的眼神，緩緩由兩人臉上掃掠而過，問道：「你們今生是否還想要離開這陰暗的石室？」

此人喜怒無常，說話神情，忽而柔婉和藹，慈愛可親，忽而陰森冰冷，聽得令人心生寒意。

方兆南側目望了師妹一眼，答道：「請恕晚輩拙笨，不解老前輩話中含意。」

長髮怪人陰冷的一聲尖笑，道：「如你們願意離開此地，那就得答允替我辦一件事，如是不願離開此地，就留在這石室中陪我，等我元氣將要耗盡之時，我再挑斷你二人幾處重要的筋脈，使你們和我一般地難以行動，好在有我白鸚鵡替你們去尋找食用之物，不致餓死此洞。」

這等慘絕人寰之事，在她口中說來，有如閒話家常一般，輕描淡寫，若無其事。

方兆南只感背脊骨上升起一縷寒意，打了一個冷顫，強作歡容笑道：「不知老前輩要我們辦什麼事，尚請明白相告，也讓我們斟酌一下，能力是否辦到，才好答應。」

長髮怪人又突變得十分和婉，笑道：「說起來也並非是什麼難事，只要你們肯用心去辦，那是一定可以辦到……」

她揚了揚手中的黃綾圖案，又道：「就是用這幅『血池圖』，去替我換點藥物回來。」

周蕙瑛急道：「那怎麼行？這圖是我爹爹要我送還別人之物，豈可隨便給妳拿去易換藥物？」

長髮怪人格格地大笑了一陣，道：「什麼？這『血池圖』是你爹爹的麼？」

周蕙瑛道：「是不是我爹爹之物，我不很清楚，但這圖確是我爹爹親手交付於我，要我送交別人。」

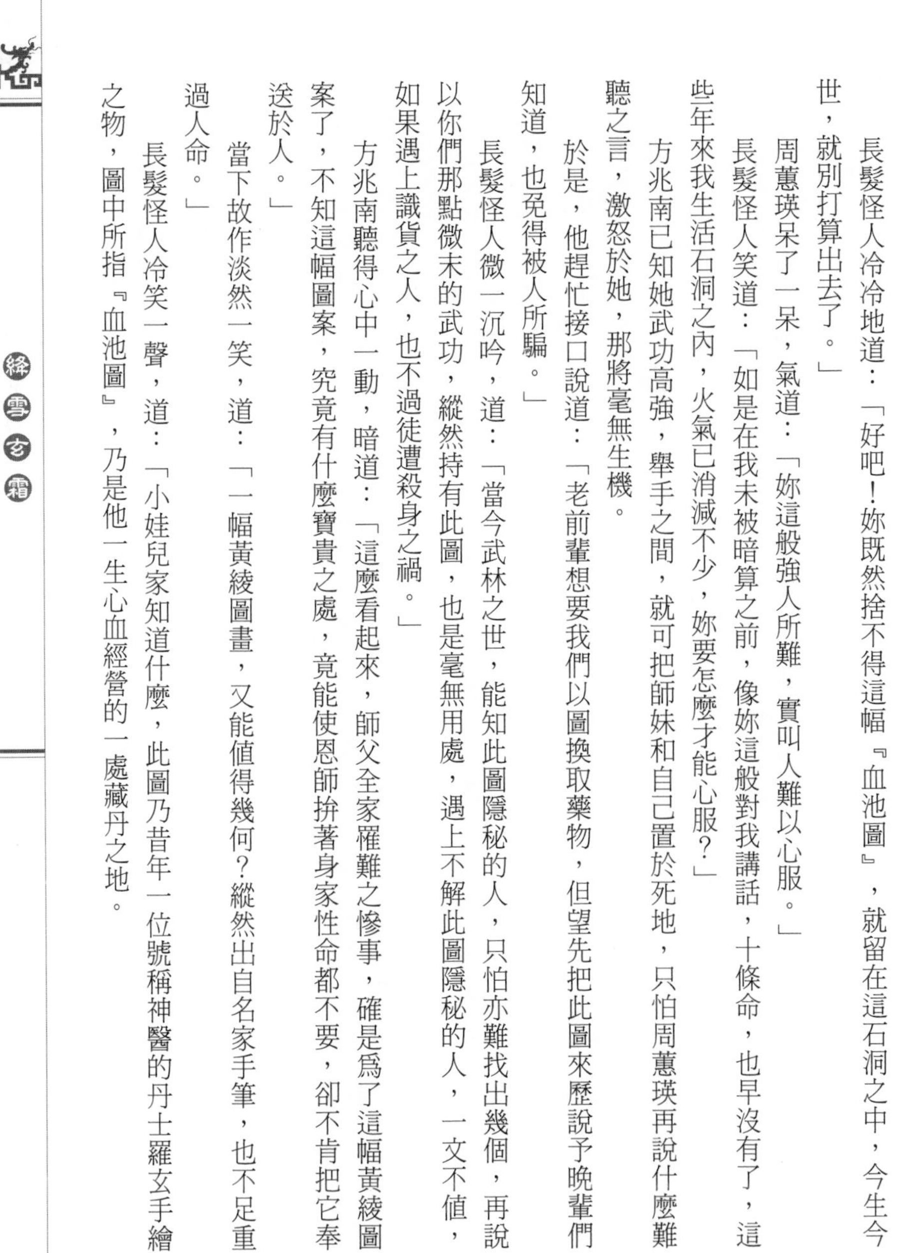

長髮怪人冷冷地道：「好吧！妳既然捨不得這幅『血池圖』，就留在這石洞之中，今生今世，就別打算出去了。」

周蕙瑛呆了一呆，氣道：「妳這般強人所難，實叫人難以心服。」

長髮怪人笑道：「如是在我未被暗算之前，像妳這般對我講話，十條命，也早沒有了，這些年來我生活石洞之內，火氣已消滅不少，妳要怎麼才能心服？」

方兆南已知她武功高強，舉手之間，就可把師妹和自己置於死地，只怕周蕙瑛再說什麼難聽之言，激怒於她，那將毫無生機。

於是，他趕忙接口說道：「老前輩想要我們以圖換取藥物，但望先把此圖來歷說予晚輩們知道，也免得被人所騙。」

長髮怪人微一沉吟，道：「當今武林之世，能知此圖隱秘的人，只怕亦難找出幾個，再說以你們那點微末的武功，縱然持有此圖，也是毫無用處，遇上不解此圖隱秘的人，一文不值，如果遇上識貨之人，也不過徒遭殺身之禍。」

方兆南聽得心中一動，暗道：「這麼看起來，師父全家罹難之慘事，確是爲了這幅黃綾圖案了，不知這幅圖案，究竟有什麼寶貴之處，竟能使恩師拚著身家性命都不要，卻不肯把它奉送於人。」

當下故作淡然一笑，道：「一幅黃綾圖畫，又能値得幾何？縱然出自名家手筆，也不足重過人命。」

長髮怪人冷笑一聲，道：「小娃兒家知道什麼，此圖乃昔年一位號稱神醫的丹士羅玄手繪之物，圖中所指『血池圖』，乃是他一生心血經營的一處藏丹之地。」

臥龍生精品集

「據說那地方除了藏著他調製各種丹藥的秘方之外，還生長兩株奇草，珠寶珍玩，更是難以數計。

「神醫羅玄不但醫術淵博，精通各種煉丹之法，而且武學絕世，已達出神入化之境，不知有多少慕名求訪的人，都無緣和他一見。

「六十年前，江湖人盛傳他道成飛升，留在人間的只有這幅『血池圖』，和他一個傳人，那是欺人之談，羅玄生平未正式收錄過一個弟子，那人只不過機緣比人巧合一些，見得羅玄一面，小處三日。但他受益已是不淺，其實，他學得羅玄之能，只不過九牛一毛而已，但已是當代武林之中，佼佼不群的高人了。」

方兆南聽得瞪大了一雙眼睛，道：「世界之上當真有這等人物麼？」

長髮怪人似是已盡吐所知，長吁了一口氣，答非所問地道：「現下我要你們去辦之事，就是去找那個自稱為羅玄傳人的知機子言陵甫，以這『血池圖』換他的九轉續命生肌散。」

周蕙瑛目光掃掠那怪人一眼，只見她自腹以下，肌肉盡失，心中暗暗想道：「妳下半身不但肌膚盡無，而且筋枯血乾，縱然是仙丹靈藥，只怕也難使妳肌膚重生。」

方兆南目睹這怪人忽喜忽怒的性格，心中也在暗暗盤算道：「此人武功，勝過我和師妹甚多，今宵如不應允於她，只怕難以出這石洞，答應了她，又不便毀諾背信。」

只見那長髮怪人淒涼的一笑，道：「你們如能替我換到九轉續命生肌散，使我保得性命，我也不會白白地受你們一場恩惠，願把我生平三種最得意的武功，傾囊相授。

「只要你們能夠學得七成，我雖不敢說天下難遇敵手，但已足可夠你們一生受用，一般的江湖人物，絕難望你們的項背。我生平之中，從未這般央求於人，今宵破例對你們講了這麼多

好話，願否相助於我，請你們三思而行。」說完，緩緩閉上雙目。

這番言語說得十分婉轉，和剛才聲色俱厲的神情，大不相同。

方兆南皺起眉頭，轉臉向師妹望去，周蕙瑛亦是愁眉苦臉，一副無可奈何之色，因那長髮怪人就在身側，兩人也無法用言語相商，只好單憑眉目神交，交換意見。

兩人相對沉吟了良久，周蕙瑛才輕嘆一聲，說道：「這該怎麼辦呢，爹爹要我把此物送交棲霞嶺去，如不能依照他吩咐把東西送到，難免要惹他生氣，唉！此事當真使人作難。」

那長髮怪人忽然睜開雙眼，望望天色，接道：「天色已經發白，轉眼即將天亮，我被人塗的化肌消膚毒藥，不能見一點光，一經日光照射，毒性立時就全面發作，子不見午，全身肌膚都將化盡而死。」

方兆南突然一整臉色，說道，「這麼辦，老前輩把我留在這石室之中，作爲人質，『血池圖』交我師妹帶去尋找知機子言陵甫，替妳易換九轉續命生肌散，待她把藥物取來之時，妳再放我離此。」

突聞石榻上的白鸚鵡叫道：「娘，天亮了，天亮了。」忽地一展雙翅，振翼穿出石洞。

長髮怪人突然一伸右臂，把方兆南提了起來，說道：「留你在此，不如留你師妹，我最多還能支撐三個月，咱們就以三個月做爲期限。如果你在三個月之內不能換得藥物趕來，我就捏碎你師妹全身三百六十處關節骨骼，讓她受盡痛苦，陪我葬身在這石室之中。」

長臂一探，已把方兆南送出石洞之外。

那洞口本是一扇人工製成的石門，足足二尺見方，方兆南被她一把握起，全身勁力頓失，

已毫無抵抗之能，只有任人擺布的送到洞外。

只覺一股冷水，由頭上直淋下來。

原來那石洞之外，有一道山泉倒垂而下，相距洞口三、四尺處，有一塊極大的突岩，經那倒垂山泉千百年的沖擊，已成了一片五、六尺方圓，深可及人的水潭。

方兆南頭上垂泉倒淋，膝蓋以下，又被浸入水潭之中，山風吹來，晨寒透骨，不自覺地連打了兩個冷噤。

石洞之中又飄傳出那長髮怪人的聲音道：「知機子言陵甫住在湘贛交界的九宮山中，這『血池圖』乃是他全心尋求之物，交換他的九轉續命生肌散，絕非難事。但是，卻不能洩露此物是爲我所用，否則有殺身之禍，三月期限，轉眼即屆，你能否依約趕來，那要看你重視師妹生死之重了。」

話一落口，方兆南驟覺身子一鬆，撲通一聲，跌入水潭之中，趕快提氣一躍，上了突岩，伸手在頸後一摸，取過來黃綾圖。

原來那怪人在鬆手之時，已趁勢把「血池圖」放入他衣領之中。

抬頭望去，那扇打開的石門，已然關上。

他呆呆地望著緊閉的石門，心中泛起了萬千感慨，萬一九宮山之行，見不著知機子言陵甫，延誤歸期，後果更是難以設想，師父、師母大仇未報，張師伯生死難卜，師妹被那怪嫗強留石洞做爲人質，未來後果仍難逆料……

不知過了多少時間，突然聽得頭頂上傳來了兩聲清脆聲音，道：「太陽出來了，太陽出來了。」

抬頭望去，只見那剛才飛出石室的白鸚鵡，盤空飛舞，日光照耀之下，雪羽生耀，紅嘴燦目，看去可愛至極。

他抖抖身上積水結成的冰屑，長長吁了一口氣，鎮定了一下紛亂的心神，探頭向下望去，這夾岩相距谷底，約有十丈高低，石壁問矮松參錯，可資接腳。

他活動了一下快要凍僵的手腳，提聚丹田真氣，躍援而下。

那白鸚鵡似是有意替他引路一般，始終在他前面低空緩緩飛行。

方兆南在靈巧的白鸚鵡引導之下，不到中午時分，已自出了山谷。

到了谷口，那白鸚鵡突然一個盤旋，振翼長鳴，破空直上，去勢奇速，眨眼沒入雲霄。

方兆南仰望著那雪羽紅嘴的白鸚鵡消失去向，呆呆出神，心中回想著這幾日來的奇幻際遇，雖然只短短幾日，但卻充滿詭異凶險。

他黯然嘆息一聲，緩緩地轉過身子，心中暗道：「師父、師母爲了『血池圖』，不惜以身相殉，自己卻要把這幅圖雙手奉獻於人，師父陰靈有知，定然抱憾九泉之下。但如不聽那怪嫗之言，以圖易換藥物，又無別法可救出師妹於危難之中……」

心念及此，突然由心底泛起一股好奇的衝動，暗自忖道：「聽了怪人之言，這『血池圖』乃是無比珍貴之物，我何不打開瞧瞧，看看是什麼樣子。」

心意一動，再難遏止住瞧圖之念，當下找了一個僻靜所在，由懷中取出那幅黃綾圖案，攤在地下。

低頭望去，一片血紅日光照耀之下，看上去極是刺目，這圖和一般圖案，完全不同，黃綾

之上，先塗了一層鮮艷的血紅之色，打開圖案，就使人生出一種恐懼之感。

一條條縱橫穿梭的黑線，交織成一片蛛網形狀的圖案，墨色有濃有淡，筆畫也粗細不等，看上去一片凌亂，圖案中間，空出一片白色，寫著一行小字：

「三絕護寶，五毒守丹，陰風烈焰，窮極變幻，千古奧秘，豈容妄貪，擅入血池，罹禍莫怨。」

方兆南看了半晌，也瞧不出一點門道，心中暗自忖道：「這樣一幅圖案，又有什麼珍貴之處，縱然果如那怪嫗所說，血池之中藏有羅玄的醫書靈丹，但這圖實際未注明丹書存放之所，又未指明『血池』所在之地，就算得到此圖，也沒有什麼大用。」

摺好圖案，放入懷中，繼續起程趕路，放眼四野無人，立時施展輕身提縱之術，放腿向前奔去。

他心中惦念著師妹安危，沿途上日夜兼程疾趕，這日到了贛湘邊境的九宮山下。

九宮山乃幕阜山脈中一支主峰，山勢嵯峨，奇峰插天，周圍數百里，峰嶺無數。

方兆南看著那連綿無際的山勢，不禁發起呆來，心中暗忖道：「這九宮山縱橫數百里，數不清的奇峰絕壑，在這等大山之中，想尋人談何容易？只怪行色太過匆匆，忘了問那怪嫗，知機子言陵甫的隱居之處。」

他沉忖良久，仍然想不出適當之策，信步向前走去。

正在愁慮之間，突覺一陣疾風掠頂而過，抬頭望去，只見一隻灰羽巨鶴，抓住一條二尺長短的青蛇，振翅而過。

心中忽然一動，被他想起了一個新奇的找人之法。

當下找到一家獵戶，購了很多紙張，半匹白布和一捆麻線，選擇了一處高峰，削了一些細小的竹枝，紮了一隻風箏，利用燃燒的松樹焦枝，在那半匹白布之上，寫了「深入九宮山，專訪知機子」十個大字。

然後再把它掛在風箏之上，選了一株高大的松樹，把繩頭繫在樹上。

山風勁急，迎風一送，風箏被風一吹，立時升入高空，白布招展，目標極大，數里之內都可看到。

方兆南布置停妥，自己選擇了一處枝葉濃密的松林，隱起身子，打開攜帶的乾糧食用，靜待變化。

哪知等了一個下午，竟是毫無動靜，直待紅日西沉，仍不見有人找上山峰。

夜幕低垂，天色逐漸昏暗下來。

夜色籠罩下的山峰，更顯得幽寂如死，只有勁嘯山風，吹響起盈耳松濤。

方兆南心中也逐漸感到不耐起來，隆冬之夜，峰上寒意逼人，自不能在這荒山之上，凍上一夜。

如若找處避風所在，又怕知機子言陵甫找上峰來，錯過見面的機會，此事關係師妹生死，自不能等閒視之。

他乃十分聰明之人，略一用心索想，又被他想出一個辦法。

他採集了很多枯草乾枝，堆在峰頂之上，晃著火摺子，點燃起來，風助火勢，片刻間烈焰

騰空，火光大作。

火光照耀之下，白布飄飄，比起白晝之間，目標更是明顯。

他仰首望著飄蕩在空際的風箏，輕輕的嘆息一聲，緩緩地轉過身子，目光所及，登時嚇得心頭一跳，呆在當地。

原來在身後三尺左右之處，站著一個全身白衣少女，山風中衣袂飄飄，正是那連番相遇的白衣少女。

此人來得無聲無息，方兆南竟然不知人家何時來到身後。

他雖然已見過幾次，但均未仔細地打量過對方，今宵兩人相距既近，又在熊熊的火光照耀之中，自是看得十分清晰。

只見她髮挽宮髻，眉目如畫，膚白似雪，粉靨若霞，美是美到了極點，只是臉上冷漠，叫人難以看出她喜怒之情，當真是豔若桃李，冷若冰霜。

方兆南呆呆地打量了白衣少女良久，她卻毫無羞赧之態，仍然靜靜地站著，一語不發，兩道朗如秋水的眼神，一眼不瞬地盯在方兆南臉上，動也不動一下。

方兆南反被人家看得心生不安之感，微一抱拳，說道：「朝陽坪承蒙姑娘相救，在下心中十分感激。」

白衣少女冷然一笑，但卻沒有答話。

方兆南劍眉一揚，又道：「姑娘這般緊緊追蹤於我，不知是何用心？」

白衣少女緩緩把目光投射在七、八尺外一塊大山石邊，冷冷地說道：「趁著火勢正旺，快把那屍體拖來投入火中。」

方兆南順著她目光望去，果見那大岩石邊，斜倚著一個身著勁裝的大漢，心頭登時泛上來一股寒意。

側目望了白衣少女一眼，急步奔了過去，定神一看，那大漢早已被人點了要穴，氣絕而死，但身上餘溫仍存，分明死的時間不久。

他依照那白衣少女之言，抱起那大漢屍體投入火中，說道：「姑娘三番兩次相救在下，但卻又苦苦追蹤不捨，使人難分敵友，我自知武功和姑娘相差甚遠，妳如要存下殺害之心，只不過舉手之勞，但妳又不肯出手加害，究竟姑娘用心何在，實使人大費疑猜，望能據實相告，也可免除在下疑慮之心。」

白衣少女冷冷地答道，「我並非存心對你施恩，感激大可不必，周佩救過我父母一次，我要報答在他女兒和徒弟身上，今宵我是最後一次救你，下次再見之時，也許我要殺你。」

說完，也不待方兆南答話，轉身緩步而去。

方兆南望著她美麗的背影，心中暗暗忖道：「此人看上去不過十八、九歲的年齡，但卻冷酷的已似沒有了七情六欲……」

正自忖思之間，突然一陣大笑之聲，劃空傳播過來，由遠而近，片刻間已到峰上。

那白衣少女聞得大笑之聲，突然加速急躍而去，身軀閃了兩閃已自不見，待那大笑聲到了峰上，白衣少女早已隱去多時。

方兆南想要隱藏之時，已是遲了一步，來人已到峰上。

抬頭望去，只見一個身著青衫，年約六旬上下的清瘦老叟，手扶竹杖，急奔而來。

此人年事雖高，但步履卻是矯健如飛，一眨眼間，人已到了方兆南身側，雙目神光如電，

掃掠了方兆南一眼。

陡然一頓手中竹杖，呼的一聲，凌空而起，從方兆南頭頂之上直飛而過，起落之間，人已到燃燒枯枝的火堆旁邊。

手中竹杖一揮，立時把那投入火中屍體掃了起來，又振腕一拋，投出兩丈多遠，冷然喝道：「這火中燒的是什麼人？」

方兆南從他挑動火中屍體的一著之中，看出對方的輕功、手法，以及身法、內功等，均有極深造詣，暗中提高了警覺之心，笑道：「你可是知機子言陵甫，言老前輩麼？」

扶杖老叟道：「不錯，你找我有什麼事？」

方兆南道：「晚輩久慕老前輩的丰儀，故而趕來這九宮山中，想和老前輩見上一面。」

知機子言陵甫仰首望著那招展的白布，冷笑一聲，道：「倒是虧你想得出這等尋人之法，但不知有什麼求教之事？」

方兆南微一沉吟，道：「久聞老前輩胸博玄機，盛譽空前，想必是有道高人，故而身懷異物特地前來相訪……」

言陵甫搖著頭，冷笑接道：「你身懷異物，可是準備相贈老夫的麼？」

方兆南道：「老前輩果然是一言中的……」

言陵甫陡然一頓手中竹杖，擊得地上沙石橫飛，怒聲接道：「老夫生平只知贈送別人之物，還未接受過別人相贈之物，盛情老夫心領，贈禮大可不必。」

方兆南笑道：「那也未必，晚輩身懷奇物，與眾不同，只怕正是老前輩夢寐以求之物。」

言陵甫怒道：「老夫視明珠珍玩，有如草芥糞上，富貴名利若浮雲，天下尚有何物能動吾

心？」

方兆南笑道：「老前輩不要太過自信，晚輩此物，舉世只此一件……」

言陵甫冷然接道：「縱是罕世奇珍，也難動老夫寸心，你既然敢到這九宮山來，指名相尋老夫，想必已知我立下的禁忌，在我這住處十里之內，不得任意傷人。」

方兆南淡然一笑，道：「恕晚輩孤陋寡聞，未聽人說過老前輩有此禁忌。」

知機子言陵甫冷笑道：「凡是知我之人，就該知此禁忌，你不知，分明是瞧我不起，既敢隨意傷人，想必身懷絕技，老夫先討教你幾招武功再說。」呼的一杖，當頭直襲過去。

方兆南看他隨意出手一擊，杖風就奇猛逼人，心頭暗生凜駭，側身一躍，閃開杖勢。

隨即故作冷靜、仰天大笑，道：「武林中盛傳知機子才識過人，哪知見面不如聞名之甚，實令人失望得很，早知如此，大可不必受這一番跋涉之苦，迢迢千里地尋來了。」

言陵甫呵呵一笑，道：「你在老夫居屋之側，殺人焚屍，事實俱在，狡辯何用？」

方兆南心中想道：「這人分明是那白衣少女所殺，我如乘機挑撥，借這老者替我除去追蹤強敵，倒是一舉兩得之事，縱然不能殺了那白衣少女，至少也可使他們火併一場。」

正待出言說穿，突然念頭一轉，暗道：「她曾對我有數度援救之恩，我豈可恩將仇報。」

當下微微一笑，道：「我身懷異寶來此，自難免引人起偷窺染指之心，護寶殺人，那也是情非得已之事，你如執意不受，晚輩就此告別。」

言陵甫道：「既然指名找我，又在隱居之處殺人，豈能就這等輕易離去？」

雙肩一晃，疾如掠波燕剪般，攔住了方兆南的去路。

方兆南已看出對方武功絕非自己所能敵，如再要拖延時刻，只怕真的激怒了對方，立時正

容說道：「老前輩可知『血池之秘』麼？」

這一句果然發生了奇大的效用，言陵甫呆了一呆，道：「怎麼？你得到了『血池圖』了麼？」

方兆南微微一笑，低聲說道：「晚輩此來正是想以『血池圖』交換老前輩靈丹。」

言陵甫不知是驚是喜，不住地點著頭，自言自語道：「不錯，當今之世，只此一物，方足打動老夫之心。」

方兆南心中在轉著念頭，口裡卻微笑說道：「晚輩才疏學淺，雖然得到了『血池圖』，卻自知無能揭破奧秘，故而不遠千里相訪，願以此圖交換老前輩幾種靈丹。」

言陵甫經過一陣時間後，激動的心情，逐漸地平復下來，改容笑道：「此地不是談話之所，小兄弟如肯屈駕，不妨請到老朽寒舍一敘。」

方兆南知那追蹤而來、武功詭奇的白衣少女，就隱身在這山峰之上，如果眼下就提出以圖換藥之事，只怕要引起麻煩來。

他雖然惦記著師妹的安危，歸心似箭，但也不得不耐著性子，答道：「老前輩不棄後進，那晚輩就恭敬不如從命了。」

言陵甫竹杖一揮，擊斷結在巨松上的繩索，那空中的風箏，立時隨著疾勁的山風飄然而去，轉身帶路，向前奔去。

方兆南緊隨知機子的身後，翻越過幾座山嶺，深入一道幽谷之中。

上弦新月，已爬過了積雪峰嶺，皎光朗朗，照澈群山。

言陵甫突然放緩了腳步，笑道：「老朽住處，就在這山谷之中，轉過一個山彎，就到了。」

說話之間，又已轉過兩個山彎，景物突然大變，觸目銀波浩瀚，耳際水聲淙淙，原來到了一處大水潭邊。

言陵甫遙指著前面水潭中一大一小的兩座浮閣，笑道：「老朽就住在那水潭中兩座浮閣之上。」

方兆南抬頭望去，只見三面山峰拱立，環繞一座兩百丈大的一座水潭。

千百道水泉交錯，由峭立的岩壁間倒垂瀉下，月光下閃閃生光，幽谷至此，突然縮小成一道丈餘寬窄的狹道，中間突起一條寬約三尺左右的石道，潭中積水，由石道兩側緩緩排出，匯成一條山溪，沿著幽谷一側，向外流去。

那突出石道只不過有兩丈左右長短，眨眼間已到盡頭。

方兆南看那潭水一片深綠，心中暗暗發愁，忖道：「再好的輕功也難飛越過去，水中既無接腳之物，岸邊亦無可渡之舟，難道他要以踏雪無痕的上乘輕功，踏水而渡不成？果真如此，自己今宵定要大大出醜了……」

正在忖思之間，忽見言陵甫探手入水一撈，那一座較小的水上浮閣，忽然直向這岸邊緩緩馳來。

原來那石道之上，暗藏著一條繩索，一端結在那較小的浮閣之上，只要用力一拉，浮閣就向岸邊馳來。

因那繩索和水色相同，不留心很難看得出來，瞬息間，那較小的浮閣，已馳到岸邊。

言陵甫回頭笑道：「老朽爲丹道所困，已快近二十年未離開九宮山中，此潭之水，乃山腹寒泉和峰上千百年積雪融合積成，最適練丹之用，爲此，老朽才伐木製成兩座浮閣，就以這煙波水上爲家了。」

方兆南道：「老前輩這隱居之處，實在別緻，浮閣之上，不但可避俗人騷擾，就是蟲獸之類，也難過雷池一步。」

說話之間，浮閣已到岸邊，言陵甫當先踏上浮閣，方兆南跟隨躍上，但見知機子左手向窗外一揮，浮閣又疾馳回去。

方兆南看這座較小的浮閣，不但設計周到，可兼做渡舟之用，而且裡面布置，亦極雅潔，藍綾幔壁，白緞蒙墩，兩幅名家山水圖，分掛壁間，顏色調和，華而不俗。

言陵甫拂髯一笑，道：「這座輕便浮閣，因受水面浮力所限，不便多加布設，老朽丹爐和食宿之處，均設在那較大的浮閣之上，除了我和一個守爐童子外，從未有過第三人涉足那浮閣之上，今宵破例，請小兄弟觀賞一番。」

方兆南笑道：「想老前輩那丹房重地，乃十分機密處所，如有什麼疑難之處，晚輩不去也罷。」

言陵甫道：「當今武林之中，雖有不少人想進入我丹室，查看我煉丹之秘，但卻從未有過一人如願以償，但小兄弟目下情況不同，那自又是另當別論，老朽既是至誠相邀，小兄弟如若不肯賞臉，那就未免使老朽難以下台了。」

方兆南笑道：「既承這般厚愛，晚輩就從命開上一次眼界了。」

兩人談話之間，那較小的浮閣，已然到了大浮閣之處，言陵甫起身帶路，拉著方兆南一齊

登上浮閣。

方兆南仔細打量這大浮閣，足足有五間房子大小，四壁都是一色深紫色，房子正中放著一座其形如鼎之物，冒起兩尺多高的藍色火焰。

在鼎形的丹爐旁側，坐著一個身披葛黃大褂、年約二十左右的英俊少年，赤著雙足，呆呆地望著爐中高高冒出的藍色火焰，神情似極緊張。

他對兩人走入室來，好似是毫無所覺，望也不望兩人一眼。

言陵甫緩步走到丹爐旁邊，低頭向爐中瞧了兩眼，忽然伸出右手，輕輕一合那鼎形爐子下面的風門，爐中高長的藍色火焰，登時低了下去。

那身穿葛黃大褂的少年，臉上的緊張之色，似亦隨著那低沉下去的火勢，逐漸恢復了正常，抬頭打量了方兆南一眼，緩步向浮閣一角中走去。

言陵甫肅容就座，笑道：「這等荒涼的山野之中，一時之間，難有美物待客……」

方兆南欠身說道：「不敢，不敢……」

轉眼瞥見那身穿葛黃及膝大褂的赤足少年，右手托著一個白玉茶盤，左手高舉一支松油火燭，走了過來。

方兆南借著燭光望去，只見那少年生得面如冠玉、鼻似懸膽、劍眉星目、英俊至極，只是神情間微現癡呆之狀，帶著幾分傻氣。

他先把手中火燭，放在依壁之處的一張松木桌上面，雙手捧著白玉茶盤，走到方兆南身前，躬身送上香茗。

方兆南欠身接過茶杯，連聲稱謝，那身著葛黃大褂的赤足少年，卻似未聽得方兆南稱謝之言一般，微微一笑而退，他笑得十分動人，不知何故一語不發。

言陵甫輕輕嘆息一聲，指著黃衣赤足少年說話：「此子已替我守候了一十三年的丹爐，骨骼資質，十分清奇，可惜天生殘缺，耳不能聞，口不能言……」

方兆南驚得一呆，道：「什麼？那位兄台是位聾啞之人？」

言陵甫目光緩緩地投注在那聾啞少年臉上，說道：「老朽除了丹道一術之外，對星相卦卜之學，亦略涉獵，此子如能得回天力，復他殘缺，必能在武功上有著出人意外的造詣，成就誠難限量，唉！可惜呀！可惜！」

方兆南轉臉望去，只見那聾啞少年，併膝坐在丹爐旁邊，雙手交扶膝上，目光不時在言陵甫和自己臉上流動，綻唇微笑，英氣軒朗。

方兆南不禁多打量兩眼，心中暗想道：「此等人才，誠然少見，想不到竟有聾啞殘疾……」

不禁一嘆道：「老前輩丹道醫術，並世無雙，以老前輩之能，難道就無法復他先天缺陷嗎？」

言陵甫笑道：「先天宿厄，大都非藥物所能挽回，必須要以針灸之學，和深厚的內力，打通他體內脈穴，再配以藥物治療，或有使他啓開聾啞二竅之望。」

方兆南道：「老前輩既知療救之法，何以不肯施救，致使明珠蒙塵，久淪於先天缺陷之下？」

言陵甫微一沉吟，道：「小兄弟可通相人之術麼？」

方兆南搖頭答道：「晚輩愚鈍，高學難聞。」

言陵甫道：「老朽如若盡力一試，或可人力回天，救他缺陷。只是此事並非三、五日間，能夠見效，勢必要耗上三月半載的時間，再者老朽亦不敢爲他開啓聾啞之竅，此等上干蒼昊秘造，下伏人寰浩劫之咎，老朽何可承擔得起！」

方兆南奇道：「老前輩這話是什麼意思？」

言陵甫道：「小兄弟請仔細看他雙眉之間，是否有一道騰蛟之紋，直逼天庭，干襲紫斗，此兆最主凶殺，如若開了他聾啞二竅，以他骨骼才質，武功上必有大成，但他武功高上一分，武林間即將多增上一分殺機。

「十三年來，他替我守候丹爐，均能善盡職守，小心翼翼，從來沒有出過一點差錯，我眼看著他由四、五歲的孩子，成人長大，我們雖無師徒名份，但十餘年朝夕相處，豈能毫無情意。

「老朽亦曾數度想開他聾啞二竅，爲此亦曾耗了近月的時間，替他尋找藥物，一則藥物難尋，尚缺兩味珍品，二則不敢逆天行事，造禍江湖，是以始終未敢下手替他療治。」

方兆南略一沉思，扭轉話題，說道：「晚輩雖和老前輩初次相見，但卻久已欽慕老前輩丰儀，今宵承蒙延見丹室，實我終生之幸……」

言陵甫道：「好說，好說，小兄弟不遠千里而來，老朽愧無佳饌饗客，心中甚是抱愧……」

方兆南一想到周蕙瑛安危之事，早已心急如焚，恨不得立刻取得九轉生肌續命散，腋生雙翼，飛回抱犢崗去。

當下探懷取出「血池圖」接道：「晚輩常聽武林尊長談起羅玄羅老前輩的神奇事跡……」

言陵甫肅然起敬，合掌當胸說道：「那是老朽恩師，千古絕才，一代天驕……」

方兆南微微一笑，心中暗自忖道：「看來那怪嫗之言不假，老者真竟以羅玄弟子自居。」

當下接道：「晚輩亦聽得江湖傳說，老前輩乃羅大俠唯一傳人，固此才不遠千里而來，想以晚輩無意中得到的『血池圖』，易換老前輩一瓶九轉生肌續命散。」

言陵甫笑道：「『血池圖』乃我恩師唯一留在人間之物，對老朽而言，珍同拱璧，一瓶區區九轉生肌續命散，豈足以言交換。老朽願以雙倍之數奉報外，再以十粒辟毒鎮神金丹相贈。」

方兆南霍然起身，雙手奉上「血池圖」道：「老前輩請過目，看這『血池圖』是否真是羅老前輩所遺留？」

言陵甫畢恭畢敬地站起身子，雙手接過「血池圖」仔細瞧了一陣，道：「不錯，不錯，正是老朽恩師手筆。」

方兆南道：「老前輩丹爐火候正值緊要關頭，晚輩不便多留，就此告別。」

言陵甫摺好「血池圖」，隨手放在木案之上，笑道：「老朽本有挽留小兄弟盤桓幾日之心，但看小兄弟匆急之色，想必有要事待理，請稍候片刻時光，容老朽去取藥送客。」

說完，轉身走入室內。

片刻之後，重又緩步而出，左手托著兩只白玉瓶，右手捧著一個金色方盒，笑道：「兩只玉瓶之中，是九轉生肌續命散，這金盒之中，是十粒辟毒鎮神金丹。此丹雖無起死回生之能，但對解毒救傷方面，卻是具有極大效用，小兄弟帶在身上，也可做防身救人之用。」

方兆南接過玉瓶金盒，放入袋中，笑道：「本應多住幾日，以便朝夕請益，一則因老前輩丹爐火候正緊，二則晚輩尚須趕赴一個約會，只好就此拜別。」

言陵甫道：「小兄弟既有要事，老朽也不便強留。」

一邁步，搶出閣門，拉著方兆南，雙雙躍上那小型浮閣，左手探入水中，抓住繩索，微一加力，浮閣同時向前衝去，片刻間已馳到岸邊。

方兆南躍登岸上，回頭抱拳笑道：「老前輩請回浮閣，晚輩就此上路了。」

言陵甫雙肩微微一晃，人已躍落方兆南身側，說道：「待老朽送上一程，也略表相謝之心。」

方兆南微微一笑，兩人並肩向前奔去。

走了一程，方兆南回身攔住言陵甫，笑道：「老前輩請留步吧！」

言陵甫抱拳笑道：「從此向正南方走約二十里之後，折向正東，很快就可出山，前途珍重，恕老朽不遠送了。」

方兆南道：「不敢，不敢，老前輩只管請回吧！」

轉身向前疾奔而去。

奔了一段，忽聽身後遙遙傳來知機子言陵甫的聲音，道：「站住！」

方兆南怔了一怔，停下腳步，他身子剛剛停好，言陵甫已到身側。

只見他手握竹杖，滿臉惱怒之色，冷冷問道：「老夫生平未曾受人的騙，想不到今宵竟栽在你這娃兒手裡了。」

方兆南茫然問道：「怎麼？難道那『血池圖』不是羅老前輩的手筆麼？」

知機子冷然一笑，道：「老夫自信老眼未花，想以假圖蒙欺於我，豈是容易之事？」

方兆南是何等聰明之人，察顏觀色，心中已有幾分明白，輕輕嘆了一聲，道：「老前輩這等惶急，可是那『血池圖』被人竊走了？」

言陵甫仰天打個哈哈，道：「不但『血池圖』被人竊走，而且還盜走老夫幾瓶靈丹。」

方兆南心中暗自忖道：「此事八成是那白衣少女所為，但其行動詭異，身法飄忽，來去無蹤，我如告訴他，反將招來很多無謂麻煩，師妹生死，全繫在這兩瓶九轉生肌續命散上。如果他因為失去那『血池圖』而遷怒於我，把兩瓶九轉生肌續命散追索回去，那可是令人困惱為難之事。」

言陵甫一探手中竹杖，說道：「老夫不敢妄自推禍及人，但我自遷居那水上浮閣之後近二十年來，從未出過此事……」

方兆南道：「這麼說來，老前輩是懷疑晚輩和人串通而為了？」

言陵甫道：「不管此事真相如何，但不能不讓老夫對你動疑。」

方兆南心中大是焦急，但外表仍然保持著鎮靜神態說道：「老前輩既然相疑晚輩，實使人有口難辯，但不知老前輩要如何對待於我？」

言陵甫冷笑一聲，道：「在我未查明真相之前，只有暫時屈駕留你在此。」

方兆南暗道：「此老武功極是高強，如和他鬧翻動手，絕非其敵，不如暫時隨他回到浮閣，再想逃走之法，好在眼下距那怪嫗三月期限尚早，延遲一些時日，也不致有何大礙。」

心念一轉，微笑說道：「老前輩既然懷疑晚輩，我如堅持要走，勢將增加老前輩的疑心，

爲了表明晚輩心跡，我願留此十日，等候老前輩查明此事，晚輩再走不遲。」

言陵甫看他一口氣答應同返浮閣，臉色緩和不少，輕輕嘆息一聲道：「老夫自信江南武林道上的知名人物，都還得對我謙忌三分，此人膽敢入我浮閣，盜圖偷丹，想來必非江南一帶的武林中人，也許他是追蹤你到九宮山來。」

方兆南暗道：「眼下情勢，絕不能讓他找得半點藉口。」立時微笑接道：「老前輩神目如電，請看晚輩武功是否可足和老前輩作敵相搏？」

言陵甫一時間不明他問話含意，微微一怔後，接道：「這個老夫倒難斷言，以我看法，小兄弟當能在老朽手下相搏三十招不致落敗。」

方兆南道：「老前輩不必相謙，晚輩頗有自知之明，老前輩如出全力，只怕晚輩難以接得十招。」

言陵甫暗道：「口氣不小，我如出全力，只怕三招就足以要你的命。」口中卻笑道：「好說，好說，小兄弟太過客氣了。」

方兆南淡淡一笑道：「如若那盜圖竊丹之人，是追蹤晚輩而來，何以不肯在中途下手？」

言陵甫微微一怔後，放聲笑道：「小兄弟機智卓絕，實叫老夫佩服，只要老夫查明此事，果真沒有牽扯上你，我不但立時放行，而且兩瓶九轉生肌續命散，和一盒辟毒鎮神金丹仍然相送。」

說完話，人已放腿向前奔去。

五　月夜締盟

方兆南施出全身氣力振袂急追，片刻工夫，已到寒泉潭邊。

言陵甫面不改色，氣不發喘，但方兆南已是累得滿身大汗了。

那小型浮閣，早已停在潭邊，言陵甫挽著方兆南一躍而上。

他心中正在急氣之間，似已沒有興致慢慢地牽索而進，左腳踏在浮閣邊緣，右手猛一用力，浮閣驟然破波而進。

小浮閣疾如流星般，直馳向那較大的浮閣旁邊。

言陵甫拉著方兆南匆忙地躍上了大浮閣，因他突然想到他追趕方兆南的時間中，這浮閣上仍可能又發生什麼驚人的變化。

果然不幸被他猜中，當他第一腳踏入閣門時，如被人兜頭澆下來一盆冷水，全身一陣悚慄，背脊上冷汗涔涔而下，他緊握著方兆南的手，也不自覺地鬆開。

方兆南目睹室中零亂情形，心頭也不禁爲之一駭。

定神看去，只見那身穿葛黃大褂的聾啞少年，仰臥在丹爐的旁側，爐中的火勢已經熄去了。

言陵甫突然咬牙出聲，頓足一聲長嘆道：「罷了，罷了，十年苦功，毀於一旦，此人是

誰？老夫要和他誓不兩立！」

方兆南看他滿臉痛惜之色，心知那丹爐中必是極珍貴的藥物，略一沉忖，勸道：「事已至此，急待善後，老前輩要辦之事正多，且莫氣急失措，中了人家的相激之謀。」

言陵甫心中仍甚激動，雙目中淚光濡濡，側頭望了方兆南一眼，緩步向丹爐旁邊走去。

方兆南正在忖思之間，忽聞言陵甫大喝一聲，一頓手中竹杖，破地而入，雙手抱起重逾千斤的鼎形丹爐，哈哈狂笑，聲如怒龍長吟，狀極淒厲，聽得人驚心動魄，忽見言陵甫雙臂一振，把手中鼎形丹爐，直向湖心之中投去，咯的一聲，水花飛濺，浮閣搖顫不停。

他投過丹爐之後，神志似更混亂，反手一掌，直向方兆南劈擊過去。

這一掌力道奇猛，出手勁風如嘯，而且掌力散布數尺方圓。

在這等浮閣之上，要想躲開這一記威猛絕倫的掌風，實是不大容易，人急智生，方兆南縱躍而起，隨著言陵甫擊來的掌風，向外躍去。

但仍然承受不起，躍飛而起的身子，疾如斷線風箏一般，直向潭心飛去，直到六、七丈外，才落墜水中。

湖水奇寒，一激之下，方兆南已經暈迷的神志，突然又清醒過來。他本深諳水性，立時一長身，浮出水面。

抬頭望去，只見言陵甫踏水急奔而去，狂笑之聲，劃破了寂靜月夜，空谷回音，滿山盡是狂笑之聲。

方兆南長長地吁一口氣，游回浮閣，抖去身上積水，仰望著月光出神，萬千感慨，由心底直湧上來。

短短的半宵之間，一個盛名卓著、受著千萬武林人物敬仰的一代神醫，竟然氣急成瘋……

心念及此，不禁又一聲黯然長嘆，轉身步入浮閣。

只見那身著葛黃大褂、赤裸著雙足的聾啞少年，仍然靜靜地躺在地上，方兆南立時奔了過去，伸手在他前胸一摸。

只覺他體溫猶存，心臟仍在微微跳動。

他伏下身去，開始在黃衣少年的身上，尋找傷處，但他查遍了全身每一處地方，竟然找不出受傷所在。

心中暗叫了兩聲慚愧，緩緩站起身子，長吸了兩口氣，又盤膝坐好，默運真力，施展推宮過穴之法，在那黃衣少年身上推拿。

哪知推拿了頓飯工夫之久，那黃衣少年，仍然僵臥如初，動也未動一下，他自己倒是累得滿頭大汗。

伸手向他胸前摸去，他心臟仍在微微跳動，分明人尚活著，不知是何故，竟然沒法救醒。

方兆南舉手揮了一下頭上汗水，這微一抬頭，登時驚得他心頭大震，挺身一躍而起。

只見那飄忽有如鬼魅的白衣少女，靜靜地站在身側，兩道清澈的眼神，一瞬不瞬地望著他。

白衣少女目睹方兆南驚駭之狀，忍不住微微一笑。

但是笑容一閃即逝，瞬息間又恢復冷若冰霜的臉色，道：「我用的獨門手法，點了他『聽宮』、『風翳』二穴，別說你找不出他的傷勢，就是當今武林之中，也沒有幾個人能識得我這獨特的點穴手法。」

方兆南略一定神，膽子壯了不少，說道：「這麼說來，言陵甫老前輩的『血池圖』和丸藥，也是妳偷盜的了？」

白衣少女道：「什麼偷盜不偷盜，我拿的倒是不錯。」

方兆南道：「言老前輩那丹爐中的火焰，不用問也是妳熄的了？」

白衣少女點點頭，不疾不徐地答道：「不錯，你盤根究柢的是何用心？」

方兆南道：「竊圖盜丹，情尚可原，但你熄去丹爐中的火勢，實是大不該爲之事，損人又不利己，用意何在？」

白衣少女微微一顰兩條秀眉，道：「看來你倒是個心地善良之人，哼！這事與你有什麼相干？我就不信你敢替那言老頭子打抱這場不平之事。」

方兆南聽這幾句話言詞犀利異常，大傷方兆南的自尊心，當下臉色一變，怒道：「我武功雖不及妳，但我並不怕妳。」

白衣少女微微一笑，接道：「看在死去的周老英雄份上，我不和你計較，快些回到抱犢崗找你師妹去吧！」

一提起周蕙瑛，方兆南氣焰頓消，轉身向浮閣外面走去。

白衣少女望著方兆南的背影，輕輕地嘆息了一聲。

正想開口叫他，方兆南卻突然地轉過身來。

兩人同時啓口欲言，但見對方似有話說，又都同時閉上了嘴，兩人口齒啓動，但卻沒有發出一點聲音。

相對沉默了一刻工夫之久，白衣少女首先不耐，冷冷說道：「你還不走，回過頭來做什

麼？」

方兆南嘆道：「那黃衣少年，乃是身有殘缺之人，妳如不肯救他，但望別再傷害於他。」

白衣少女怒道：「你管得了我麼？我偏要殺了他給你瞧瞧，怎麼樣？」

方兆南道：「殺一個毫無抗拒能力之人，算不得什麼榮耀之事。」

白衣少女突然一伏身，纖指迫向那黃衣少年戳去。

方兆南看她指戳部位，乃是人身「天鼎」要穴，心頭大急，縱身一躍，直撲過去，揮手一掌向她臂上掃去。

但那白衣少女動作是何等迅快，方兆南的掌勢剛剛掃擊出手，白衣少女纖手已點中那黃衣少年「天鼎」穴後，收了回來。

她嬌身一側，橫跨兩步，讓開方兆南一掌，道：「你要幹什麼？」

不知何故，她竟讓了招，不肯還手。

方兆南氣憤填胸，冷笑一聲，道：「看妳外貌如花，心地卻毒過蛇蠍。」

轉過身，大踏步向浮閣外面走去。

但聞浮閣外響起了一陣銀鈴般的嬌笑，道：「回去！」呼地一股暗勁，直逼過來，力道奇大，硬把方兆南向外走的身子，給彈震回去。

這變故大出意外，那喜怒不形於外的白衣少女，臉上也微微變色。

方兆南暗中試行運氣，覺出並未受傷，心中驚疑略定，定神瞧去，只見浮閣門口站著一個全身紅衣，手執拂塵，頭挽宮髻，胸綴明珠，艷光奪目的嬌美少女。

此人來得無聲無息，武功似不在那白衣少女之下，而且年齡也比白衣少女大不了許多，不禁心中暗生驚駭，忖道：「哪來的這多年輕少女，而且個個武功高強、貌美如花？」

他心中驚疑未定，那紅衣少女已格格嬌笑道：「三師妹，別來無恙？」

白衣少女仍是一副冷冰冰的態度，微微躬身道：「多謝二師姐的關心。」

這兩人雖然口中師姐、師妹，叫人聽來十分親熱，但那笑容看來毫無半點真實感情。

白衣少女一面躬身作禮，口中叫著師姐，但臉上卻是一片冷漠，看她神態，實叫人難以相信，那聲師姐的稱呼是從她口中叫出。

只聽那紅衣少女笑道：「三師妹才智過人，料事如神，姐姐素來敬佩，想必早將那『血池圖』尋到手中了？」

白衣少女冷冷說道：「二師姐這般看得起我，實叫小妹感激。說起來慚愧得很，那『血池圖』麼？還沒有一點消息！」

紅衣少女盈盈一笑，緩步走入室中，說道：「我在離山之時，大師姐再三交代於我，要我找到師妹之後，請妳立刻回去。」

白衣少女道：「二師姐吩咐，小妹豈敢不遵？我這就走了。」一側嬌軀，向外衝去。

紅衣少女一揮手中拂塵，唰的一聲，封住去路，笑道：「師妹且慢，我還有話要說。」

方兆南聽她拂塵出手，帶著疾勁的風嘯之聲，竟然是凌厲異常，心中暗自忖道：「這一對師姐師妹，怎麼這般地鋒芒相對，哪裡像同門姐妹？簡直似仇人一般。」

白衣少女向前疾衝的嬌軀，陡然向後一仰，又退回原來位置。冷冷問道：「師姐既要小妹立時趕回去，但又不肯放我過去，不知是何用心？」

紅衣少女嬌聲笑道：「大師姐令諭，要師妹把那追尋『血池圖』之事，交於姐姐。」

白衣少女道：「大師姐既然這般不放心我，就不該派我來追尋那『血池圖』的下落。」

紅衣少女道：「這些事，妳還是留著等見到大師姐時妳再問吧！我既是奉命而來，不得不多問師妹一句，『血池圖』的下落現在何處？」

白衣少女道：「我不是已經說過了麼？那『血池圖』毫無消息麼！」

紅衣少女道：「如果那『血池圖』真的還毫無消息，姐姐自信可以追查得到，嚴刑逼供，不怕有人不招，但如被師妹帶在身上，那就叫姐姐作難了，不但我要白費一番追索寶圖的心血，而且也沒法對大師姐有所交代。」

白衣少女緩緩地答道：「請恕小妹說幾句放肆之言，大師姐為何這般地不信任於我，實叫小妹心寒得很……」

紅衣少女道：「那也不必，大師姐又何嘗能信任我，說不定我前面走，她就會在後面跟著來。」

白衣少女道：「這麼說來，二師姐對小妹也有一點不信任了？」

紅衣少女道：「這個我倒沒有想到，但大師姐交辦之事，如若我不能替她辦妥，只怕要惹她生氣，說不得只好委屈師妹一下。」

白衣少女道：「小妹愚昧，不知二師姐話中含意？」

紅衣少女道：「此事最是容易想得出來，師妹聰明絕倫，焉有料想不到之理？但妳既然不願說，二師姐就代妳說了吧！那就是讓姐姐隨手檢查一下……」

白衣少女冷肅的臉色，幾乎變成了鐵青之色，兩道秀眉微微一聳道：「什麼，師姐想搜查我麼？」

紅衣少女道：「不敢，不敢，姐姐只是隨便地檢查一下，何況這又是大師姐的意思，我只不過代大師姐行事而已。」

方兆南靜站一側，冷眼旁觀，把兩人對答之言，字字聽入耳中。

他心中暗自忖道：「那『血池圖』分明在她身上藏著，我只要適時插一句嘴，點破『血池圖』的下落，雖未必能使她們師姐妹間翻臉動手，以命相搏，但至少可使她們兩個人爭執一番，我站在一側，進而坐收漁人之利，退而可藉她們動手機會逃走。」

心念一轉，正待出言挑撥，忽見那白衣少女星目流動，掃了方兆南一眼，冷然說道：「別的小妹不和師姐頂嘴，但此事小妹卻萬難答應。」

紅衣少女臉上笑容一斂，微帶怒意地說道：「師妹如不答應此事，不但叫姐姐難以對大師姐交代，而且我也難信師妹之言。」

白衣少女道：「二師姐真要不相信我說的話，那也是無可奈何之事，但想搜檢於我，請恕小妹萬難接受。」

紅衣少女慍道：「如我一定要檢查呢？」

白衣少女道：「這個恕小妹不能從命。」

紅衣少女道：「好啊！妳竟然絲毫不把我這個做師姐的放在眼中，這等沒有長幼，那可不能怪我出手教訓妳了。」

嬌軀一晃，腳底寸地未離，身子卻陡然間向前欺了三步，人已到了那白衣少女身邊，揮手一把，直抓過去。

白衣少女道：「二師姐手下留情。」

反手一拂，向那紅衣少女手腕上劃去。

紅衣少女怒道：「妳竟然真敢和我動手？」

口中說著話，人卻揮動手中拂塵，唰的一聲，當頭擊下。

白衣少女嬌軀斜向右後側退了三步，讓開拂塵說道：「看在同門面上，小妹禮讓三招。」

紅衣少女被她激得怒火大起，嬌聲叱道：「妳一招也不用讓，有本事盡量施展出來，讓姐姐見識、見識。」

拂塵左擊右打，唰唰唰連攻三招。

這三招不但迅快絕倫，而且招招含著強勁的內力，拂塵激起的嘯風，吹動了方兆南的衣袂。

白衣少女左轉右閃地把三招猛攻讓開，人已經被逼退在浮閣一角，揮掌反擊，倏忽間劈出三掌，踢出兩腿。

五招連綿凶狠的反擊，又搶回到原來的位置之上。

方兆南眼看這兩個同門的師姐師妹，說打就打，而且一出手就是極爲凌厲的手法，心中感慨甚深。

心中暗道：「她們師姐師妹，一動手就形同拚命，對別人手段想必更是毒辣了，此時不乘機會溜走，更待何時？」

他本動了挑撥兩人相拚之意，及至兩人已自行動上了手，立時把欲待出口之言，重又嚥了回去，悄然向浮閣門口走去。

忽聞嬌笑之聲，起自身後道：「你也先別慌著走。」

聲音出口，人已倒翻而退，搶到浮閣門邊，攔住方兆南去路，拂塵橫掃一招「玉帶圍腰」，又把方兆南逼退回去。

轉頭望去，只見那白衣少女面不改色地站在原處，神態平靜，若無其事一般。

紅衣少女逼退方兆南後，笑道：「師妹武功進境，實叫姐姐佩服，毋怪師父常在大師姐和我面前誇獎於妳，看來我這做姐姐的，只怕已打不過妳了。」

白衣少女道：「師姐手下留情，小妹感激不盡。」

兩人剛才打得激烈絕倫，但一轉眼間，卻又師姐、師妹叫得親熱異常，此等大背常情的變化，看得方兆南甚是困惑。

他暗道：「這一對師姐妹的性格，真是配得恰當無比，一個冷若冰霜，一個笑口常開，說打就打，要停就停。」

紅衣少女目光緩緩投在那橫臥地上的黃衣赤足少年一眼，笑道：「師妹，這個人死了沒有？」

白衣少女道：「我已點了他『天鼎』要穴，不死也要終身殘廢。」

紅衣少女目光一轉，移注在方兆南身上，問道：「這個人又是什麼人，不如把他也一起殺了吧！」

白衣少女微一沉忖，道：「這人並非此地中人，而且武功也有限得很，留著他對我們也沒損害，殺了他對咱們也無助益，那就不如放了他吧！」

紅衣少女道：「妳幾時變得這等慈善了，妳不殺他，我來殺給妳瞧著玩吧！」

拂塵一抖，直向方兆南點擊過去。

方兆南看她出手拂塵，散化出數尺大小，那極為柔軟的馬尾，竟然根根直立如針，心中暗吃一驚，側身向旁邊一讓，躲過一擊。

紅衣少女笑道：「你還能跑得了麼？」雙肩微動，人已直欺過去，玉腕一翻，拂塵由上面下，疾點過去。

方兆南已退到浮閣邊緣，右、後兩方都已無退讓之路，只有向左側躍避一途，但那白衣少女又橫擋在左側去路。

此人心狠手辣，方兆南早已親目所睹，如向左側躍避，她必然要出手攔阻，但情勢所迫，只得橫向左側躍去，暗中運功戒備。

哪知這次又出了他意料之外，白衣少女不但未出手攔阻於他，而且還一側嬌軀，玉腕緩揚，輕輕迎著他的來勢，向旁邊一撥，冷若冰霜的粉靨之上，綻開了難得一見的笑容，柔聲問道：「你傷著沒有？」

左手輕輕一觸方兆南的額角，眉目間滿是關懷惜愛之色，微一移步，擋在方兆南身前，攔住那紅衣少女去路。

那紅衣少女從小就和師妹一起長大，兩人相處數年。但她卻從未見過她這般柔媚嬌甜地笑過，整日裡寒著一張匀紅的嫩臉，間有一笑，也似曇花一現，櫻唇微啓即合，笑容一掠即逝。這次竟然笑得如花盛開，嬌媚橫生，不禁看得呆了一呆。問道：「妳笑什麼？這男人究竟是什麼人？」

白衣少女忽然間變得十分溫柔，輕聲說道：「不敢相瞞二師姐，他是我……」倏然而斷，粉臉卻泛起一片紅霞。

紅衣少女格格一陣嬌笑道：「妳怎麼不早說呢？讓我幾乎傷到了他。」

白衣少女忸怩一笑，道：「這些事怎麼好隨便出口。」

紅衣少女道：「師妹平日莊嚴得有如觀音菩薩一般，想不到竟然……」

她似乎覺到以下之言，太過不雅，抿嘴一笑而住。

白衣少女無限忸怩地說道：「二師姐，我求妳別告訴大師姐好麼？」

紅衣少女道：「怕什麼？大師姐知道了也不會管這些閒事。」

白衣少女道：「大師姐那張嘴巴實在太厲害，我怕她知道了，取笑於我。」

紅衣少女嫣然一笑，道：「好吧！我答應妳。但妳要閃開身子，讓我仔細瞧瞧他。」

白衣少女道：「他還不是一個人，有什麼好瞧的？」

紅衣少女道：「我要看看他的長相，怎生有這等艷福。」

白衣少女道：「唉！情之所鍾……」

紅衣少女輕輕一撥白衣少女的嬌軀，道：「好啦！別再文謅謅地假裝正經了，我看看他有什麼要緊，難道妳還怕我橫刀奪愛不成？」

白衣少女道：「只怕二師姐看不上眼。」隨著紅衣少女伸來玉手，白衣少女向旁側橫跨了兩步。

方兆南已被那白衣少女鬧得頭暈腦脹，一時之間想不透是怎麼回事。呆呆地站在那白衣少女身後出神。

只聽那紅衣少女笑道：「果然是一表人才……」

口中說著話，白玉般的右手亦隨著伸了過來，緩緩向方兆南手腕上抓去。

方兆南右手一縮，向後退了兩步。

紅衣少女微微一笑，道：「一個如花似玉的師妹，都給了你。我這做師姐的瞧瞧你都不成麼？」

方兆南道：「哪裡有這等事，妳……」

紅衣少女格格嬌笑著說道：「我這位師妹平日冷若冰霜一般，想看她笑一下，不知要耗去多少心血，你竟然得她垂青，那可是大不平常之事，我這做師姐的豈能連小師妹夫……」

口中言笑盈盈，足下蓮步款款，直向方兆南身前走去。

紅衣少女相距方兆南還有四、五步距離之時，突然一伸左手，快逾電奔般地抓住了方兆南的右手腕。

這伸手一抓之勢，不但出手奇快無比，而且手法十分怪異，方兆南心想閃身避讓，已經是遲了一步。

只覺右腕一麻，一雙柔軟滑膩的玉手，已緊緊地扣在右腕之上，登時感到腕骨劇疼，全身勁力頓失，失去抗拒之能。

紅衣少女一擊得手，浮動在粉臉上的笑容，突然斂去，暗中一加勁，五個嫩蔥般的手指，忽然間變得堅似鋼鐵，有如一道鐵箍般，而且還不停地加勁收縮。

方兆南只覺右臂行血，返向內腑攻去，手腕疼痛欲裂，滿頭汗水滾滾而下，但他仍然咬牙苦忍，不肯出一句求饒之言和呻吟之聲。

紅衣少女一揮右手拂塵，先把門戶封住，然後才冷冷地對那白衣少女說道：「師妹再不肯拿出『血池圖』來，可別怪姐姐心狠手辣，要擺布妳的心上人了。」

白衣少女目光中流露出無限惜愛，看了方兆南一眼，幽幽說道：「二師姐這般不相信我，我有什麼辦法呢？妳就是殺了他，我也不能無中生有，拿出一幅『血池圖』來。」

方兆南看那白衣少女做作的模樣，心中大感氣惱，暗道：「此人這般可惡，不如把她身懷『血池圖』的秘密揭穿，讓她們師姐妹爲那『血池圖』先行拚個死活，我雖未必能坐收漁利，但至少可發洩胸中一股怨忿之氣。」

心念一轉，正待說出真相，忽見那白衣少女向前欺進兩步，正容接道：「二師姐如再爲難他，可勿怪小妹以下犯上，和妳做生死之搏了。」

這兩句話說得意重情深，好像方兆南真的是她心上情郎一般。

紅衣少女笑道：「咱們同門同師，學成的武功，師妹會的，大概姐姐也都學過，真要自相殘殺起來，很難知鹿死誰手。」

白衣少女臉色突然一變，冷冷說道：「那倒未必，師姐可學過『鬼手印掌』麼？要不要小妹用出來給妳瞧瞧？」

紅衣少女微一沉忖，放下臉笑道：「咱們誼屬同門，豈能真的鬧出鬩牆相鬥的笑話，姐姐不過是說幾句玩笑之言，三妹怎麼能夠認真？」

口中說著話，左手卻同時鬆了方兆南的右腕，轉身向浮閣外面走去。

白衣少女微微一側嬌軀，紅衣少女卻一長腰，疾如流矢般由她身旁掠過，直躍入水，踏波而去。

方兆南眼看著這兩個詭異少女忽友忽敵，半真半假地鬧了半晌，那紅衣少女竟被她師妹一句話給驚走了。

心中既感奇怪，又感害怕，奇怪的是兩人既屬同門一師，而那紅衣少女，又是師姐之尊，何以會對師妹這般畏懼。

害怕的是這白衣少女身懷「血池圖」一事，舉世間只有自己一人情楚，恐怕她要殺人滅口，死雖不足畏，但師妹被困抱犢崗密洞之事，也將隨著成為一段千古疑案。

可憐她嬌生慣養，純潔無邪的紅顏少女，將陪那怪嫗同葬在一穴之中……

正自惶惶難安之際，忽聞那白衣少女幽幽地嘆息一聲，道：「你還是快些逃命去吧！站在這裡發什麼愣？」

方兆南轉臉望去，只見那白衣少女臉上浮現一種從未有的幽怨之色，兩隻又圓又大的眼睛中，滿含著濡濡淚光。

這一瞬間，她似乎失去了所有的堅強，看上去是那樣文弱，使人油然而生惜憐之情。

他茫然地回頭望了那黃衣少年一眼，低聲說道：「這人乃天生聾啞殘缺，絕不會有礙姑娘之事，能放手時且放手，得饒人時且饒人！」

這幾句話，本非他事先想好之言，只是觸景生情，有感而發，一面隨口說著，一面向浮閣外面走去。

突聽那白衣少女嬌喝一聲：「站住。」

方兆南早已料想到白衣少女不會放過他，是以對她的這聲大喝，倒未放在心上。

停下腳步，回過頭，神態十分鎮靜地說道：「姑娘不會放過在下，早在我預料之中，我自知武功平常，但也不願和妳動手，殺剮任憑於妳！」

白衣少女那經常冷如冰霜的臉上，浮現出一種極為幽怨的神色，說道：「我要真存了殺你

之心，你就是有十條命，也早沒有了，現在……」

她突然停下口，沉忖了良久，才又接著說道：「現在我也陷入了極度的危險之中，隨時隨地，我都有死的危險……」

方兆南驚愕地嘆息一聲，道：「什麼？」

白衣少女冷淒一笑，道：「我即將變成自己師姐們追殺的對象，不過，哼哼！她們即使真的追尋到我，也要付出極大的代價……但最後，我仍將送命在她們手裡。」

方兆南嘆道：「姑娘可是爲救在下……」

話剛出口，突然見月色之下，飛起了兩道藍色的火焰。

白衣少女臉色一變，道：「早要你走，你偏偏賴在這裡不走，哼！現在想走也走不了啦！」

方兆南也覺出那兩道藍色的火焰，出現得大是突兀，再要延誤了時刻，只怕是真的難再脫逃了。

當下一抱拳，道：「姑娘既不再留難於我，在下這就即刻動身。」

白衣少女道：「我二師姐已和我大師姐取得聯繫，兩人即將趕到，連我亦難離此，你還能走得了麼？」

方兆南怔了一怔，道：「這麼說來，在下還是得留在這裡了？」

白衣少女低首沉忖了一陣，突然抬起頭來，兩隻朗澈的星目中，滿是乞求之色，望著方兆南道：「一個人如到非死不可之時，是該死得轟轟烈烈，留給武林後輩敬仰懷慕，還是畏首畏尾，死得輕於鴻毛？」

這幾句話，說得大出方兆南意料之外，饒是他聰明絕頂，一時間也難想出話中含意，呆了一呆道：「請恕在下愚拙，難解姑娘話中含意。」

白衣少女輕輕嘆息一聲，道：「你既然還想不明白，我只好對你實說了吧！我兩位師姐苦苦地追尋於我，目的在追查出『血池圖』，這一點想你定已看出了？」

方兆南道：「不錯，這一點，在下倒是早已看出。」

白衣少女道：「你也許已經知道那『血地圖』隱示著一位前輩奇人的藏寶之地，但卻不知此圖眼下即牽涉著一場武林的殘酷劫運，只要『血池圖』一落入我兩位師姐之手，不出一年，江湖即將掀起滿天血雨。

「唉！我不肯把此圖交於她們，也就是不忍眼看武林道上千萬生靈塗炭，但那『血池圖』現在我身上藏著，我兩位師姐已到，勢必搜出此圖不可。」

方兆南看她滿臉愁慮之色，忍不住接口說道：「此圖既然牽涉這大慘殺浩劫，那就把它燒掉好啦！」

白衣少女道：「燒去『血池圖』雖可苟安一時，但殺劫禍源，卻是難以消弭，禍根一日不除，殺劫隨時可起……」

她微微一頓後，又道：「眼下倒是有一個兩全辦法，只是不知你肯不肯答應？」

方兆南奇道：「什麼？在下這點武功，難道還有消弭禍源之能不成？」

白衣少女道：「有很多事，不一定要靠武功。」

方兆南道：「好吧！那妳就說出來，如果在下能力所及，絕不推辭就是。」

白衣少女冷漠嬌艷的粉頰上，綻開了一絲笑意道：「只要把『血池圖』藏在一處使她們無

法尋找的所在，我兩位師姐縱然對我疑心，但她們找不出我已尋得『血池圖』的證據，也是無可奈何！」

方兆南點點頭，道：「這話不錯。」

白衣少女微微一笑，道：「可是在這四面臨水的浮閣之中，要想把圖藏到讓她們無法尋到之處，實是一件極爲困難之事！」

方兆南向四外望了一陣，道：「妳把它暫時沉入水底之中，等妳兩個師姐走後，再設法打撈起來。」

白衣少女搖搖頭，道：「不行！如若被潭水沖走，再想要找它，那可是千難萬難的事，我已用心想過了，只有你才能幫我這個大忙。」

方兆南道：「不知要我如何相助？」

白衣少女道：「你暫時把它吃下肚去，等我兩位師姐走後，我再破開你的腹部，把圖取出來。」

方兆南聽得打了一個冷顫道：「真虧妳想得出這等高明辦法，不過……」

白衣少女不待方兆南再往下說，搶先接口說道：「不過什麼？你雖然因此而死，卻救了千千萬萬的生靈，我也不願沾你的光，在你未把『血池圖』吞入腹中之前，我願意以身相許，破腹取圖，只不過一時之痛，但我卻要爲你終身守節。

「等我深入血池，取得羅玄遺物，再設法替你報仇，然後昭告天下英雄，把你捨身護圖之事，宣揚出去，你人雖死了，但英名豪氣卻在武林中傳誦不絕。

「那時，我這身爲你妻子之人，也可在你英名護佑之下，受天下武林人物尊仰，此乃大仁

大勇之事，你何樂而不為呢？」

方兆南苦笑道：「這等榮耀之事，縱然以命相換，也算不得吃虧，不過，我眼下還有幾樁大事未辦，就此一死，心實難安。」

白衣少女道：「你有什麼事，不妨交給我吧！你只要答應了，咱們今後就是夫妻，你的事，我自然要很用心地去給你辦。」

方兆南聽她話說得十分堅決，心中暗暗忖道：「她武功比我高出很多，此事她既已決定，不答應也得答應，既是難逃一死，倒不如拿出丈夫氣概，答應下來。」

當下微微一笑，說道：「姑娘之言，如果字字出自真心，在下以身護圖，倒也值得，但有兩件大事，我死之後，姑娘務必要替我完成。」

白衣少女勻紅的嫩臉上，綻開了從未有過的笑容，柔聲說道：「先別說你死後之事，咱們先對月締盟結成夫妻，你再吩咐我後事不遲。」

說完，緩伸玉手，握著方兆南左腕，前行兩步，一屈雙膝，跪在浮閣門外。

方兆南心知反抗也是沒用，索性聽她擺布。

只覺她緊握著自己左腕的右手，汗水如注，顯然，她心中正有著無比的緊張，白衣少女的手向下一帶，方兆南只好隨勢和她並肩跪在浮閣門外。

柔和的月光，照著這一對並肩而跪的少年男女，但兩人的神情，卻是大不相同。

白衣少女原已嬌艷的雙靨，更顯得紅若燦霞，眉梢眼角間，嬌羞盈盈，仰望月光，喃喃禱道：「月神在上，妾身梅絳雪，籍隸蘇州，年十八歲，現與方兆南公子締盟終身，結為夫婦，海枯石爛，矢節不移，如有二心，天誅地滅，赤誠上告，天神共鑒。」

方兆南看她竟然若有其事一般，真的對月立下重誓，不禁一皺眉頭，暗暗忖道：「妳不過想利用我肉身藏圖而已，又何苦這般地認真其事，立下重誓。」

白衣少女目睹方兆南望月呆想，一語不發，立時用手輕輕推他一下，道：「你怎麼不說話呀？」

方兆南想到對月起誓後，就要把「血池圖」吞入腹中等死，這等情形之下，縱然梅絳雪嬌若春花，也難激起他半點惜憐之心。

只聽他輕輕咳了一聲，說道：「月神在上，弟子方兆南在下，今與姑娘對月締盟，結成夫婦，別無所求，只望我死之後，要她替我完成兩件大事。

「第一件，查出殺害我恩師周佩夫婦全家的仇人是誰，替我把仇人殺了。第二件，帶著我身懷言老前輩相贈的一瓶九轉生肌續命散，在一月之內，趕到抱犢崗下一座山腹窰洞之中，以藥換人，救出我師妹。同時，要她到杭州西湖棲霞嶺，去找垂釣逸翁林清嘯，我雖死在九泉之下，也瞑目安心了。」

說完，轉臉望著梅絳雪接道：「拿來吧！」

梅絳雪從懷裡摸出「血地圖」，兩顆晶瑩的淚水順腮而下，幽幽嘆道：「你已經是我的丈夫啦！我要殺你取圖之時，不是要變成謀害丈夫的兇手了麼？」

方兆南笑道：「咱們事先已經說好，自然算不得謀殺丈夫。」

說完，伸手去拿手中圖案。

梅絳雪突然縮回握著「血池圖」的右手，道：「你別慌著要吃，讓我再想想看還有沒有別的辦法？」

方兆南暗道：「事已至此，妳還裝什麼假惺惺？」

但口裡卻笑著說道：「想妳那倆師姐，目光何等銳利，如不把『血池圖』吞下腹去，絕難騙得過她們耳目。」

梅絳雪仰臉望月，卻不回答方兆南的話。

月光照在她秀美絕倫的臉上，她臉上泛現著深沉的幽怨，一滴一滴的淚水，不停地從那清澈星目中湧了出來。

這位一向冷若冰霜的少女，似乎突然變得多愁善感起來。

突然——

夜風中飄來言陵甫大聲喝叫的聲音，道：「血池圖，血池圖……」

方兆南暗暗嘆息一聲，想道：「這位可憐的老人，竟因失圖而瘋，唉！如若我不送『血池圖』來給他，也不致害他發瘋了。」

梅絳雪忽然一斜嬌軀，粉頸偎在方兆南的肩上，笑道：「不要你吃啦！我已想到了別的辦法了。」

一股淡淡的幽香，隨著梅絳雪偎過來的粉臉，撲鼻襲來，如蘭似麝，醉人若酒。

方兆南慌忙別過臉去，問道：「妳想到了什麼辦法？」

梅絳雪盈盈一笑，道：「現在還不能告訴你，我既然已經是你的妻子了，自然不能隨隨便便地殺死自己的丈夫。」

方兆南聽她說得如此深情款款，心中甚感奇怪，暗道：「這女人當真是極善做作，喜怒之情，演來無不逼真，絲絲入扣，叫人難辨真假。」

當下微微一笑，道：「我既已經答應了你，絕不反悔，早吃一會兒，晚吃一會兒，都是一樣，但這般遷延時刻，只怕會對妳不利，萬一妳兩位師姐在我未吞下『血池圖』之前到來，妳豈不白費一場心機？」

梅絳雪是何等聰明之人，如何會聽不懂方兆南弦外之音，幽幽一笑，道：「別說啦！看來今生今世，你是不會相信我的話了。」

方兆南道：「好說，好說！只要妳能力行承諾之言，我死得倒也心甘情願。」

梅絳雪正容說道：「咱們別再談這些事啦！反正我已經是你的妻子，女人貞節豈容輕污？我今生已算爲你所有，生是你們方家的人，死也爲你們方家鬼。本來我從小就在極冷酷的環境之中長大，耳濡目染，盡都是血腥殘忍之事，倫常之態，對我應該沒有一點約束之力，不知何故，我竟然覺得殺害自己丈夫一事，大爲不該。」

話至此處，長嘆一聲，又道：「這其間什麼道理，我一時間也想它不通，也許是我母親礪節貞德對我的影響，不過你是否願把我當做你妻子看待，卻不放在我的心上了。」

方兆南聽了淡淡一笑，沒有答話，心中卻在暗暗忖道：「妳說得再好，反正我是不會相信。」

只聽言陵甫大叫之聲，愈來愈近，直向浮閣之上而來。

方兆南心頭一凜，暗道：「此老人已有點瘋瘋癲癲，但他對我的形態，只怕尚未全忘，如被他纏上，那可是太難擺脫，倒不如早些避開他一步好些。」

轉頭望去，只見梅絳雪臉上，浮動著歡愉之色，凝神靜聽言陵甫叫喚之聲，不時流目四外張望，似是對武功十分難鬥的言陵甫，甚爲歡迎一般。

方兆南心中大感困惑，暗道：「此女做事，實叫人無法揣測，不但性格變幻無常，喜怒叫人難以捉摸，就是她這對人忽敵忽友的態度，也叫人無法揣摸得準。」

正自忖思之間，言陵甫已登水凌波而來，眨眼間便登上浮閣。

他登上浮閣之後，目光凝注在方兆南臉上呆呆地瞧了一陣。

陡然，一頓手中竹杖，大聲喝道：「你見到我的『血池圖』了麼？快些拿來還我。」左手一伸，向方兆南肩頭上抓去。

方兆南暗道：「他不找梅姑娘，卻先來問我，看來他是真的有點瘋了。」挺身躍起，向一側躍退過去。

但聞言陵甫大聲叫道：「你要逃到哪裡去，不還我『血池圖』，你別想逃得性命。」掄動手中竹杖，呼地一招「橫掃千軍」，平掃過去。

他功力深厚，出手一杖掃擊，威勢非同小可，潛力激蕩，杖風如嘯。

梅絳雪突然疾躍而起，高聲對方兆南道：「快些和他胡扯，分散他的精神，讓我點住他的穴道。」

方兆南縱身一躍，讓開言陵甫橫掃的竹杖，嘆息一聲，答道：「他已是瘋癲之人，妳何苦還要傷他性命？」

言陵甫一看方兆南讓避開橫掃的杖勢，大喝一聲，追了過去，伸手一杖，又向方兆南疾點過去。

他神志雖然已亂，但武功仍在，這一杖點擊，不但迅快絕倫，而且指襲部位，乃人身三十六大穴之一的「當門」要穴。

方兆南不禁心頭一驚，疾提真氣，身子向後一仰，迅快地一個大翻身，讓開言陵甫點來竹杖。

梅絳雪嬌軀一晃，身子搶過來，高聲對方兆南道：「此人武功甚高，不在我倆之下，如要和他硬拚，合咱倆人之力，也未必能勝得了他。快些和他亂扯那『血池圖』的事，助我一臂之力，讓我點了他的穴道，你放心吧！我絕不傷他性命，再要延誤時間，等我兩位師姐趕到，就悔恨無及了。」

方兆南聽她說得鄭重，不由得心中一動，暗道：「此老攻勢凌厲，極是難擋，爲了自保性命，也不妨和他胡扯兩句，騙騙他。」

他心念轉動之間，言陵甫第三杖，已自掃擊過來。

方兆南急向浮閣一角躍去，他應變雖然很快，但對方杖勢一招比一招快捷，但聞嗤的一聲，竹杖尖端，掃在他衣角上，迅厲的杖風，帶下他一大片衣服。

方兆南避開一杖之後，大聲叫道：「老前輩快些住手，你可是要找那份『血池圖』麼?」

言陵甫腦際之中，早已一片混亂，單單記著「血池圖」一事，聽得方兆南一聲大嚷，果然停手不攻，喜道：「是啊!你可看到我的『血池圖』了?」

方兆南想不到這兩句竟有這大效用，心中暗自敬佩那白衣少女料事如神，當下答道：「老前輩那『血池圖』，可是一片黃絹之上，滿塗著鮮紅之色的圖案麼?」

言陵甫喜道：「一點不錯，一點不錯，圖在哪裡?快些還我。」

這當兒，梅絳雪已欺身到知機子言陵甫的身後，趁他分神說話之際，舉手疾向他後肩「巨肩」穴上點去。

一則因她點穴手法迅速輕靈，不易查覺，二則言陵甫神志已亂，耳目不似平常一般靈敏，又被方兆南以「血池圖」話題引分了他的精神，是以梅絳雪舉手一擊之下，輕而易舉地點了他的穴道。

她迅速地從身上摸出「血池圖」，撩開言陵甫長衫，牢牢地結在他內衣之上，抬頭望著方兆南笑道：「我要借這瘋癲老兒，把圖帶出險地。」

方兆南看她果然不傷言陵甫的性命，心中忽覺此女並非毫無人性之人，不覺之間，對她生出幾分諒解好感。

他說道：「這法子雖然不錯，只是太過冒險一些，縱然能瞞得你兩位師姐，但言陵甫卻有神志清醒之時，一旦他神智復常，妳豈不白費了一番心血？」

梅絳雪笑道：「你儘管放心去吧！此人武功淵博，定力應極深厚，所以在片刻間，成了瘋狂之狀，是因激動過甚，促使神智迷亂，如果我料想不錯，那『血池圖』定是他日夜夢寐所求之物，一旦得而復失，對他刺激自然最重。

「再加上我無意中熄去他丹爐火勢，看他目睹丹爐火熄以後激動之情，這一爐丹對他，必是極爲重要之物……」

方兆南看她以一個年輕少女，論事精細入微，心中又生出幾分敬佩之感，點點頭讚道：「姑娘高見，在下十分敬佩。」

梅絳雪羞赧一笑，道：「我已經是你的妻子了，你還是這般稱呼於我？」

方兆南心頭一凜，暗道：「此事乃是她一時衝動所爲，而且又是想借我肉身藏圖，豈能當真？她這般翻來覆去地說得像真的一樣，不知是何用心？」

他心中雖在轉著念頭，但口中卻是不便說出，一時之間想不出適當措詞回答，口中乾咳了兩聲，說不出話來。

梅絳雪輕輕嘆息一聲，道：「這兩件事，對他都是極端重要，在片刻之間同時生變，難怪他會承受不了，既已憂患成瘋，只怕不是短期內能以恢復，此事暫可不必憂慮。可怕的，是我那位大師姐，已對我生出了懷疑之心，如若她迫著我跟著一起回去，就無法從他身上再取得『血池圖』了。你的武功，又非其敵，縱有助我取回『血池圖』代為保管之心，但也無此能力，唉！事已至此，急也無用。」

說著霍然挺身而起，舉手一掌，拍活了言陵甫的穴道，人卻縱身一躍，飛出浮閣。

只聽言陵甫長長吁了一口氣，挺身坐了起來，目光凝注在方兆南臉上瞧了一陣，怒道：「『血池圖』現在何處，快些拿來還我！」

方兆南一皺眉頭，暗道：「這人當真是瘋子，自己性命就幾乎不保，竟似若無所覺，剛從死亡邊緣中撿回性命，就追問起『血池圖』的下落。」

言陵甫目睹方兆南沉思不語，陡然欺身而上，伸手一把，向方兆南左肩抓去。

方兆南微一側身，讓開掌勢，直向浮閣外面躍去。

言陵甫如影隨形地疾追而出，口中大聲喝道：「不還我『血池圖』，你還能走得了麼？」探臂一杖，疾向方兆南背心點去。

忽然間一隻雪白纖巧的素手，由一側疾伸過來，一把抓住言陵甫手中竹杖，冷冷喝道：「你敢動手打人？」

言陵甫神智已亂，滿腦子只裝著「血池圖」這件事情，被梅絳雪突然抓住竹杖一問，不禁

呆了一呆。

只見他愣了半晌，答道：「他偷了我『血池圖』不肯還我，我自然要捉著他追討回來。」

梅絳雪一鬆手，放了握在玉掌中的竹杖，笑道：「你那『血池圖』是什麼樣子，說給我聽聽，我就告訴你是誰偷的。」

言陵甫聽得梅絳雪能告訴他竊圖之人，不禁心中大喜，連道：「好，好！我告訴你。」但說了半天，仍是這兩句話。

梅絳雪秀眉微揚，盈盈一笑道：「我剛才瞧見一個身穿紅色衣服的女人，手中拿著一幅黃絹，上面塗著血紅顏色……」

言陵甫道：「不錯！就是那一張圖，那紅衣女人哪裡去了？」

梅絳雪用手一指對岸，接道：「我瞧她拿著圖向那邊跑啦！」

言陵甫不待梅絳雪話說完，立時一躍入水，施展「登萍渡水」的身法，疾奔而去。

方兆南呆呆地望著言陵甫的背影，輕輕嘆息一聲，說道：「知機子丹道醫術，均受天下武林同道所推崇，盛名卓著，想不到竟因『血池圖』憂憤而瘋，看來一個人是存不得一點貪念了，一念妄動，靈智立閉……」

梅絳雪微微一笑，道：「別胡思亂想啦！快過來和我坐在一起，我那兩位師姐恐怕就要來了。」

方兆南依言走到她身側，和她並肩坐下，抬頭望著天上明月，心中卻在想著師妹陷身在抱犢崗山腹密洞之事。

忽聽梅絳雪嘆息一聲，說道：「你這般地仰著臉默想自己心事，不和我談一句話，哪裡像情侶夫妻的樣子，這等樣子如何能騙得過我兩位師姐的耳目？」

這等之言，在她一個少女口中說出，竟然神色如常，毫無半點羞怩之感。

方兆南微微一笑，道：「咱們談什麼呢？」

梅絳雪究竟還是黃花閨女，只因從小生長在冷酷殘忍的環境之中，養成她一副冷若冰霜，我行我素，藐視倫常的性格。

但她並未真的和男人有過接觸，聽方兆南這麼一問，瞠目結舌地答不出話來。想了半晌，道：「咱們天南地北的隨便說吧！只要咱們相依相偎地坐在一起，叫她們瞧來十分親熱，不管談什麼都是一樣。」

說完，微側嬌軀，向方兆南身上偎去。

方兆南只覺一個軟綿綿的身子，偎入了自己懷中，一陣幽幽甜香，撲鼻沁心，他緩緩舉起右手，想推開她偎入懷中的身子。

哪知梅絳雪竟趁勢把一雙柔滑的玉掌，送入他的手掌之中，微笑道：「你瞧瞧我的手，好看麼？」

她初次和男人偎守在一起，不知道該說些什麼，一見方兆南舉起右手來，就把自己玉掌送了上去。

方兆南見她自動送上手來，一時倒不好推開她偎入懷中的身子，只得握住她的手，瞧了瞧，笑道：「柔若無骨，瑩似霜雪，細細五指，麗質天生。」

梅絳雪道：「我們已成夫婦啦！你覺著好看，就多瞧一會兒吧！」

方兆南緩緩鬆了她的素手，道：「瞧上一眼就行了，再看也是一樣……」

話還未完，瞥見兩條人影，疾如流矢般，踏水凌波而來。

梅絳雪低聲說道：「我兩位師姐來啦！」

上身一起，一個身子完全投入了方兆南懷抱之中。

那兩條人影來勢疾快，眨眼之間，已躍上浮閣，停在兩人身側。

方兆南略一定神，只見兩個艷麗照人的女子，聯肩並站一起。

左面一人，身著藍衣藍裙，年約二十三、四，長髮披肩，赤手空拳，右面一女，全身紅裝，手執拂塵，正是剛才離開浮閣的紅衣少女。

二女都極秀麗，並肩而立，難分軒輊，比來如春蘭秋菊，各極其美。

唯一不同之處，是那藍衣少女，臉上一片嚴肅，眉宇隱泛殺氣，看上去威稜懾人，紅衣少女卻是微笑盈盈，神態十分和藹。

梅絳雪緩緩睜開眼睛，望了兩人一眼，霍然從方兆南懷中躍起，躬身對那藍衣少女一禮，說道：「大師姐請恕小妹失禮。」

原來她在瞧見兩位師姐之後，故意閉上了星目。

藍衣少女微微一笑，道：「聽二師妹說妳有了心上人，我還不敢深信，想不到竟然確有其事，姐姐向妳恭賀啦！」

梅絳雪道：「不敢，不敢，大師姐見笑啦！」

藍衣少女突然臉色一沉，斂去臉上笑容，道：「三師妹的機智，姐姐素來佩服，因此才敢勞駕出山，追查『血池圖』的下落，以師妹之能，自是不會叫姐姐失望。」

梅絳雪道：「小妹由東平湖追到抱犢崮，又從抱犢崮追到這九宮山來，始終未查出那『血

池圖』的下落，尙望大師姐饒恕小妹無能之罪。」

藍衣少女冷笑一聲，伸手指著方兆南道：「這人是誰？你由東平湖追到抱犢崗，由抱犢崗又追到這九宮山來，又是追的哪個？」

梅絳雪望著方兆南道：「追的雖然是他，但圖卻不在他的身上。」

紅衣少女格格一聲嬌笑道：「如若你們兩人串通起來，把『血池圖』藏起來，那真是天衣無縫了。」

梅絳雪冷冷答道：「二師姐處處挑撥小妹，不知是何用心？」

紅衣少女又是一陣格格嬌笑道：「咱們誼屬同門，姐姐縱然說話難聽，但用心可是至善。」

藍衣少女柳眉微微一揚，接道：「好啦！別吵了。」

梅絳雪本要反唇相譏那紅衣少女，但聽得那藍衣少女之言，竟然不敢再接口相駁，幽幽說道：「二師姐和小妹素來不睦，常常借事生非．還望大師姐替小妹作主。」

紅衣少女嬌笑道：「好甜的嘴巴。」

藍衣少女一瞪雙目，冷冷地說道：「不許妳們再鬥嘴啦！聽到沒有。難道姐姐說話不算麼？」

她這一叱，二女果然不敢再講，垂手靜立，似在等待那藍衣少女示下。

方兆南看得暗生驚駭，忖道：「這藍衣少女這等盛氣凌人，想來她的武功，定要較兩個師妹高出很多。」

只見那藍衣少女兩道冷電般的眼神，一直盯在梅絳雪的臉上，瞧了半晌，才冷冷地問了一

句，道：「三師妹可知道咱們門下的戒律麼？」

梅絳雪道：「師門戒律，小妹怎敢忘記？」

藍衣少女道：「妳既然熟記本門戒律，可知道欺瞞師長，犯的什麼罪麼？」

梅絳雪道：「萬蛇噬體而死。」

藍衣少女聽她毫不猶豫地說出了欺瞞師長應得之罪，臉上神色緩和了不少，略一沉忖，瞧著方兆南道：「這人既然到了東平湖，想必是周家有關人物，留著他終是禍害，倒不如把他殺了吧！」

方兆南雖早已猜到師父夫婦喪命在冥嶽人物手裡，但卻始終未能耳聞目睹到什麼證物，至此方始聽那藍衣少女說出一些端倪。

只見梅絳雪微微一顰雙眉，道：「此人已和小妹有過締盟之約，尚望大師姐看在小妹面上，不要為難於他。」

藍衣少女冷然一笑道：「我已查明那『血池圖』確在周佩夫婦手中，現下周佩夫婦既死，『血池圖』卻找不出下落何處，此人既和周佩夫婦有關，或許知道『血池圖』的下落。天下美男子比比皆是，求之易如反掌，為什麼單單相戀此人，不如把他交給妳二師姐嚴刑求供，說不定能逼出『血池圖』的下落。此事關係重大，縱然枉殺一百，也不能縱放一個，尚希師妹顧全大局，捨棄私情，免得留下禍患！」

梅絳雪道：「這個……」

紅衣少女嬌笑一聲，接道：「三師妹素來厭惡男子，不知何故獨對此人鍾情，別說大師姐心中懷疑，就是我也覺出此事有些叫人難釋疑慮。」

梅絳雪正容說道：「二師姐說得不錯，小妹對男子素無好感，但一鍾情，就終身不渝，兩位師姐若一定要置他死地，小妹也不願獨自偷生人世。」

方兆南聽她竟然不惜一死相護，心中甚感奇怪，暗道：「她無非想借我肉身藏圖，怎生這般認真起來，難道她真的竟對我動了情愛不成？」

藍衣少女笑道：「三師妹既然如此眷戀於他，我們這做師姐的，也不便強妳另覓情郎，看在妳的份上，我就破例饒他一次。」

這等情愛之事，在這三個嬌美的少女口中說來，如數家珍一般，氣不稍喘，面不改色，毫無半點羞怩之狀，只看得方兆南暗裡直皺眉頭。

要知那時代的女人，受禮教約束極嚴，閨中私情，從不敢在人前談起，縱然是武林兒女，也少有這等放蕩言詞。

梅絳雪側臉溜了方兆南一眼，道：「小妹拜謝大師姐恩典！」盈盈跪拜下去。

藍衣少女伸手扶起梅絳雪，笑道：「咱們師姐妹間情同骨肉，豈需言謝，師父閉關期限即將屆滿，咱們也該早些回去，她老人家最喜愛妳，開關之日，師妹勢非守候一側不可，追查『血池圖』下落之事，交給妳二師姐辦吧！現下妳就和姐姐一道回去。」

梅絳雪是何等聰明之人，轉眼望了那紅衣少女一眼，道：「二師姐請看在咱們一場同門分上，留點師姐妹見面之情。」

藍衣少女一把抓住梅絳雪左腕，道，「師父開關時限迫促，咱們必需早一些回去準備一下……」

話至此處，微微一頓，側頭望著方兆南道：「你如想念我三師妹時，三月之後，請到冥

嶽來相見，屆時我這身為大師姐的，當為你設筵接風，小別勝新婚，你們有暫時分手的一段相思，才會有重逢相見的歡樂。」

說完話，一拉梅絳雪，躍入水面，向前疾奔而去。

梅絳雪回頭喊道：「二師姐，請送大師姐和小妹一程好麼？」

紅衣少女格格一陣嬌笑道：「哪有什麼不好，三師妹未免太多心啦！」縱身一躍，緊隨二女身後，踏波而去。

三女輕功，都已進入爐火純青之境界，渡水踏波，如履平地一般，轉眼之間，越過湖面，消失不見。

方兆南望著那三個衣著不同、性格各異的少女背影，心中泛起了無限感慨，師門慘變的淒涼景象，再度在他腦際展現。

這一筆血海深仇，不知哪一日才能洗雪，現下仇人是已經知道了，但三女的武功奇高，不但自己不是人家敵手，就是當今武林之中，只怕也難找出幾個和三女頡頏之人……

他呆呆出了一陣子神，陡然想起那黃衣赤足的聾啞少年，轉身奔入浮閣。

低頭望去，只見那黃衣赤足少年仍然靜靜地仰臥在地上，原姿未變，不知是死是活。

方兆南黯然嘆息一聲，緩緩蹲下身子，伸手按在他前胸之上。

只覺他心臟尚在微微跳動，氣息尚未全絕，當下盤膝坐好，運氣調息了一陣，施展推宮過穴手法，在那黃衣少年身上推拿起來。

哪知梅絳雪的點穴手法，乃冥嶽獨有之術，和一般點穴之術大不相同。

方兆南費了半晌工夫，累得滿頭大汗，那躺在地上的黃衣少年，卻是毫無所覺，連眼睛也未眨動一下。

他舉起手來，拂拭臉上的汗水，長吁一口氣。

他對那靜躺在地上的黃衣少年深深一揖，道：「兄弟已竭盡全力，只恨我武功淺弱，無能推活兄台被點穴道，而且我尚有要事待辦，也無法帶你同行求醫，兄弟就此告辭了，但願皇天相佑，兄台能遇得高人相救。」

祈禱完畢，轉身向浮閣外面走去。

他自知無能踏水渡越湖面，只好跳上那較小的浮閣，扯動水中繩索，向對岸上划去。

六　撲朔迷離

方兆南抬頭仰望，只見那當空皓月，已然被山峰遮去。

他心中想著這半宵之間的奇怪際遇，像經歷了一場夢境一般，若真若幻，感慨叢生。忖思之間，人已到了對岸，回頭望那較大的浮閣，已爲夜色隱去。

他跳上湖岸，放腿向前疾奔，一口氣跑出去十幾里路，才長長吁了一口氣，放慢腳步，向前走去。

在他想來，這一陣緊趕急奔，定然已離了是非之區，哪知腳步剛剛緩了下來，突然身後響起一聲嬌滴滴之聲道：「怎麼，才到這裡嗎？」

方兆南心頭一震，索性轉過身回頭瞧去，朦朧夜色之下，只見那手執拂塵的紅衣少女，脇下挾著那黃衣少年，含笑站在數尺之外。

她神情十分悠閒地放下黃衣少年，笑道：「你已和我三師妹有過締盟之約，今後咱們都算是一家人了，我這做姐姐的問你幾句話，不知你肯不肯說？」

方兆南道：「在下知無不言。」

紅衣少女格格一陣嬌笑，身軀微一晃動，人已欺到方兆南面前，道：「那『血池圖』究竟放在何處，只要你肯告訴我，我絕不會留難於你，而且還以幾件稀世珍物相贈……」

她身子相距方兆南不過尺許左右，一陣濃香直襲過去。

方兆南把身軀向後縮了一下，笑道：「在下連『血池圖』是什麼樣子都未見過，姑娘逼我拿出圖來，實使人大爲作難之事。」

紅衣少女微微一笑，道：「你別敬酒不吃吃罰酒，如若激怒於我，你就別想活著離開這九宮山！」

方兆南道：「在下字字都是真實之言，姑娘不肯相信，但請下手搜查就是。」

紅衣少女略一沉吟，笑道：「好吧！你先把外面衣服脫去。」

方兆南只不過是隨口用來的一句應急之言，哪知對方竟然當真起來，真的要叫他脫去身上的衣服。

只是，已經出口之言，又不好再改口否認，只得緩緩解去衣扣，脫下長衫。

紅衣少女笑道：「怎麼不脫啦？你如把那『血池圖』藏在貼身內衣之處，單單脫下一件長衫，要我如何個搜法？」

方兆南怒道：「妳如不信，儘管在我身上搜查，難道要我脫去全身衣著不成？」

紅衣少女格格一笑，道：「一點不錯，脫得一絲不掛，全身赤裸，我才能相信你真的沒有暗藏『血池圖』。」

方兆南道：「大丈夫可殺不可辱，我乃堂堂七尺之軀，豈能在妳一個婦人女子面前脫光了衣服？」

紅衣少女一揮手中拂塵，笑道：「你如不肯脫光衣服，讓我搜索，我就只好自己動手了。」陡然向前欺了二步，左手疾向方兆南肩頭抓去。

方兆南縱身向旁一閃，避開了一抓之勢，反臂一掌，「巧打金鈴」，當胸擊去。

紅衣少女嬌聲笑道：「可惜我那三師妹已經不在此處，再也無人相救於你了。」口中笑語盈盈，人卻斜向右側橫跨了兩步，右手拂塵下垂，左手疾如閃電而出，一把抓住了方兆南右腕脈門。

要知武功一道，不得有分毫之差，這紅衣少女武功要比方兆南高出許多，是以舉手之間，就擒住了方兆南脈門要穴。

方兆南脈門被扣，行血返向內腑回攻，只覺右臂一麻，全身勁力頓失。

紅衣少女右手拂塵輕輕一揮，掠著方兆南面門掃過，笑道：「你如不肯獻出『血池圖』來，我就用拂塵把你這一張俊臉掃個血肉模糊，瞧我那仙女般的三師妹，還會不會喜愛於你。」

方兆南冷笑一聲，道：「生死之事，也算不得什麼，何況毀我之容？」

紅衣少女笑道：「你很倔強，不過，我不信你真是銅打鐵鑄之人，咱們試試看，到底是哪一個狠。」

驀聞長嘯劃空，一條人影疾如離弦流矢而至，眨眼已落到兩人身側。

來人身法奇快，方兆南和那紅衣少女都不禁暗吃了一驚。

轉頭瞧去，只見一個胸垂長髯，手握竹杖的老叟，巍然靜站在兩人數尺之外，正是那以醫術丹道馳譽江湖的知機子言陵甫。

他呆呆地望了兩人一陣，突然大喝一聲：「還我『血池圖』來！」舉手一杖「泰山壓頂」，向那紅衣少女當頭劈下。

此人功力深厚，杖勢非同小可，竹杖帶起嘯風之聲，威勢極是驚人。

紅衣少女柳眉一顰，右手拂塵一揮，疾向竹杖上面捲去，罵道：「老不死的瘋瘋癲癲的鬧什麼鬼？」

言陵甫雖爲失圖、毀丹的巨大刺激，鬧得神智迷亂，但他武功並未消減。一見那紅衣少女揮到拂塵，捲向竹杖，立時一個轉身，帶動下擊杖勢，易打爲掃，呼的一招「橫掃千軍」，攔腰直擊過去。

紅衣少女見他出手兩招攻勢，看來凌厲無比，心中暗吃一驚，左手潛運內力向前一推，把方兆南向後震退了五、六尺遠，同時自己也飄身向後而退，讓開一丈。

她武功雖高，但因很少和人動手，歷練經驗甚少，目睹對方出手兩杖威猛無儔，未免有點心慌，不自覺間，把方兆南握住的右腕鬆開。

言陵甫一擊不中，大喝一聲，竹杖疾變一招「順水推舟」，直點過去，他功力深厚，這些平平常常的招術在他手中施展出來，威力卻強猛異常。

紅衣少女放開方兆南後，緩開手腳，不再退讓，微微一側嬌軀，竹杖掠著身側而過，右手拂塵一招「疾風拂柳」，反擊過去。

言陵甫神智雖然迷亂，但心中卻緊記著那白衣少女相告之言，說偷他「血池圖」之人，是一個身著紅衣的少女。

是以，他看得紅衣少女後，不問青紅皂白，舉杖就劈。

他武功雖然高強，但那紅衣少女反擊的一招「疾風拂柳」，不但迅快絕倫，而且手法十分詭異難測，言陵甫一杖點空，人卻被那反擊之勢，逼得向後退了三步。

兩人這一動手，神智迷亂的言陵甫愈發認定那「血池圖」是這紅衣少女所竊，怒喝了一聲，道：「還我『血池圖』來！」

揮動竹杖，全力猛攻過去，剎那間杖風如嘯，排山倒海般直罩過去。

紅衣少女雖被橫裡殺出的言陵甫氣得怒火高燒，但她在盛怒之下，仍然嬌笑不絕，揮動手中拂塵，和言陵甫展開了一場搶制先機的快攻。

方兆南看兩人交手數招之後，即行以生命相搏的惡鬥，打得激烈絕倫，心中暗暗忖道：「我此時若不走，待兩人分出勝負再想走，就來不及了。」

一揮臂，撿起地上衣服，轉身疾奔而去。

那紅衣少女雖然看到方兆南奔逃而去，但因言陵甫竹杖攻勢猛烈，無法擺脫那綿綿不絕的攻勢，只好眼看著方兆南逃去，不能抽身追趕。

這一股憤恨之氣，一股腦兒全部發在言陵甫的身上，拂塵招數一變，著著都是致命殺手，那柔韌的拂塵，被她用內家真力貫注上面，揮擊之間，根根豎立如針，斬脈拂穴，狠辣無比。

但言陵甫的武功，亦非泛泛，紅衣少女武功路數雖然怪異，但一時之間要想傷他或是勝他，亦非容易之事。

方兆南放腿向前跑了一陣，突然靈機一動，辨認了一下方向，越山而走。

他有了一次教訓，知對方腳程較自己快速甚多，不敢再稍作停留，雖然已易向越山而走，但仍然全力奔行趕路。

太陽爬上了積雪峰巔，旭光雪色，幻化出奇麗無比的晨景。

方兆南已跑得力盡筋疲，找了一處大岩石後，盤膝坐下休息。

他原想運氣調息一陣，俟體力恢復後，再繼續趕路，要知他這一日夜的時間，一直在驚濤駭浪和焦慮之中度過，體力及心智消耗甚大，這一緩氣坐下休息，自是難免沉暈入睡。

不知過去了多少時間，醒來已經是中午時分。

只覺腹中饑腸轆轆，甚是難耐。

正待起身去尋找些食用之物充饑，忽聽一個低沉的聲音說道：「久聞知機子言老前輩丹道醫術獨步武林，咱們兄弟這次如能見得到他，想必可得到一點厚賜。」

方兆南心中一動，立時打消了去尋食物之念，側耳聽去。

但聞一個嗓音甚尖的童腔說道：「師父再三告誡咱們，說言老前輩生性甚是怪僻，見他面時，不許有所告求，免得他瞧咱們不起。師兄還是早些打消得人厚賜的念頭，免得到時大生失望之感。」

只聽另有一人笑道：「師弟只知其一，不知其二，師父雖和言老前輩相識，但卻從無往來，此次忽然要咱們捷足送這一封機密函件於他，想來這信中，定然是有著極重大的事故，說不定信中所說之事，和言老前輩有著什麼重大牽連。要是果真如此，咱們這千里傳信之苦，當可邀得言老前輩歡心，賜咱們幾粒靈丹，豈不是極爲平常之事？」

那尖嗓門的童音，重又響起，笑道：「但願師兄說得不錯。咱們已經休息了很長時間，是該起身趕路啦！」

方兆南探頭向外瞧去，只見兩個身著青色道袍，背插長劍的少年，已起身向正西方向走

去。

他因沒有瞧到兩人，無法分辨兩人的年齡。

兩人步履十分迅快，方兆南略作忖思，該不該叫回兩人，告訴他們言陵甫遭遇之事，兩個道人已走得沒了蹤影。

他緩步走出大岩石後，仰臉長長吸一口氣，心中暗暗忖道：「多一事不如少一事，這兩人來歷不明，如若好心相告他們，反而惹出一場麻煩來，那可是大不划算之事。」

方兆南這數日之中，連遇奇變，心中早已生出警惕之心，不願再生枝節，而延誤救師妹的時間。

正待繼續趕路，忽聞衣袂飄風之聲，來自身後，不禁心中一驚，轉頭望去，只見一個身著灰色長袍老者，和三旬左右中年漢子，急奔而至。

這兩人的身法雖快，但卻滿臉風塵之色，那灰袍老者瞧不出什麼，中年大漢卻現出了滿臉困倦之容。

顯然，兩人是經過長途的趕路。

兩人相距方兆南五、六尺處，突然停下腳步，四道眼神，一齊朝向方兆南，上下地打量。

半晌工夫，那老者才一抱拳，笑道：「借問兄台一聲，可見過兩個身著道裝的人走過去麼？」

方兆南心中暗道：「看這兩人行色，分明是追蹤那兩個道裝之人，看來這其中定然有著什麼事情。」

他一時之間，不知是否該告訴兩人，沉吟良久，答不上話。

那中年大漢看方兆南久不肯答話，心中已感不耐，一翻腕，拔出背上的判官雙筆，指著方兆南，厲聲喝道：「你這人耳朵聾了不成？問你的話聽到沒有？」

方兆南靈機一動，暗道：「這兩人來勢洶洶，如若追上那兩個道裝之人，只怕要有一場火併，眼下好惡難辨，倒不如給他裝聾作啞，含含糊糊地應付過去。」

當下故作聾啞之狀，偏頭瞧了兩人一眼，搖搖頭，轉身緩步而去。

他曾見過那聾啞的黃衣少年舉動，是以學來十分相像。

灰袍老者雖是久走江湖人物，但見方兆南的舉動之間，確似聾啞之人一般，毫無裝作的破綻，不覺一皺眉頭，道：「這人看去十分英俊，一點不像聾啞之像，怎地竟是一個聾啞之人？」

那中年大漢暴喝一聲，道：「這小子哪裡會是真聾，分明是故意裝作，我去把他揪回，給他兩耳光，他就會講話啦！」

灰袍老者一伸手，攔住那中年大漢，道：「如是裝作之人，豈能瞞得過我一雙眼睛，此刻寸陰如金，豈可把這寶貴的時間浪擲在身有殘缺之人的身上。」

中年大漢似是甚畏懼那灰袍老者，見他伸手相阻，竟不敢強行出手。

但他口中卻大聲說道：「我就不信他真的會是個聾啞之人，看他眉宇間英華蘊斂，分明還是個身有武功之人……」

那灰袍老者冷笑一聲，截住了那中年大漢的話，接道：「不錯，他不但身懷武功，而且你還未必是他敵手。但身有武功之人，不見得就沒有聾啞殘缺之疾，我走動幾十年的江湖，難道還會走眼不成？」

中年大漢見那老者臉上隱現生怒之色，不敢再多接口，翻腕又把兩支判官筆插入背上。

但他仍然不肯相信方兆南是身有殘缺的聾啞之人，兩道眼神，一直緊盯在方兆南背影之上，想瞧出一點破綻。

只見他不快不慢地緩步向前走去，直到背影消失不見，始終未回頭望過兩人一眼。

那灰袍老者傲然的一笑，道：「老夫終日打雁，還真能讓雁兒啄了眼珠不成？你此刻可相信老夫之言麼？」

中年大漢目睹方兆南走去的沉著神態，心中亦不覺活動起來，暗自忖道：「此人如非聾啞，怎麼能走得這般沉著？」

回頭對那灰袍老者笑道：「成兄究竟是見聞廣博之人。一眼之間就能辨出對方是聾啞之人，實叫在下佩服。」

那老者聽得中年大漢的頌讚之言，臉上卻毫無喜悅，輕輕嘆息一聲，道：「咱們得快些趕路，如若被那兩個小道士搶先見了知機子言陵甫，咱們就算白跑這一趟了。」

說完話，振袂向前奔去。

原來他目睹方兆南去時的從容神情，心中突生疑慮，但因那中年大漢的幾句頌讚之言，又使他不便改口承認自己看走了眼，只好借趕路之事，應付過去。

方兆南故裝聾啞，緩步走過一個山彎之後，陡然加快腳步。一口氣跑出了六、七里路，才停了下來。

經過這一陣奔跑，腹中饑餓更甚。

放眼四外看去，盡都是綿連不絕的山勢，別說借食之處，就是可資充饑的山禽走獸，也看不到。

他雖是練就一身精純的武功，但一夜間未進一口食用之物，又連番經歷凶險奔走，體力、精神，都已感到不支。

饑餓疲累，使他不能再強撐趕路，緩緩席地坐下，閉目運氣調息。

忽然間，一陣鳥羽劃空之聲，掠頂而過。

方兆南警覺地一躍而起，隨手撿起一塊山石，運足了腕力，一抖手，疾向一隻振翅而過的飛鳥打去。

他本是暗器能手，出手認位奇準，飛石破空打去，一隻雪羽健鴿應手而落。

他折集了一些乾草枯枝，摸出千里火筒，燃起乾草，又撿起地上健鴿，正待放入火中燒食。忽然心中一動，暗道：「這等荒山之中，哪來這隻孤自飛行的白羽健鴿？常聞人言，江湖之上，有飛鴿傳書之事，莫非今日被我遇上不成？」

心念一轉，分開鴿羽，果然在那白羽健鴿的左翼之下，找出一個小指粗細，寸許長短的竹筒，用著極細的白線，繫在鴿翼之上。

這竹筒異常細薄，隨手一捏，立時裂成兩半，一卷白紙，應聲而現。

方兆南展開紙卷一瞧，只見上面寫道：「天風道兄清鑒：手示奉悉，弟因要事，不克即時應召赴約，六日後當兼程趕往，絕不誤大會之期，謹此奉覆。」

下面並未署名，卻書著一個太極圖樣。

方兆南在江湖上走動時日雖然不久，但因天風道長的名頭太大，大江南北武林道上，無人不知其名。

方兆南雖未見過被譽為江南四大名劍之首的天風道長，但卻常聽人談起此人之名。

他雖是遁身世外，跳出五行的三清弟子，但他乃天生俠骨之人。常常伸手管些不平之事，隱隱被譽為江南七省白道領袖。

他望著手中紙束，心中忽生不安之感，暗自想道：「天風道長被武林譽為一代大俠，武林中人，個個對他敬仰，這飛鴿傳書信，自不能等閒視之。這覆書之人既和他稱兄道弟，想來定然也是極具聲望的武林高人，書中所說的大會之期，看來是一場十分重要的聚會……」

心念及此，突然又想到適才所見那一大一小兩位道人，以及那灰袍老道和隨行的中年大漢，跋涉急追兩個道人之事，此中蹊蹺，似非單純。

這一聯想，只覺其間事非，糾結貫穿，互為因果。

他本是極為聰明之人，一念所及，百感頓生。

但覺那兩個傳書道人，和那灰袍老者及中年大漢，深入九宮山來，不只四人之間互相牽纏，而且都可能和「血池圖」有著關連。

只是個中詳情，錯綜複雜，局外人，縱有非凡才智，一時間，也難猜想得透澈。

他只顧用心推想那兩個道人和灰袍老者中間是非牽纏之事，忘了把打落的白羽健鴿投入火中去燒烤。

待他想起腹中饑餓之時，那點燃的乾草枯枝，早已燒完熄去。

正待起身，再去撿折一些枯枝乾草，忽覺一隻手掌，緊緊地按在自己背心之上。

同時，身後傳來了一個冷冷的聲音，道：「快些把手中紙束交付於我，如若妄圖抗拒，我

只要一吐掌力，立時震斷你的心脈。」

對方手掌接著之處，正是人背心上「命門」要穴，方兆南被勢所迫，只得舉起手中紙束，交於身後之人。

就在他舉起手臂之時，突覺後肩處「風府」穴一麻，頓時失去知覺。

昏迷中不知過去了多少時間，醒來時滿目漆黑，耳際間車輪轆轆，手腳卻是動彈不得。原來他已被人綁了手腳，勒著雙目，放置在一輛馬車之中。

聽蹄聲急響，和身軀顫動，已知那馬車正迅快地向前面奔馳著。

他暗中運氣，行集兩臂之上，奮力一掙，想把捆綁雙手的繩索掙斷。

哪知剛一掙動，突覺臉上一涼，身側響起一個低沉的聲音說道：「朋友放識相點，如果妄圖掙斷繩索，可別怪我心狠手辣，挑斷你手上的筋脈了。」

敢情這馬車之中，還有人看守著他，方兆南心知難以抗拒，頓消掙脫縛手繩索之念，暗自嘆息一聲，不再掙動。

他雙目被人用黑布勒住，也不知是晝是夜，只聽蹄聲得得急奔，車聲轆轆不絕，車行極是快速。

他盡力克耐著激動的心情，用十分柔和的聲音問道：「朋友，在下很少在江南道上走動，自信和你們談不上什麼恩怨，你們這般地對付於我，不知是何用心？」

只聽身旁一人笑道：「你這話待見著我們瓢把子時再問吧！現在最好別多講話，免得自討苦吃。」

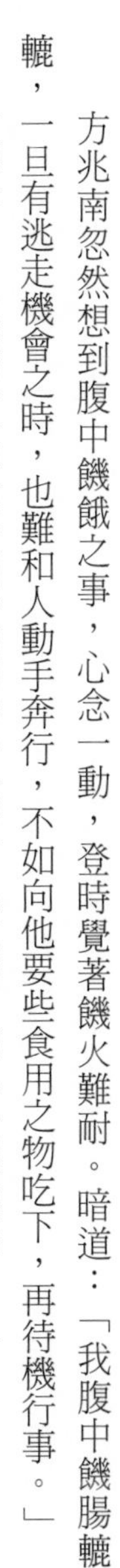

方兆南忽然想到腹中饑餓之事，心念一動，登時覺著饑火難耐。暗道：「我腹中饑腸轆轆，一旦有逃走機會之時，也難和人動手奔行，不如向他要些食用之物吃下，再待機行事。」

正待啓口，忽聽車外傳來一個沙啞的聲音說道：「怎麼?那小子醒過來了?」

車內之人答道：「醒來好一會兒啦！」

車外那沙啞嗓門的人，又道：「那小子看上去十分棘手，你要小心一點，別讓他弄斷了繩索，咱們就要交班的時間了，要是出了事，可是大不划算。」

但聞車輪急響，馬車速度突然加快起來。

方兆南聽兩人對答之言，心知縱然啓口，也難要得食物，索性一語不發，靜坐養息精神。

馬車又奔行了一個時辰左右，突然停了下來，方兆南只覺身子被人抬下馬車，向前走約百步左右，忽聞波濤盈耳，似是到了江邊。

他雙目雖已被黑布勒住，但憑藉聽覺相辨，覺著被人抬到船上，身子剛被放好，船已起錨開行。

這般人似都是久經訓練，動作熟練無比，而且一語不發。

江風怒嘯，水聲震耳，船身被洶湧的波浪顛動甚烈，方兆南不善水性，又加饑餓過久，精神早已不支，漸感頭暈目眩，終於暈迷過去。

待他再度醒來時，景物已經大不相同了。

只見自己停身一座燭火輝煌的大廳之上，兩側錦墩排列，坐滿了人，高低肥瘦，總共不下二十餘人之多。

大廳上首，端坐著一個年約五旬，鷹鼻鷂眼，身軀修偉，長髯垂胸，滿臉肅殺之氣，身穿天藍長衫的人。

此人相貌雖然叫人望而生畏，但嘴角之間，卻故意露出三分笑意，也不知是他長相過於肅殺，或是他笑得過於勉強，使人瞧去更增陰森之感。

在他左側，坐著一個五短身材的人，一身青綢長袍，留著兩撇八字鬍，但雙目神光炯炯，一臉精悍之色。

右面卻坐著一個白髮白髯，骨瘦如柴，雙目如睜如閉的老叟。

那正中鷹鼻鷂眼之人，手中拿著方兆南由鴿身取得的白色紙卷，一見方兆南醒來之後，立時一拱手，朗聲笑道，「屬下無知，開罪兄台，在下這裡代爲謝罪了。」

說完，欠身而起，抱拳作禮。

這等客氣之言，在他口中說出，也使人聽來有種陰森森的感覺，方兆南手腳早被解去束縛，見人欠身抱拳作揖，只好起身還了一禮。

鷹鼻鷂眼之人微微一笑，道：「江南道上甚少見兄台露面，想必大駕是由遠處到此了？」

方兆南道：「在下由江南而來，遊蹤九宮山中，不知哪裡觸犯了貴屬禁忌，被他們暗施偷襲，擄我到此，也許在下初踏貴地，忘了入鄉問俗之規，無意中開罪了貴屬，致被他們擄來。」

他在說話之時，那鷹鼻鷂眼之人，一直在點頭微笑。

方兆南話一說完，他立時接口說道：「江湖之上，難免常有誤會之事，兄台遭兄弟屬下請來此處，乃出一時誤會，兄弟只想向閣下打聽兩件事情，如蒙據實相告，在下立時恭送大駕離

此，並將嚴責招事屬下。」

方兆南暗自忖道：「看此人氣魄不小，分明是這般人中首領，糊糊塗塗地被他擄掠來此，豈可連他姓名也不知道？」

心念一轉，問道：「在下初入江南，對貴地有名人物，多不相識，敢問兄台高姓大名，也好使在下多識一位高人。」

那人拂髯一笑，道：「兄弟愧不敢當高人之稱，賤姓袁草字九逵。」

方兆南悚然一驚，暗道：「江湖上久傳笑面一梟袁九逵之名，爲南六省黑道首領，統領著江南綠林，和天風道長分庭抗禮，一正一邪，彼此勢均力敵，想不到竟然落在此人手中。」

他沉忖了一陣，說道：「在下身在江北之時，已聞大名，今日幸得一晤，實足慰生平渴慕。」

袁九逵微微一笑道：「尚未請教兄台高姓大名？」

方兆南道：「在下方兆南。」

袁九逵笑道：「方兄可識得天風道長麼？」

方兆南微一沉吟，緩緩道：「天風道長麼——武林中不識其名的，恐還不多，在下亦是久聞其名，只是——卻無緣一睹其人風采。」

他說話之間，卻故意頓了兩頓。

袁九逵鷹目之中，神光閃動，電也似地在他面目之間一掃，突地朗聲笑道：「原來兄台和天風道長只是神交而已，那麼——」

他話聲一頓，面上森冷之色，又復滿布，將手中得自方兆南的白色紙卷一揚，冷冷接道：

「這張字柬，兄台卻又是從何處得來的？」

方兆南目光一轉，只見這大廳之上，數十雙眼睛，正都炯然望著自己，不禁暗嘆一聲，知道自己此刻已無異置身龍潭虎穴。

答話稍一不慎，立時便有殺身之禍。

一念至此，便道：「這張紙柬，只是在下無意之間，拾得來的——」

話聲猶自未落，卻聽大廳兩側，冷冷傳來幾聲冷笑。

方兆南心頭一寒，往後退了兩步，耳側但聞那袁九逵有如九秋梟啼的笑聲，朗朗不絕，不禁脫口說道：「在下甚至連此柬具名之人是誰，都不知道哩。」

笑面一梟「哦」了一聲，面上滿帶笑容，緩緩說道：「如此說來，兄台竟連那天風道長柬邀群雄，盛會江湖一事，都毫不知情了？」

方兆南頷首道：「正是。」

袁九逵悅聲道：「兄台所說之話，雖然令人難以置信，但兄台既如此說——」他朗聲一笑繼道：「在下也只得相信了。」

他笑聲之中，滿含輕蔑，方兆南聽在耳裡，只覺心中一股怨氣，無法遏止地奔發出來，劍眉微軒，方待反唇相譏。

但心念一轉，想到雖自己並不怕死，但若就此死去，則已陷於絕境的師妹，也將永難脫身，自己生死雖不足惜，但師門恩重如山，卻又怎能將師妹的生死，置之不顧呢？

於是他長嘆一聲道：「在下所說確是實言，兄台如不相信，唉，也只有由得兄台了。」

袁九逵將手中的白色紙柬，疊成一塊，緩緩放入懷中，卻從懷中掏出一對羊脂玉瓶來，在

滿堂燈火輝映之下，更覺晶瑩無比。

方兆南目光一觸這對玉瓶，腦中轟然一聲，只覺天地都彷彿變了顏色，伸手一探，懷中果已空空。

廳上燈光仍然明亮如故，但方兆南卻覺得眼前一片灰黯，彷彿看到那陰森潮濕的洞窟之中，一隻乾枯黝黑的手掌，正緩緩向周蕙瑛關節之處揉去，壁間的盞盞燈火，彷彿都變成了她驚恐而凄婉的面容。

直到袁九逵陰森的笑聲，再次響起，他才從這驚恐的暈眩中清醒。

微一定神，只見這笑面神魔手不停地把玩這對玉瓶，一面含笑道：「兄台口口聲聲，俱說和武林中人士無關係，但這兩瓶武林中極爲罕見的生肌辟毒聖藥，兄台卻又是從哪裡得來的呢？這卻叫在下有些奇怪。」

方兆南但覺心胸怒火上沖，不能自已，抗聲道：「這九轉生肌續命散及辟毒鎮神丹，俱是兄弟自九宮山言老前輩那裡得來，難道又與閣下有什麼關係？」

袁九逵哈哈一笑，和右側瘦削老者交換了個眼色，緩緩說道：「這九轉生肌續命散與辟毒鎮神丹，俱是武林中人百計難求的聖藥，知機子以此相贈，想必兄台必與他是深交了。」

方兆南微微一怔，隨即道：「在下和言老前輩正是忘年之交。」

他深知自己此刻萬萬不能將取得此藥的真相說出，是以隨便應了一句，但話一出口，卻又覺有些不妥，只是話出如風，已萬難收轉。

哪知他目光抬處，卻見那袁九逵竟喜動顏色，接口道：「如此說來，那言陵甫的居所，兄台是一定知道的了。」

方兆南道，「言老前輩的居處，在下自是知道，但——」

袁九逵大笑一聲，截斷了他的話，突地長身而起，道：「那好極了，在下正亟欲一見其人之面，卻苦於不識途徑，哪知今日有幸，卻讓在下見著兄台——」

他笑聲突頓，目光炯然地注向方兆南之面，接著道：「想必兄台也不會拒絕攜帶在下拜訪那言老前輩吧？」

方兆南又是一怔，半晌說不出話。

卻聽袁九逵又是笑道：「兄台如叫在下失望，在下也只得叫兄台失望了。」手腕一揚，將手中的玉瓶，高高拋了起來，又長笑著接到手中。這名震一時的旱澤梟雄，察言觀色，已知這對玉瓶，必定對這少年關係甚大。

方兆南果然面色大變，急聲道：「並非在下不肯和兄台同往，卻是因爲言老前輩早已經不在九宮山裡了。」

袁九逵嘴角帶著難測的笑意，長長的「哦」了一聲，手腕一揚，將手中玉瓶拋得更高了些。兩瓶互擊，發出「砰」地一聲輕響，一面笑道：「既然如此，兄台又何妨攜帶在下前去看看，也好讓在下死心。」

方兆南雙睛火赤，大喝一聲，身形展動，倏地向袁九逵撲了上去，出手如風，左手劈面擊出一掌，右手五指如鉤，卻去搶那玉瓶。

袁九逵朗笑依然，身形未動，右掌輕輕一劃，方兆南只覺一股銳風撲面而來，再也穩不住身形，蹬、蹬、蹬朝後連退三步，心裡暗嘆一聲，只覺萬念俱灰，轉動身形，撲向門外。

哪知卻見一人面帶冷笑，當門而立，竟是那始終靜坐在袁九逵身側的白髮瘦削老叟。

他大驚之下，身形突然一頓。

只見這瘦削老叟，面帶冷笑，緩緩移動腳步，向他走來，滿堂群豪，雖仍端坐未動，但一道道隱含陰森之意的目光，就像箭也似地射在他身上。

他心裡只覺混混沌沌，像是萬事俱都藏在心裡。卻又像是萬事俱都不在念中，雙臂微張，身形方欲再展，哪知眼前突地一花，一隻乾枯瘦削的手指，已筆直地點在他脖間的「天樞」穴上，而那瘦削老者隱含冷笑的面容，也已赫然在他眼前。

他氣血一塞，氣力頓消，身軀緩緩向下倒去，耳畔只聽得那袁九逵帶笑的聲音道：「在下雖然最好說話，但如兄台不識抬舉，就怪不得在下冒犯兄台了。」

方兆南剛才甫一出手，便知道這袁九逵武功高出自己何止十倍，自己想要從他手中奪回玉瓶，簡直絕無可能，心灰之下，本想衝出此間，到那抱犢崗去，和自己的師妹死在一處。

哪知此刻他竟連生死都不能自主，心中急、怒、羞、愧，交相紛至，卻又聽得袁九逵含笑道：「兄台只要將在下等帶至知機子的居處，不但將這對玉瓶原封不動地還給兄台，而且還將兄台恭送回家。

「日後，兄台在江南地面上有什麼事需要相助的，只要招呼一聲，在下必定全力以赴——哈！兄台也是聰明人，卻又爲何如此想不開呢？」

方兆南張目一望，只見袁九逵那張永遠帶笑的面容，正低頭俯視著自己，憤然閉上眼睛。但瞬息間，周蕙瑛淒婉的神情，又復浮現在他眼前。

方兆南暗嘆一聲，張開眼來，努力將嘴唇微微動了一下，雖然說不出話來，但他面上的神情，卻已足夠讓那世故而奸狡的袁九逵了解他要說的話了。

袁九逵頎長的身軀，向下一弓，伸手扶起他來，右掌在他腰間背後極快地拍了三掌，口中笑道：「兄台早些如此，不是少好些事端嗎？」

同時，一面回首喝道：「方大俠一路勞頓，你們還不快些擺酒，爲方大俠洗塵。」

方兆南只覺腦中空空洞洞，一心只想快些將這袁九逵送到地頭，取回那兩瓶丸散，趕到抱犢崗去救出恩師的唯一骨肉來。

至於其他的事務，此時此刻，他又怎能顧及呢？

袁九逵滿面笑容，滿口兄台，擺下盛筵，款待於他，卻將滿堂群豪都引至廳外，只留下那瘦削老叟，坐在他身側殷殷勸酒。

方兆南悶聲不響，箕踞首席，埋頭大吃，目光卻連望都不望這瘦削老叟一眼，這白髮瘦削的老者，神情木然，根本也並未放在心上。

酒醇饌美，但方兆南吃在嘴裡，卻是味同嚼蠟，他此刻雖然是在大吃，但他的心卻已遠遠飄到千里之外。

一陣風由廳外吹入，吹得席間的燈火，光焰搖動。

燈火搖曳之間，那笑面一梟袁九逵又已長笑大步而出，身後卻跟著六個勁裝漢子，高矮胖瘦，雖然不同，但步履之間，卻都沉穩已極。

只見個個目中光采奕奕，一眼望去，便知俱爲內家高手。

方兆南推杯而起，冷然向袁九逵瞧了一眼，道：「該走了吧？」

袁九逵頷首笑道：「有勞兄台大駕，在下心中實覺不安。」

方兆南冷哼一聲，不理會袁九逵客氣之言，大步向廳外走去，只見四、五丈方圓的大院子

中，站滿了全身勁裝，佩帶兵刃的大漢。

這般人似乎都對袁九逵有著無比的敬畏，個個躬身抱拳，垂首而立，瞧也不敢瞧袁九逵一眼。

方兆南星目環掃了四周一眼，只見院中高高低低，不下四、五十人之多。

抬頭往上瞧去，只見屋面之上也站滿了佩帶兵刃的人，心中暗暗忖道：「此人這等排場，不知是何用心，難道是故意擺給我瞧的不成？」

笑面一梟目光炯炯地環掃了全場一眼，轉臉對緊隨身側留著八字鬍的矮子，低聲地吩咐了兩句。

那矮小之人舉起左手一揮，高聲說道：「各位可以休息啦！」

只聽一聲令下，守在屋面和院中之人，一齊撤離原位，急奔而去，行動迅快，眨眼之間，走得全無蹤跡。

袁九逵朗聲一笑，搶前一步，和方兆南並肩而進，道：「兄台想必還有要事待辦，在下做事，向來明快，我想咱們今宵快馬兼程趕上半夜，早則明天日落之前，晚則初更過後，就可以進入九宮山了。如果兄台路徑熟悉，不誤時間，明夜三更之前，當可見到知機子言老前輩之面，在下只要一見到言陵甫，立時藥物奉還，快馬送兄台離山。」

方兆南冷冷地瞧了袁九逵一眼說道：「我只管帶你們到知機子言老前輩隱居之處，至於他是否在家，願不願接見大駕，那可不關我的事。」

袁九逵笑道：「那是自然，兄台只要帶我們找到言陵甫隱居處，其他事絕不敢多麻煩。」

談笑之間，人已穿過庭院。

方兆南暗中留神，打量了那莊院幾眼，夜色籠罩之下，但見樓閣重重，規模十分宏大。

袁九逵瞧了相隨群豪一眼，道：「咱們這次機緣趕巧，遇得方兄帶我們去見知機子言陵甫，機遇上搶了先著，天風道長縱然計劃周詳，這次也要栽在咱們手中了。」

那六個亦步亦趨的大漢，瞧到袁九逵面上得意之色，不覺也微微一笑。

袁九逵似是異常高興，大踏步出了莊院。

大門外，早已準備好十匹長程健馬，鞍鐙早已配好。

袁九逵接過最先一騎，卻反手讓給方兆南，然後跳上第二匹馬，一抖韁繩，十匹快馬，疾向正西面去。

不過一頓飯工夫之久，耳際間忽然響起濤濤水聲。

抬頭看去，夜色中一片耀目水光，原來已到了江岸所在。

江岸邊早已停好了五艘快艇，艇上水手均已登岸相候。

袁九逵一到江邊，立時接過韁繩，牽馬上艇，兩匹馬登上一艘快艇，十人十馬，分乘五艘快艇。

艇上水手動作熟練迅快，方兆南人馬剛剛站穩身子，快艇已起碇向對岸駛去。

七　紅粉干戈

方兆南和袁九逵合登一艇，他一直瞧著方兆南微笑，但卻不發一語。

方兆南被瞧得心中甚覺厭惡，終於忍耐不住，說道：「兄台這般地瞧著我，難道這也有什麼用意不成？」

袁九逵微微一笑道：「在下有一事，想不明白，不知兄台能否見告？」

方兆南冷笑一聲，道：「不妨先請說出，讓我斟酌一下再說。」

他雖身陷龍潭虎穴之中，生死操人手中，但仍然倔強異常。

笑面一梟臉上笑容依舊，絲毫不露慍色，笑道：「看樣子，兄台似非常在江南一帶走動之人，不知爲何肯踏入在下這江南地面，可是單爲找言老前輩，求取九轉續命生肌散和辟毒鎭神丹兩種靈藥？」

方兆南不願和他多話，隨口應道：「不錯，怎麼樣？」

袁九逵陰森一笑，低頭想了半天道：「在下雖未見過九轉續命生肌散和辟毒鎭神丹兩種藥物，但卻常聽人談過這兩種藥物的功能，辟毒丹功解百毒，九轉續命生肌散，力能去腐生肌，爲當今江湖上第一療治外傷靈藥。兄台不惜千里迢迢，跑到我江南地面上來，訪晤言老前輩，可是專爲討取這兩種藥麼？」

方兆南聽得心中一動，暗道：「此人果然陰詐無比，以後對他言行，倒是得小心應付，免得被他找出破綻。」

當下冷冷說道：「這兩種藥物，乃闖蕩江湖必備之物，在下向言老前輩討來，只是備而不用。」

袁九逵不再講話，默然微笑。

快艇裂波疾進，片刻間到達對岸。

這十匹長程健馬，似都有著乘舟渡水的經驗，置身快艇之中，竟不嘶叫，待快艇一靠岸，紛紛自動躍登岸上。

袁九逵當先飛身上馬，放轡向前奔去，十匹健馬放蹄競走，奔行在寒風之下，風馳電掣一般，直向九宮山中而去。

幾人日夜兼程急趕，果然在次日黃昏時分，到了九宮山下。

方兆南一心想早日回到山東抱犢崮去，以藥易人，救助師妹出險，是以登山之後，立時帶著幾人直向知機子言陵甫所居寒水潭而去。

山勢愈走愈崎嶇，袁九逵不得不下令棄馬步行，十匹長程健馬由一個隨行的大漢，控候在一座山崖之下。

那一直緊隨在袁九逵身側，留著八字鬍的矮小漢子，突然向前搶了兩步，緊隨方兆南身側而行。

此人雖然身材矮小，但瞧上去卻一臉精明幹練，兩道眼神有如冷電一般，炯炯迫人。

他側臉望了方兆南一眼，笑道：「不知言老前輩居住之處，離此尚有多少路程？」

方兆南打量一下山勢，道：「暮色籠山，已難辨去路……」

話還未說完，陡聞袁九逵冷哼一聲，縱身向左側一片亂草叢中躍去。

他一停下腳步，隨行群豪，一個個隨著他停了下來。

那位經常寒著臉的白髮白髯老叟，忽地一睜經常合在一起的眼皮，緩步向袁九逵停身的草叢邊走去。

方兆南轉臉瞧去，只見那亂草叢中，並排仰臥兩人，眼睛緊閉，四肢平伸，也不知道是死是活？

袁九逵鷂眼中神光暴射，望了方兆南一眼，道：「這一帶除言陵甫外，還有什麼人住在此處？」

方兆南道：「這個，在下就不清楚了。」

袁九逵陰沉一笑，吩咐身後相隨之人道：「你們摸摸看，還有沒有救。」

兩個佩帶兵刃的彪形大漢，一左一右躍出，一人一個，扶起那並肩仰臥之人。

方兆南仔細一瞧之下，不禁身子一顫，向後退了一步。

原來那仰臥在草叢中的兩人，正是自己出山之時所遇的灰袍老者和中年大漢。

只見那兩個佩帶兵刃的大漢，伸手在兩人胸前摸了一下，道：「已經氣絕多時了。」

袁九逵嘴角間仍然帶著笑意，目光在兩個屍體上瞧了半晌工夫，微微點了點頭，笑道：「把他們埋起來吧。」

兩個扶持屍體的大漢，躬身應命，挾著屍體，向草叢中深入四、五尺。拔出兵刃，就地挖

了一個土坑，埋了兩人。

袁九逵低沉的冷笑一陣，對方兆南道，「方兄可見過兄弟那兩位死去的屬下麼？」

方兆南暗自忖道：「此人心機深沉，狡詐百出，必已看到我剛才神色，我如不據實相告，只怕要引起他的疑心。」

他乃極爲聰明之人，略一轉動心念，立時答道：「在下出山之時，曾和兩位屬下相遇旁道，想不到數日之隔，兩人已然死去。」

袁九逵聽他言詞之中毫無破綻，察言觀色，知他所言非虛，點頭一笑，道：「方兄武功高強，想必早已瞧出他們兩人如何死法了？」

方兆南接口答道：「以在下的看法，貴屬似被人用重手點中要穴而亡。」

那留著八字鬍的矮小漢子，突然插嘴，接著說道：「以在下的看法，兩人氣絕時間，不會超過半日工夫。」

笑面一梟袁九逵點頭道：「他們先被人點傷重穴，倒臥在亂草叢中，直待元氣耗盡而死，如果我的推斷不錯，他們受傷日期，當在兩日之前……」

他微微沉吟一陣，又道：「當今江南道上，敢和我袁某作對之人，除了天風牛鼻子一群人外，實難再找得出，但這兩人又似非傷在天風老道的手裡，不知何人有此能耐，竟能一擊點中了成武的要穴。」

那留有八字鬍的矮小漢子，道：「事已至此，瓢把子也不必爲此煩惱……」他轉臉投瞥了方兆南一眼，道：「要不要我先到前面瞧瞧？」

袁九逵笑道：「不用啦！據我看成武是被人用一種獨門手法點中了要穴，就是咱們能在兩

人未死之前趕到，只怕也束手無策，難以救得兩人，眼下不宜再分散實力。」

方兆南心中突然一頓，暗道：「天下點穴手法，大都相差不遠。以笑面一梟的深厚功力，江湖聲譽，竟然承認自己無法解得屬下被點穴道，莫非那紅衣少女還未離開此處不成？」

袁九逵是何等人物，隨時隨地，均在留心著方兆南的神色表情。看他沉思不言，心中疑慮頓生。

但他乃城府沉深之人，雖然動了疑念，但卻不肯貿然追問，故作不覺，緩步向前走去。

那白髮白髯的枯瘦老者，忽然一晃身軀，迅快絕倫地欺到方兆南身側，冷冷地問道：「言陵甫居住之處，除他之外，還有些什麼？」

話聲甫落，探手一把，直向方兆南左腕之上抓去。

方兆南側身一讓，向右側疾跨三步，讓開那枯瘦老叟一招擒拿。

白髮老叟一擊不中，微閉的雙目突然一睜，第二招連綿出手，指風似剪，掃向了方兆南前胸。

這一擊，來勢奇快無比，方兆南退避不及，被迫得舉手封架，一招「迎風斷草」，橫掌向對方右肘上劈去。

只聽那白髯老叟嘿嘿一聲冷笑，掃擊而出的右手陡然一縮，左手趁勢而出，一把抓住方兆南的右腕。

方兆南只覺對方扣在大手腕之上的五指一緊，脈門穴道受制，行血返攻內腑，全身勁力頓失。

忽聽冷森森的大喝道：「耿三元，快些給我放手！」

抬頭望去，只見笑面一梟袁九逵背手卓立在丈餘外處，怒目望著那白髮白髯的老叟。

氣焰萬丈，滿臉殺機的耿三元，在聽得袁九逵大喝之後，竟然乖乖地鬆開了方兆南的右腕，退到一側。

笑面一梟舉手一招，說道：「方兄請這邊來。」

方兆南心知眼下形勢十分惡劣，袁九逵隨來之人，都已對自己動了疑心，隨時隨地都有被殺之危。

袁九逵雖然未必真有相護之意，但他眼下正需自己相助之時，絕不會放任屬下加害自己，當下直向袁九逵身側走去。

這位臉上永遠帶著陰森笑容的江南綠林盜首，此刻，卻似有著無與倫比的心事憂慮，那經常掛在嘴角上的笑意，也暫時斂去不見。

他緩緩地舉起右手，一拍方兆南肩膀，說道：「那死去的灰袍老者成武，和耿三元有著結盟之義，睹屍傷情，一時心急，冒犯了方兄，請兄台不要放在心上才好。」

方兆南幾經思慮之後，覺著在眼下這微妙環境之中，隨時有被殺之危，單以鎮靜應付，只怕不足以自保性命，他乃極端聰明之人，念頭一轉，故作神秘之態。

果然他這種異常的鎮靜輕鬆神情，引起了笑面一梟袁九逵的更大疑慮，但一時間，又不便出口追問，恐怕方兆南笑他膽小，只得故作大方，舉步和方兆南並肩而進。

翻越過一座山嶺，到一座入谷的山口所在，兩株巨松，分列入口兩側。

忽聽袁九逵冷哼一聲，停步不前，兩隻鷂眼中神光暴射，左右轉動，在兩株巨松上面打

轉。

方兆南隨著他目光瞧去，只見左右兩株巨松之上，各自吊著一人，在夜風中不停搖擺，顯然這兩人已經死去多時。

這時，天色已經入夜，微弱的星光之下，更增了幾分陰森之氣，饒他笑面一梟袁九逵殺人不眨眼，此刻也覺著背脊冒上來一股寒意。

但他究竟是一方霸主之才，心中雖感驚駭，而外形仍能保持鎮靜，冷笑一聲，說道：「這兩個道裝之人，看來極像是天風道長門下。哈哈！江南黑白兩道中人，這一次都算栽到九宮山了。」

他想到天風道長門下，也被人殺死兩個吊在樹上，他日傳言江湖上，自己不致被人嘲笑，驚駭之中，又有著幾分歡愉心情。

是以，一時之間情難自禁，哈哈長笑不絕。

方兆南仔細瞧那兩具吊在松樹上的屍體，果然身著道裝，樹身之上，還釘著兩柄長劍，看身材極似自己離山之時，所見的兩個道人。

袁九逵突然頓住了那午夜梟啼般的長笑之聲，側臉對方兆南道：「兄弟久聞知機子言陵甫精通丹道醫術，被江湖尊稱爲神醫之名，想不到竟然是這麼一個心狠手辣之人……」

他微微一頓後，又道：「咱們距他的居住之處，還有多遠？在下倒亟欲一見其人之面，也好討教幾手絕學。」

言詞之間，已把方兆南看做言陵甫同道之人。

方兆南也不解釋，淡淡一笑，道：「言老前輩居住之處，已離此不遠。大約估計，約在十里左右。」

袁九逵嘴角又浮現出令人難測高深的陰冷笑意，說道：「很好，很好，那就請方兄帶路，咱們趕緊一程吧！」

方兆南突然一挺胸說道：「在下有一個不情之求，不知袁兄能否答應？」

袁九逵微微一怔，但瞬即恢復鎮靜，笑道：「方兄有事，但請說出，在下力所能及，無不照辦。」

方兆南道：「等會兒見著言老前輩之時，他如問起我相贈的兩瓶丹藥何在，在下很難回答，言老前輩生性冷怪，人盡皆知，萬一因此惹起爭端……」

袁九逵冷然一笑，道：「在下倒不是害怕惹起爭端，但方兄既有討回失物之心，在下自當原璧奉還。」

說完，立時從懷中取出兩個玉瓶，交還方兆南。

方兆南仔細地檢查了一遍，看瓶中丹藥不錯，收入懷中，笑道：「言老前輩生性怪僻，對人未免冷漠，如果袁兄見著他時，還望忍耐一、二。」

袁九逵笑道：「方兄儘管放心，除非言老前輩迫得在下無路可走，但有一步退路，在下絕不出手。」

方兆南道：「袁兄這等宏大氣度，實非常人能及，無怪能領袖江南水旱兩路英雄。」

他乃極爲聰明之人，已瞧出眼下情勢凶險異常，如果據實相告，不但難獲得對方信任，只怕還要招來殺身之禍，倒不如裝得若無其事，騙他一騙再說。

袁九逵道：「好說，好說，大江南北武林同道，有誰不知我袁九逵是南七省黑道中總瓢把

子，方兄這般抬舉我，叫兄弟如何敢當。」

方兆南微微一笑，不再答話，當先向前奔去，他心中卻在暗暗忖道：「知機子言陵甫早已氣急而瘋，眼下生死難料，如若他敗在那紅衣少女手中，自是難保老命，如若勝了那紅衣少女，像他那瘋癲之狀，早已不知跑到哪裡去了，決然不會仍留在寒水潭浮閣之中。如今，我縱然能騙得他們一時，但立時就有揭穿之危，屆時絕難逃人毒手，怎生想個法子，擺脫這般人才好。」

心中打著主意，腳下卻未停留，不覺間，已奔出數里路程，抬頭瞧去，到了一處兩山挾持的谷口，不覺心頭一震，停下腳步。

原來他只顧索思脫身之策，忽略了四外景物，只待看到谷口，才陡然想起已快到寒水潭邊，只要再轉兩個山彎，就可見浩瀚銀波中兩座浮閣了。

言陵甫既已不在浮閣之中，自己必將招致殺身大禍，是以，他瞧到了谷口之後，立時停了下來。

只聽身後響起袁九逵陰森的冷笑道：「方兄怎麼不往前走了？不知此地相距言老前輩的居住之處，尚有多遠？」

方兆南鎮靜了一下心神，答道：「再轉過幾個山彎就到了。」

瞥眼谷口處一塊大岩石上，寫道：

「擅入一步，寒潭埋骨。」八個紅色大字。

袁九逵似是也瞧到了那大岩上的紅色大字，冷哼了一聲，道：「好大的口氣，這倒要試上一試。」

方兆南靈機一動，說道：「言老前輩就住在這谷中一片水潭浮閣之上。數日前兄弟來此相訪之時，這塊岩石之上，並無字跡，眼下這八個大字，不知是何人所留的，看來又不像言老前輩的筆跡。」

袁九逵聽他說筆跡不似出自知機子言陵甫之手，心中微有所感。

只見他低頭沉思了一陣，說道：「方兄再請仔細地瞧上一瞧，看這字跡是否是言陵甫的手筆。」

方兆南淡然一笑，道：「在下和言老前輩忘年論交，對於他的手筆字跡，認定甚準，一望即知，也許他出外採集什麼藥物去了，請人代爲守候居住之處，這八個字是他請的守候人所寫的也說不定。」

袁九逵點頭答道：「方兄之言，頗有道理……」他微一沉忖之後，又道：「言陵甫那居住之處，除了他外，不知還有何人？」

方兆南道：「除了一個守候丹爐的童子外，別無他人。」

袁九逵低沉地冷笑一陣，高聲地說道：「毛通，讓他們暫時守在谷口，你和耿三元跟我進去瞧瞧。」

那矮小之人應了一聲，和那白髮白髯的枯瘦老者，聯袂躍奔過來，餘下五個隨來之人，亦都是江南綠林道中的高手。

他們不待袁九逵吩咐，立時散開埋伏在谷口之處，眨眼間，隱去了身子。

方兆南看得暗自嘆道：「此人做事，精細無比，進則可攻，退則可守，果然是一方霸主之才。」

毛通目光一掃大岩石的八個大字，沉聲說道：「如果這幾個字不是知機子言陵甫的手筆，只怕已讓人捷足先登了一步。」

袁九逵微微頷首，道：「事情確有可疑之處，但我算計時日，天風老道決然趕不到咱們前面，除了那牛鼻子外，我想不出眼下江南武林之中，還有什麼人敢和咱們作對。」

方兆南道：「江湖之中，盡多奇人，袁兄所說，未免太過武斷了吧？」

他深知此刻和他故意辯上幾句，愈能使他相信自己之言不虛。

袁九逵冷冷一笑，道：「方兄高見不錯。」

說完一縱身，躍入谷口。

方兆南看他飛行身法，不但迅速無比，而且不帶一點聲息，可見他的輕功已達爐火純青的上乘境界。

耿三元、毛通，一瞧總瓢把子當先涉險入谷，立時雙雙一躍，緊隨身後追去。

方兆南略一猶豫，也緊隨而入。

但見袁九逵身如離弦流矢一般，待方兆南等躍入谷中時，他已奔到了另一個山彎的轉角所在。

毛通、耿三元疾趕直追，衣袂帶起飄風之聲。

方兆南左右一看，見兩側山勢如削，除了向前或退後之外，再好的輕功，也難攀登兩側山壁逃走。

忽聽山彎那面傳出來了袁九逵一聲大喝，似是遇上什麼強敵突襲一般，不禁好奇心動，急向前面奔去。

轉過一個山彎，只見袁九逵呆呆地站在路中，毛通、耿三元並肩站在他的身後。

方兆南仔細瞧去，只見袁九逵右手中抓住一根尺許長短的竹枝，沉思不語，不禁心中感到奇怪，加緊腳步，走近袁九逵一看。

只見他左手之中還拿著一紙白箋，上面畫著十具屍體，旁邊也寫著八個小紅字，道：「敬候光臨，恕不備棺。」

他本是聰明之人，略一思索，立時明白對方借用一段竹枝，把白箋傳送到袁九逵的手中。

袁九逵呆呆地出了一陣子神，回頭對毛通和耿三元道：「咱們的行蹤，早已經落在對方的眼中了……」

他陡然揚了一下兩條濃眉，目光轉投到方兆南臉上，冷冷地問道：「這是怎麼回事？方兄如再不據實相告在下，可不要怪我袁某人不夠朋友了！」

方兆南搖搖頭，道：「這個我也糊塗了！……」他探頭又瞧了那白箋一眼，道：「這字跡亦非言老前輩的手筆。」

袁九逵目光中凶焰暴射，陰森森的一笑，道：「方兄既然熟悉此地道路，就請前面帶路如何？」

方兆南心中雖知前面凶險重重，但如不答應，也難逃袁九逵的毒手。

當下一挺胸，道：「袁兄既然懷疑於我，在下有口難辯，言老前輩的丹道醫術，舉世聞

名，雖然生性怪僻，但絕不致這般辣手懲人，也許在我離開他寒水潭浮閣之後，他遇了什麼大變。」

話至此處，突然想到言陵甫失圖成瘋的淒涼經過，不禁黯然神傷，長嘆一聲，住口不言，大踏步向前走去。

袁九逵看他情感激蕩，似非謊言，懷疑之心頓消，一面舉步緊隨方兆南的身後而行，一面暗自想道：「天風道長和我能知道『血池圖』出現之秘，別人何嘗會不知道，此人之言不錯，也許知機子言陵甫已遭了別人毒手。」

忖思之間，又轉過了一個山彎。

觸目只見一片銀波，盈耳淙淙水聲。

方兆南遙指著水波中兩座浮閣，說道：「那一大一小兩座浮閣，就是言老前輩的居住煉丹之處。」

袁九逵抬頭打量那一片水潭，大約有兩百丈方圓大小，三面都是壁立如削的山峰，萬泉交錯，由峭立的岩壁間倒垂而下。

幽谷至此，陡然縮成一條丈餘寬窄的狹道，中間突起一條三尺左右的石道，潭中多餘積水，由突起石道兩側，緩緩排出，向外流去。

夜色沉沉，星光閃爍。

除了那岩壁間懸瀑入潭激起的水聲之外，四周一片死寂。

袁九逵老謀深算，轉對耿三元道：「耿兄請守住狹道入口，免得咱們歸路為人截斷，毛賢

弟請隨小兄到那浮閣之上瞧瞧。」

一語甫落，突然藍光閃動，那較大浮閣之中，驟然間亮起一片藍光，遙聞一個嬌脆有如銀鈴一般的聲音，說道：「幾位才來麼?我已候駕多時了。」

聲音雖然婉轉動聽，有如黃鶯鳴唱，但此時此地，此情此景，聽來卻使人毛髮悚然，饒是他袁九逵久走江湖，見識廣博，也不禁由心底泛上來一股寒意。

呆了半晌，心神才逐漸靜了下來，正待答話，忽見那浮閣門簾啓動，一盞鬼燈般的藍焰，緩緩由門中出現。

緊接著，一個瘦高有如竹竿一般的怪人，隨著那藍焰出了浮閣，緩緩向幾人停身之處而來。

定睛瞧去，只見他全身僵挺地站在水中，腳不抬步，膝不彎曲，手托藍焰，身子如浮在水上一般，來勢異常緩慢。

袁九逵只看得心頭大生震駭，暗暗忖道：「這叫什麼功夫?難道今天晚上真的碰上了鬼怪不成?」

但見那手托藍焰的怪人，愈來愈近，轉眼間已到幾人停身潭邊一丈左右之處。

藍色的火焰，照著他一副奇醜無比的長像，長頸闊口，雙眼奇大，臉色又叫那藍色火焰照得變成了一片鐵青之色，真叫人無法分辨他是人是鬼。

袁九逵、毛通兩人，都是殺人無數的綠林巨盜，但面對這樣一個醜怪的人，也不禁有點緊張起來。

方兆南瞧了兩眼之後，突然想起此人正是在朝陽坪上和袖手樵隱史謀遁動手相搏的怪漢，

心中反較袁九逵、毛通沉得住氣。

袁九逵輕輕咳了一聲，提提膽子，正待開口喝問，忽見那僵挺浮水而來的黑衣怪人，停在水中不動，不覺又是一怔，暗道：「腳不移步地凌波而來，真是罕見之事，這停在水中不動，竟然不往下沉，簡直是駭人聽聞的怪事，縱然他是真人，武功亦是高不可測，看來今宵，想全身退離此地，倒真是千難萬難的事。」

心念及此，不禁大感氣餒。

忽聽那白髮白髯的老者耿三元冷笑一聲，道：「借助兩塊木板的浮力，故作驚人之舉，算不得是什麼榮耀之事，哼，哼！區區雕蟲小技，難道還能嚇唬住人不成？」

那黑衣瘦長的怪人，聽得被人揭穿真相，立時哈哈一陣大笑，左袖一拂，呼地一聲躍出水面，落在突起石道上，說道：「幾位既然都是不怕死的，就請渡潭到浮閣之上瞧瞧吧！」

此人聲音沙啞，說話如擊破鑼，聽來極是刺耳。

袁九逵低頭瞧去，果見他雙足之上緊繫著一塊木板，不禁陰冷一笑，道：「請恕兄弟眼拙，不識大駕何人？」

黑衣瘦長怪人冷笑一聲，道：「凡是認得我之人，無一能生在人世，我看你還是別問的好。」

袁九逵知他是借木板浮力渡水而來之後，膽氣已復，當下微微一笑，道：「有這等事，那在下倒是非問一下不可。」

黑衣怪人怒道：「到你該死之時，我再通報姓名不遲，眼下還是快些到浮閣之中瞧瞧，別誤了你們該死的時機。」

他把目光緩緩移注在方兆南臉上，冷冷地又接了一句道：「你這小子又跑到這裡來了，看你是命中注定的非死不可。」

說完逕自轉身，躍入水中，踏波而去。

耿三元瞧了方兆南一眼，罵道：「沒有想到，你還是一個相識滿天下的人物。」

袁九逵怒視了耿三元一眼，低聲地向方兆南問道：「方兄既然識得此人，想必知他們的來歷了。」

方兆南道：「此人雖和兄弟有過匆匆一面之緣，但卻並非相識。至於他們來歷，兄弟倒是略知一、二，袁兄可聽人說過冥嶽之處麼？」

在他想來，袁九逵既是江南道上的總瓢把子，耳目定然極爲靈敏，一提冥嶽，他自然是耳熟能詳。

哪知袁九逵重複了一句：「冥嶽……」

只見他沉忖了一陣，接道：「當今武林中黑白兩道上有名之人，我雖然不敢說個個認識，但姓名形貌，大都聽人說過，此人生像這等怪異，如若常在江湖之上走動，定然早已傳播江湖，但卻從未聽到談過其人，至於冥嶽其地，也未曾聽人說過。方兄既然知道，就請不吝賜教，以增廣兄弟見聞。」

方兆南察言觀色，知他所言非虛，略一思索，道：「冥嶽係指何地何處，兄弟雖不清楚，但這般人，確都是由冥嶽介入江湖的，其真正首腦之人，正值閉關期間。眼下主持其事的，是三個分穿藍、紅、白的少女，而且個個貌美如花，心似蛇蠍，武功十分詭異，叫人難測深淺。那個黑衣怪人，看上去武功雖然不錯，但並非什麼重要之人，充其量也不過是個較大的頭目之

流……」

他本是十分聰明之人，雖然只聽得片片段段，但略經推想揣測，說起來有條不紊。淡淡幾句話，說得有頭有尾，叫入無法再多追問，而且避重就輕，未洩露「血池圖」隻字經過。

袁九逵轉頭瞧了耿三元、毛通一眼，說道：「看來知機子言陵甫如非已遭人毒手，定已離此他往，但咱們千里迢迢趕來此地，豈可就此退走？不管如何，也要到那浮閣之中看看。但是，此行或將難免一場衝突搏鬥，屆時你們要看我眼色行事，除非對方先行出手，否則絕不可輕舉妄動。」

說完，一提丹田真氣，踏入湖波，施展「登萍渡水」的功夫，疾向浮閣之上奔去。

耿三元緊隨著笑面一梟身後，縱身入潭，追奔而去。

毛通瞧了方兆南一眼，道：「方兄請。」

方兆南道：「慚愧得很，兄弟自知輕功火候不夠，只怕難以飛渡這一段水面。」

毛通道：「這麼說來，方兄是不願到那浮閣上面去了？」

方兆南道：「兄弟無力踏水越渡，不知兄台有什麼法子？」

毛通暗暗想道：「這倒是很難想得出辦法的事。」

忽然，他想到那黑衣瘦長怪人，借用木板浮力，挺立水面而來之事，不禁心中一動，說道：「方兄請略候片刻，容兄弟想個渡水之法……」

他身向前走了兩步，又回過頭說道：「這出口之處早已埋伏了人，這個方兄已是親目所睹了……」

方兆南冷笑一聲，接道：「兄台儘管放心，在下絕無逃走之念。」

毛通笑道：「那很好。」兩個疾躍，已消失在夜色之中不見。

片刻之後，手中提著兩根粗逾兒臂，長約三尺左右的枯枝而來。

毛通說道：「方兄我們一同行來，腳程並不在兄弟之下，縱然未習過登萍渡水之技，借這兩根枯枝，也足可越渡這段水面了。」

方兆南暗暗想道：「不知言陵甫言老前輩是否已遭那紅衣少女的毒手，倒不如和他進入浮閣之中瞧瞧。」

伸手接過兩根枯枝，綁在腳上，躍入湖中，他的輕身功夫，本已有很好的基礎，再加上這兩根枯枝的浮力，走去毫不費力。

毛通一提真氣，躍入湖波，疾如流矢般地向前奔去。

兩人到了那較大浮閣邊，笑面一梟袁九逵和耿三元，已然進入浮閣之中。

毛通臂一振，飛上浮閣，轉身伸出手來。

方兆南冷然一笑，道：「不用啦！」一提真氣，左腳借浮枝之力，穩住身子，右腳大邁一步，上了浮閣，解下枯枝，推門而入。

只見笑面一梟袁九逵和耿三元，並肩站在一側，那黑衣瘦長怪人，緊靠在浮閣門側而立，似是防備兩人逃走一般。

浮閣中的景物，仍然和數日前相差不多。

只見屋中間垂吊著一盞藍色火焰，此物似燈非燈，似是經人工選材特製而成，忽綠忽藍，照得滿室中一片陰森之氣。

除了那黑衣瘦長怪人之外，室中再無別人。

袁九逵似已等得心中不耐，轉頭瞧了方兆南一眼，高聲說道：「既把我們接入浮閣，爲什麼又故作神秘，避不見面……」

他話還沒有說完，忽聽那綾壁之中，傳來了一個十分嬌脆的聲音說道：「既然來了，多等上些時間，又有什麼要緊。」

壁間紫綾，忽然一陣波動，開啓了一個兩尺寬窄的門來，緩步走出一個紅衣裙的嬌美少女，滿臉盈盈笑意。

只見她一揚手中拂塵，指著袁九逵等人數道：「一、二、三、四，不對呀！你們不是一起來了十個麼？」

袁九逵還未及開口，那紅衣少女又指著方兆南，搶先說道：「好啊！咱們已經是親戚啦！你還要幫人和我來作對？」

那黑衣瘦長怪人微微一怔，道：「二姑娘，這小子怎麼和咱們攀上親戚了？」

那紅衣少女格格一陣嬌笑，道：「你還不知道麼？他已是咱們三姑娘的心上人啦。」

黑衣瘦長怪人搖搖頭，說道：「三姑娘艷麗絕倫，生性冷若冰霜，從來就瞧不起男人，這小子武功有限得很，豈會放在三姑娘的眼中……」

紅衣少女笑道：「二姑娘幾時騙過你了，你要不信，去問三姑娘吧。」

黑衣瘦長怪人忽然一掌向外擊去，激起一陣水波，大聲叫道：「果真如此，那真是鳳凰配烏鴉，太委屈咱們三姑娘了。」

袁九逵經過了這一段時間，心中逐漸冷靜下來，環掃了四周一眼，暗暗忖道：「這浮閣只不過丈餘方圓大小，綾壁之間，能有多大的地方，縱然暗藏有人，也不至能藏多少。這個紅衣少女，看來只不過十八、九歲的年齡，就算她一出娘胎就開始習武，又能有多大的成就。」

一念及此，膽氣突壯，瞧了方兆南一眼，冷冷問道：「你所說那三個女娃兒中，可有此人麼？」

方兆南點頭應道：「不錯。」

紅衣少女盈盈一笑，道：「好啊！你早已把我們的底子洩露給人家了？……」

她微微一頓後，又道：「不過，洩露了也不要緊，反正你們也不能活著回去了。」

袁九逵冷森地一笑，道：「好大的口氣……」

紅衣少女道：「怎麼？你不信我的話麼？」

袁九逵哈哈一笑，道：「這個麼，暫且不談也罷！在下倒是有一件正事，想請教姑娘兩句。」

這兩人開口之前，都是笑意迎人，不同的是，一樣笑容，卻給人兩種感覺，紅衣少女笑得聲如銀鈴，嬌媚橫生，袁九逵卻笑得冷厲刺耳，陰氣森森。

紅衣少女忽然舉起手中拂塵一揮，垂吊在室中的藍焰燭光，應手熄去，浮閣中驟然間黑暗如漆，伸手難辨五指。

她這突然的動作，使全場之人心弦爲之一震，各自暗運功力戒備。

只聽黝暗的浮閣中，響起了清脆的嬌笑之聲，道：「什麼話快些說吧！說完了你再死，也許可以瞑目泉下！」

袁九逵敞聲大笑，淒厲的笑聲，震得人耳際中嗡嗡作響，打斷了那紅衣少女未完之言，接

道：「這浮閣的主人，知機子言陵甫哪裡去了？」

紅衣少女道：「你要找言陵甫麼？」

袁九逵道：「不錯，在下久慕言老前輩之名，特來相訪。」

紅衣少女突然欺身而進，拂塵揮處，直向袁九逵前胸擊去，口中嬌笑不絕地答道：「你想見言陵甫，那很好……」

袁九逵大喝一聲，側身避過拂塵，舉手一招「浪撞礁岩」，還擊一掌，問道：「言陵甫怎麼樣了？」

紅衣少女嬌軀橫移，避開掌風，反手一招「倒打金鐘」，拂塵疾向耿三元點擊過去，口中卻嬌聲答道：「他呀……」

耿三元一頓腳，震得浮閣亂晃，人卻借勢向左側閃避過去。

紅衣少女拂塵出手之勢，十分勁急，又在夜暗之間，瞧不清對方攻勢虛實，耿三元匆急間，只顧讓避紅衣少女的攻勢，忘記了門側還站著那黑衣瘦長怪人，剛好落在那怪人身側。

腳步還未站穩，忽覺一股強猛的暗勁，直襲過來，耳聽一個沙啞的嗓門喝道：「格老子滾過去。」

此人滿口四川土語，加上破鑼般的喉嚨，大叫起來，增加了不少凶悍之氣。

耿三元久隨袁九逵闖蕩江湖，身經數百次大小劇戰，應變的反應極是迅快，不待身子站穩，右手已向後拍出一掌。

兩股暗勁一接，耿三元突然心頭一震，他乃久經大敵之人，心知強行接這一掌，定要被震傷內腑，借勢一躍而起，身軀橫飛過去。

那紅衣少女一擊逼開耿三元，翻身一招「疾風拂柳」，又向毛通攻去。

毛通早已凝聚全神戒備，覺出勁風襲來，立時向左橫跨一步。

但嬌笑之聲，響澈浮閣，紅衣少女疾如穿梭一般，忽而攻向毛通，忽而又指擊耿三元，片刻之間，被她忽東忽西迅厲的攻勢，鬧得全室大亂。

笑面一梟袁九逵武功雖高，但他一則形勢不熟，二則擔心浮閣暗中暗藏什麼埋伏，不若紅衣少女的靈活，是以，他十成本領，只有用出六成，守多攻少，又擔心誤傷了耿三元和毛通兩人，又不敢全力發掌，被那紅衣少女逼得三人團團亂轉。

那紅衣少女打了一陣，突然自動停了下來，說道：「這不過是先給你們一點顏色瞧瞧，現在生死兩條路，由你們自己選擇。」

袁九逵冷哼一聲，道：「生路如何，死路又如何？」

紅衣少女道：「你們要是想活，就束手就擒，隨我到一處世上最好的地方去開開眼界，要是想死呢，那最容易不過，我給你們一人一記三陰掌，十個時辰以內，就可以如願以償了。」

袁九逵借那紅衣少女講話的機會，暗中打量了浮閣的形勢，紅衣少女話音甫落，突然大喝一聲，轉身劈出一掌。

他內功深厚，掌力異常雄厲。

但聞砰然一聲大震，浮閣木牆震破了數尺方圓一個大洞，室中的景物因而立時清晰不少。

要知浮閣中人，個個都是內外兼修的高手，只要有少許星光透入，即可辨認景物。

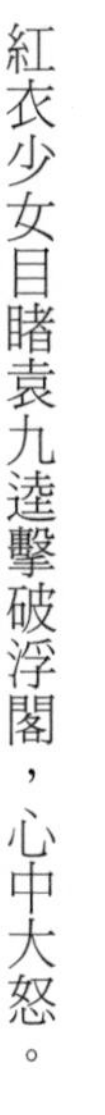

八　玉骨妖姬

紅衣少女目睹袁九逵擊破浮閣，心中大怒。

但她生性陰沉，心中愈是惱怒，臉上笑容愈是好看。手中拂塵一揮，緩步向袁九逵身邊走去，一面笑道：「好雄渾的掌力，當真有碎石裂碑之能。」

袁九逵是何等樣人物，豈肯讓她近身欺來，暗運功力，迎頭一招「飛鈸撞鐘」直擊過去，陰森森地笑道：「言陵甫是否已傷在你們手中？」

紅衣少女暗運真氣，內勁貫注在拂塵之上，輕輕一揮，竟把袁九逵一招強勁的掌力化去，嬌聲答道：「你這般關心於他，可是爲了『血池圖』麼？」

她邊說邊側身欺進，拂塵直擊，散垂的拂絲，根根豎立如針。

袁九逵這時才瞧出對方不只是身法靈巧，而且功力亦極深厚，不禁心頭一驚，橫跨兩步，反手一招「手撥五弦」，斜擊過去。

紅衣少女微微一笑，道：「有本領儘管使出來吧！三十招內我如殺不了你，就恭送你們離開寒泉潭。」

話音甫落，一揮臂，拂塵疾向袁九逵擊來右腕上點去。

袁九逵右掌疾收，人又向後退了一步。

紅衣少女雙肩微晃，嬌軀一轉，陡然間欺向毛通攻去，拂塵左掃右擊，連攻三招。

這三招不但迅如雷奔，而且招數怪異。

毛通讓開兩招，但卻無法閃避第三招，被拂塵略從左肩掃過，只覺肩頭一陣劇疼，鮮血循臂而下。

他行動一緩，紅衣少女左手已緊隨拂塵點到，毛通再想閃避，哪裡來得及，只感「肩井穴」上一麻，摔倒地上。

耿三元在那紅衣少女擊向毛通之時，躍身趕來相救，卻被那黑衣瘦長怪人一記強猛的拳風，給擋了回去。

這不過一剎那間工夫，袁九逵原想那紅衣少女定然會欺身向自己攻來，退後一步之後，立時運氣蓄勢相待，萬沒料到她竟然轉身向毛通攻過去，一時援救不及，眼瞧著毛通被那紅衣少女點中穴道摔倒。

紅衣少女點中毛通之後，毫不停留地翻身一躍，又向笑面一梟攻去。

那瘦長怪人雙手握拳，連續打出強猛的拳風，阻擋耿三元，不讓他夾攻那紅衣少女，但卻始終不肯欺身施攻。

原來他身子過高，在這狹小浮閣之中動手，施展不開手腳，是以無法出手幫忙。

紅衣少女這次出手，不再游鬥，手中拂塵迅辣無比，招招指襲袁九逵要害大穴。

笑面一梟被尊爲江南黑道上總瓢把子，武功自是不弱，雙掌回環劈擊，隨手間潛力逼人，震得那紅衣少女衣袂亂飄。

但那紅衣少女手中拂塵的招數，卻是愈打愈是怪異，招招都是未聞未見之學，饒是笑面一

梟袁九逵見多識廣，也認不出她武功路數。

眼看她拂塵向左擊來，哪知中途突然一沉手腕，竟然變打爲點，攻向下盤，這等中途變化，不但詭異難測，而且防不勝防，只要欺近身來，招招都有被擊中之險。

袁九逵憑仗著深厚的內力，強勁的掌風，始終把那紅衣少女逼在三、四步外，保持一段距離，以留餘步，對付她招數上詭異的變化。

這等打法，乃十分吃力之事，縱是武功再強之人，也難以撐得下去。

袁九逵激戰一陣，越打心中越怕，只覺對方舉臂揮腕之間，灑脫自如，但攻出的拂塵，卻是暗勁極強。

他心知再打下去，絕難討得便宜，立時低嘯一聲，猛然揮掌搶攻三招，這三招全力發掌，威勢絕猛，紅衣少女被他逼退兩步。

袁九逵那聲低嘯，正是招呼耿三元撤離浮閣的暗號，是以，當他迫退那紅衣少女之後，不進反退，向後一躍，飛起一腳，踢向浮閣壁板。

但聞咔喳一聲，浮閣壁板又被袁九逵踢下了一大塊，縱身一躍，飛出了浮閣，落在那壁板之上。

那守在門口的黑衣瘦長怪人，扯起沙啞的嗓門，高聲喊道：「龜兒子，你還跑得了麼？」

話落，左掌一招，也劃破一塊壁板，縱身追了出去，搶落在袁九逵的壁板之上，呼的一拳，當胸擊去。

袁九逵覺出對方擊來拳勢力道極猛，哪還敢大意，奮起全力，硬接一擊。

兩股絕猛的拳風一接，震得袁九逵全身氣血浮動，身不由主地向後退了兩步，壁板也被那強烈的撞擊之力，震得向下一沉。

只見水花飛濺，湧起了一片片波浪。

那黑衣瘦長怪人來勢本極凶猛，但見停身壁板一陣波動之後，竟然不敢再用力發拳，左手一探，向袁九逵左肩抓去。

原來他不諳水性，擔心把木板震翻，跌入湖中，不敢再用力發拳。

袁九逵硬接他一拳之後，已知他內力雄厚，拳風極是強猛，如若他再連發幾拳，自己絕對難以抵擋得住。

哪知，對方猛擊一拳之後，竟然不再用力發拳，舉手疾抓過來，這時揮掌斜出，反截手腕，左腳同時飛起猛踢小腹。

這塊壁板不過二尺寬窄，八、九尺的長短，兩個人站在上面，已然搖搖欲沉，這一動手相搏，身體的重量，忽重忽輕，壁板也忽沉忽浮，冰冷的潭水，濺了上來，濕透了兩人下半身的衣履。

那瘦長黑衣怪人，因爲身子過高，在這塊小小壁板之上，無法施展手腳，又擔心跌入潭中，是以不敢放手搶攻。

但是，他兩隻手臂很長，占了不少的便宜，右手橫掃一掌，封開袁九運踢來的一腳，左手疾縮收回。

袁九逵是何等人物，相搏兩招，已然瞧出那黑衣怪人的缺點，縱聲長笑，放手搶攻，拳腳齊施，攻勢十分猛烈。

那黑衣怪人要把大半的精神，用來穩定那壁板的重心，只能分一半精神來對付袁九運的攻

勢，變成了只有招架之功，沒有還手之力。這當兒，忽聞浮閣中傳來一聲大叫。

那聲音雖然尖厲刺耳，但卻甚是短促，袁九逵一聞之下，立時辨出是耿三元的聲音，不禁心頭一震。

高手相搏，招招迅如電光石火，不得有絲毫之差。

袁九逵心神微分，出手略一遲緩，已被那黑衣瘦長的怪人乘虛而入，左手搭在右腕之上，五指疾合，已扣緊袁九逵的右腕脈門。

那怪人正待暗中運集功力，迫他行血內返，束手就擒，忽聽袁九逵冷哼一聲，被扣右腕忽地加強了抗拒之力，堅如鐵石，同時施展「千斤墜」身法向下一壓，只見停身的壁板，倏忽間直往水中沉去。

黑衣瘦長怪人大喝一聲，鬆開袁九逵的右腕，縱身凌空而起，飛回到浮閣之中。

袁九逵精通水上功夫，潛入水中之後，立時向浮閣所在游去，把頭探出水面，向裡望了過去。

只見那紅衣少女和方兆南相對而立，耿三元、毛通都已被點中穴道，倒臥在地上。

忽聞那黑衣瘦長怪人高聲地罵道：「這個龜兒子不知是精通水性，還是被淹死在寒潭中了。」

原來他飛返浮閣之上後，兩眼仍然一瞬不瞬地瞧著袁九逵沉入水中的地方，哪知看了很久，仍不見袁九逵浮出水面，心中一急，大罵起來。

只聽那紅衣少女嬌笑之聲，傳出了浮閣接道：「別罵啦！人家早由水底潛回咱們浮閣所在了，你還在罵個什麼勁呢？」

袁九逵吃了一驚，暗道：「此女當真厲害。」不自覺向水中一沉。

就這微微一動，那紅衣少女已自驚覺，反手揚腕，一道白光電射而出，去勢勁急，一閃而至。

袁九逵急沉丹田之氣，身子向下一沉，投入水中。

哪知對方暗器不但迅如電奔，而且蓄力強勁，竟然穿水而入，袁九運只覺左臂一麻，已知爲對方暗器擊中，哪裡還敢停留，潛水向潭邊游去。

他久走江湖，見聞廣博，暗器中身，已知是經過毒藥淬煉之物，一面潛水而行，一面運氣閉住左臂穴道，不使毒氣內侵。

待游到岸邊時，探出頭來，已不見那紅衣少女和黑衣瘦長怪人追來，立時提氣躍登岸上，向前奔去。

他本想奔到山口之處，招呼埋伏的屬下出手教援，哪知奔行了一陣，忽覺傷勢麻木擴大，身子運轉不靈，不禁心頭大感駭然。

他這才知道，自己所中暗器不是一般毒藥淬煉之物，以自己運氣之能，竟無法阻止毒氣擴展，但他又不敢停下，只好拚盡餘力向前奔行。

只覺傷處麻木逐漸擴大，抬腿舉步，都感到異常吃力，暗自嘆息一聲，仰天說道：「想不到，我袁九逵今日竟無聲無息地死在這九宮山中。」

說來黯然神傷，一副窮途末路之相，念轉心灰，豪氣頓消，那支撐他抗拒毒氣擴展的精神力量，也隨著崩潰。

但覺一陣頭暈目眩，雙腿一軟，栽倒在地上。

不知過了多少時候，待他由暈迷中醒過來時，在他的身側圍守著七、八個人，眼前一人，修軀長髯，道袍佩劍，正是隱隱領袖江南武林正派人物的天風道長。

在他身後左右的人物，大都是江南道上知名之人，這一群人，可說是匯集了江南武林正派人物的精英。

袁九逵不覺心中一陣跳動，說道：「道兄來的時機正好，今宵殺了我袁九逵，江南道上，再也無人和道兄鼎足並立，爭一日雄主了！」

天風道長微微一笑，道：「袁兄但請放心，貧道豈是乘人之危的人？」

袁九逵嘆道：「我身受絕毒暗器所傷，你縱然不肯殺我，我也難以活過明天。」

天風道長淡然一笑，道：「貧道略通醫術，如果袁兄信得過我，貧道極願竭力試療袁兄傷勢。」

袁九逵道：「生死之事，我袁某絕不放在心上，道兄但請放手療治。」

天風道長緩緩蹲下身軀，定神瞧去，只見笑面一梟袁九逵這左手肘上面，衣袖破裂了一個小指粗細的圓洞，但卻不見一點血跡，不禁微微一皺眉頭，說道：「袁兄請恕貧道放肆，要扯破傷肘的衣袖了。」

袁九逵道：「縱然斷去一條左臂，袁九逵也絕不會呻吟一聲，道兄請不必多慮。」

他乃久闖江湖之人，見多識廣，自知身中暗器，奇毒絕倫，如果拔將出來，奇毒散布的速度更快，隨時有生命之危。

如若天風道長有能替他療好傷勢，救人危難，乃武林俠義中人該爲之事，大可不必叩謝他救命之恩。

如若天風道長無能療治毒傷，使他毒攻內腑致死，天下武林同道都知兩人鼎足分立江湖之事，勢將誤認天風道長有心相害於他。

此人心地實陰沉無比，雖在重傷垂死之際，仍然暗有嫁禍於人之心。

天風道長兩指微一用力，扯破袁九逵的左臂衣袖，目光到處，只見一支筆桿粗細、銀光閃閃的暗器，深沒袁九逵左臂肌肉之中。

天風道長當即低聲向袁九逵說道：「袁兄請忍住傷疼，貧道先要起出暗器，瞧瞧來路，才能下手爲你療治。」

袁九逵一點頭，嘴角浮現出一絲陰森的笑意。

天風道長右手食中二指，輕輕向下一按，挾住暗器，用力向上一拔，一枚二寸七分長短，似箭非箭，似釘非釘，通體銀白的奇形暗器應手而出。

袁九逵微微一笑，閉上雙目，果然連眉頭也未皺一下。

圍守在天風道長周圍的群豪，一見暗器被天風道長取出，紛紛伸頭瞧去。

哪知瞧了半晌，竟無一人能認出那暗器來路，一時之間，群相愕然，鴉雀無聲。

天風道長高舉手中暗器，運足目力，借繁星微弱之光瞧去，只見那扁平鋒利的尖端上，雕刻了「七巧梭」三個小字。

這等淬毒的暗器，雕刻著這麼雅致的名字，大有不倫不類之感。

但天風道長在看清楚那暗器上雕刻的三個小字之後，卻突然感到心弦一震，一股寒氣由心

中直冒上來。

他呆了一呆，自言自語地說道：「這人難道還活在世上麼？」只覺手指一鬆，暗器從手中滑落到地上。

群豪目睹天風道長的舉動，無不感到奇怪。

緊依左側而立的一個白髯垂胸，背負單刀的老者，伏身撿起地上暗器，問道：「當今武林之世，單以暗器而論，莫過二毒雙絕四大名家，但也不致使道兄這般望而生畏，難道這枚區區銀梭……」

天風道長究竟是涵養極爲深厚之人，略一怔神之間，已恢復鎮靜之色，淡淡一笑，道：「伍兄見聞廣博，想必知道『七巧梭』的來歷傳說了。」

那白髯老者聽得「七巧梭」三字之後，臉色突然大變，怔了一怔，問道：「怎麼？這就是傳言中的『七巧梭』麼？」

群豪之中年齡稍長，聽過七巧梭傳言之人，大都爲之聳然動容，但兩個年事較輕，未聽過七巧梭傳說的人，卻是毫無感覺，看著眼前幾人驚恐之情，心中暗覺好笑。

天風道長伸手由那白髯老望手中取回七巧梭，說道：「眼下緊要之事，是先救人醫傷，貧道雖然略通醫道，只怕無能解得七巧梭上蘊含之毒。但我今宵如若不能療治好此人的傷勢，只怕要落得有心害他之名，伍兄精通各種暗器療治之法，請助我一臂之力。」

說完，拿起袁九逵被傷的左肘，仔細瞧了瞧傷處，只見四周一片紅腫，傷痕深及筋骨。

他雖是療治傷勢的能手，但只限於一般金創毒傷，對這昔年一度震驚天下武林的「七巧梭」，實無救治之把握。

但話已說出口，又無法中途放手，只有甘受污害人之險，舉手拔下頭上椎髮玉簪，撥開袁九逵傷口肌肉，低聲說道：「袁兄身中暗器，乃昔年名震一時之七巧梭，這等絕毒暗器，貧道自知毫無療治把握。但貧道既然答應了袁兄，總要盡我心力，現下傷處肌肉，已呈紫色，毒氣可能已循血脈侵入體內，貧道想先把傷處的腐爛肌肉除去，再以拔毒散外敷傷處……」

袁九逵緩緩睜開雙目，望著天風道長一笑，迅快地又閉上眼睛，未置可否。

天風道長細看他雙眼之中，目光散滯，精神萎靡，似非裝作，心知毒氣早已隨行血散布全身，只怕無望救治了。

天風道長愈想愈覺沒有把握，哪裡還敢割除他傷處腐爛肌肉，當下潛運真力，逼出一片紫色的血水。

隨後，又從懷中取出一個瓷瓶，倒出一些白色粉末，敷在袁九逵的傷處。

那白髯老者嘆道：「道兄這拔毒散乃療毒珍品，一下子替他敷用上如此之多，縱然是救他不活，也可向天下英雄交代了，兄弟親眼所見，願爲道兄作證。」

天風道長淡淡一笑，道：「這等有口難辯之事，說出去也難令人置信，貧道只求心安理得，至於別人的說法，也無法……」

此時，忽聞山崗呼嘯中，傳來大叫之聲。

叫聲雖然相距甚遠，但在場之人，都是江南武林道上一時精英高手，耳目靈敏，隱隱可以分辨出是喊的「血池圖」這三個字，較那「七巧梭」尤具壓力，全場之人都聽得神情緊張起來。

但聞那大喊之聲，愈來愈近，片刻之間已到幾人近身之處。

袁九逵忽然睜開雙目，挺身坐了起來，口中重複了兩句「血池圖」……說完又緩緩閉目倒臥下去。

那震盪山谷的沙啞之聲，忽然間靜寂下來，夜色中一個披髮長鬚的老者，手扶竹杖而來。他來勢十分緩慢，但聞竹杖著地的波波之聲慢慢向幾人停身之處逼來。

此人散髮亂披，和胸前的長髯糾結在一起，耳目口鼻盡被掩遮，形態十分怪異，緩步走來，使人一望之下，有一種說不出的感覺，既非厭惡，亦非憐憫。

但他舉手落足之間，沉穩異常，分明是身具上乘武功，群豪不自覺地紛紛閃開。

天風道長拔出背上長劍一揮，夜色中閃起一片銀光，喝道：「這等深夜之中，披髮掩面，妄圖以鬼蜮伎倆嚇人，豈是大丈夫的行徑？」

那披髮掩面的怪人竟似渾然不覺一般，仍然緩步向前逼進。

天風道長乃生具俠肝義膽之人，看此人瘋瘋癲癲，雖然瞧出他是個身具武功之人，也不願隨便出手傷人。

只見他向後退了三步，橫劍喝道：「閣下再要向前逼進，可別怪貧道要出手了。」

忽聽倒臥在地上的袁九逵，叫道：「血池圖……七巧梭……」

他已被攻向內腑的劇毒引發高熱，燒得迷迷糊糊，隨口亂叫起來。

那長髮掩面老人，突然放聲大笑道：「你知道什麼人偷了我『血池圖』麼？」陡然側身而進，直向袁九逵身邊欺去。

天風道長大喝一聲，道：「站住！」長劍橫擊出手，想把那長髮掩面的老人擋住。

哪知對方舉動靈快無比，隨手一杖，架開天風道長的劍勢，人已衝到袁九逵的身邊。

群豪怕他傷人，紛紛拔出兵刃，把他圍在中間。

那長髮掩面怪人，衝過天風道長攔截之後，忽地丟棄手中竹杖，把倒臥在地上的袁九逵抱了起來，連聲問道：「快說快說，什麼人偷了我的『血池圖』？」

群豪本已準備出手，但見他丟了竹杖，毫無抗拒之意，不禁呆在當地。

要知這般人都是目前江湖俠義道上的有名人物，誰也不願向一個自棄兵刃、瘋瘋癲癲的老人下手。

袁九逵被那散髮掩面怪人抱起身子一陣亂搖，口中連聲追問「血池圖」，糊糊塗塗地隨口應道：「你要找『血池圖』麼？」

那散髮掩面怪人喜道：「不錯，不錯……」

忽然瞧到那左肘之上的傷勢，若有所悟，把抱在懷中的袁九逵重又放在地上，兩手在身上亂摸一陣，掉出了兩枚銀針，一把小刀和兩個翠玉瓶子。

天風道長瞧了那兩只玉瓶一眼，不覺心中一動，暗道：「這位瘋瘋癲癲的老人，哪來這兩只上好的玉瓶……」

正自忖思間，那老人已雙手各舉一枚銀針，疾向袁九逵身上扎去。

他下落針勢奇快，天風道長想伸手攔阻，已自不及。

群豪看他銀針扎中之處，正是人身經穴要位，各自心頭一驚，暗自忖道：「此人分經認穴如此之準，實非常人能及，如非是故作瘋癲的武林高手，豈有這等本領？」

群豪心念，彼此相同，是以，無一出手阻攔於他。

只見那長髮掩面老人，不停揮動雙手銀針，眨眼之間，連扎了袁九逵一十二處的大穴。

天風道長心中突然一動，暗自忖道：「天下點穴高手，縱有具此武功、手法之人，但也難具此等精深的醫道，知機子言陵甫，生性孤僻，從不願和武林中同道來往，天下能夠見他的人，少之又少，莫非此人就是知機子言陵甫不成？除此之外，當今武林之世，誰能有這等武功，這等醫術？」

他越想越覺得不錯，立時還劍入鞘，合掌當胸，問道：「大駕可是人稱知機子的言大俠麼？貧道天風，此次會同江南武林幾位摯友，特來相訪。」

此言一出，全場中人，似都恍然大悟一般，齊齊躬身作禮。

哪知那長髮掩面的怪人，竟然對幾人的詢問，充耳不聞，連頭也不抬，轉望也不望一眼。

那白髯老者年齡雖然最大，但脾氣卻是極壞，只聽他冷笑一聲，罵道：「閣下好大的架子……」

天風道長急道：「羅兄不可造次，言老前輩乃一代丹道醫學大師，豈可隨口亂罵。」

在他想來，這幾句話十分的中肯，對方只要真的是知機子言陵甫，或是和言陵甫有著關係之人，定要有些反應。

可是，事情卻又大大地出了幾人的意料之外。

那長髮掩面的老人，仍然是一副拒人於千里之外的冷漠神態，打開瓶塞，把兩瓶之中顏色不同的藥丸，各自倒出一粒，塞入笑面一梟袁九逵的口中。

他這兩種靈丹，均是配合十種以上奇藥調製而成，而且煉時費時甚久，平日異常的珍視，不肯輕易用來替人療治傷病。

今宵如非他有些瘋瘋癲癲，神志不清，就是袁九逵央求於他，他也絕不肯相贈一粒。

那長髮怪人待袁九逵服下藥後，便呆呆地坐在袁九逵的身邊，凝目相望。

他的怪異舉動，使一側冷眼旁觀的天風道長等人大感困惑，他是故意裝作，還是真的有些瘋瘋癲癲，一時之間，也不便開口相詢。

忽見袁九逵身子掙動了一下，長長吁一口氣，睜開雙目瞧了那散髮披垂的怪人一眼，挺身坐了起來，問道：「你是什麼人？」

長髮披垂的怪人，見他醒了過來，喜道：「你看到我的『血池圖』了，咱們快快一起去找！」

袁九逵用力一甩，但覺對方握住手腕的五指，如鐵鉤一般，愈掙愈緊，不敢再用力掙動。

他乃心機百出之人，不再掙動之後，卻暗中運氣試試自已傷勢是否已痊癒。

也不知那長髮怪人是否有心不讓他運氣相試，突然轉身，拉著袁九逵向前奔去。

這突然的舉動，使在場群豪亦爲之大感奇怪，略一定神，兩人已奔到了數丈外，再想攔阻之時，已來不及。

天風道長沉忖一陣道：「諸位之中，可有人見過言陵甫其人麼？」

那白髯老者冷笑，道：「除了言陵甫外，眼下武林之中，誰能在黑夜之間，施展針灸之術，療人傷勢，而且在片刻工夫，把一個身受絕毒暗器所傷之人治好，試問有這等功力之人，除了言陵甫外還有哪個？」

此人姓羅名昆，號稱神刀，在江湖武林之中的聲譽地位，和天風道長相若，年齡卻比天風道長還要大上幾歲，見識又極廣博。平日總是倚老賣老，一把單刀，縱橫江南，罕逢敵手。

天風道長沉吟了一陣，道：「如以他醫術而言，能解得七巧梭上之毒，確似是知機子言陵

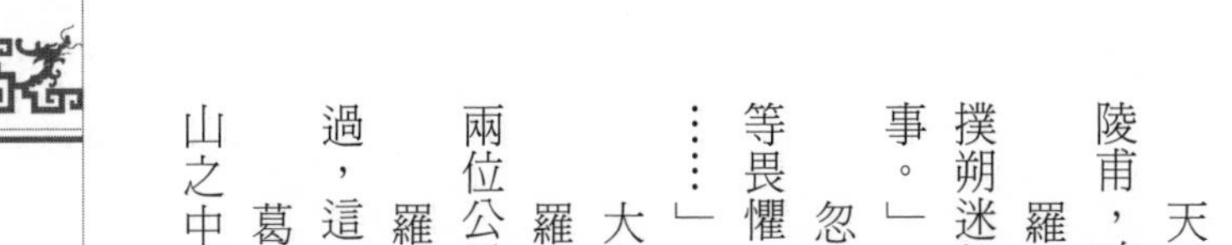

甫……」

他微微一頓之後，又道：「不過言陵甫被人尊爲神醫之名，生性孤僻異常，豈會這等衣衫不整……」

羅昆笑接道：「我看他是故意裝的這般樣子……」

天風道長道：「可疑的是，他滿口大叫大呼『血池圖』，不知是何用心？如果那人真是言陵甫，咱們這次九宮山中之行，算是白留下一番工夫。」

羅昆低頭沉吟了一陣，道：「不管那瘋癲之人是不是知機子言陵甫，但眼下情勢，已經夠撲朔迷離，蹊蹺難測，數十年前武林人聞名驚魂的『七巧梭』，陡然在此地出現，自非小可之事。」

忽聽身側兩個身著勁裝，背插判官筆的少年接道：「羅老前輩平日豪氣千丈，怎地會這等畏懼『七巧梭』一支小小暗器，袁九逵被人暗器擊中，也是江湖上極爲平常之事，不知何以……」

大概兩人怕大傷了羅昆的面子，話至此處，倏然住口。

羅昆回頭望去，只見兩個說話少年，乃是昔年被大江南北武林道上尊稱一筆翻天葛天鵬的兩位公子葛煌、葛煒。

羅昆不覺拂髯一笑道：「令尊昔年雄視天下，生平罕逢敵人，兩位家傳武學自是不凡，不過，這『七巧梭』……」

葛煌微微一笑，接道：「家父自隱居雲台山後，已不問江湖是非，晚輩兄弟自幼在深山之中長大，很少在江湖上走動，不知人間禮數，言語間如有開罪之處，還望老前輩海涵

一、二。」

羅昆笑道：「好說，好說……」

邊說邊緩緩把目光投注到天風道長臉上，只見他臉色凝重，仰首深思，似乎正在想著一件極大的難題，對三人對答之言，渾如未聞一般。

這八人之中，除了天風道長和神刀羅昆之外，就只有葛煌、葛煒兩人是受邀而來，餘下四人，都是天風道長的門下弟子。

羅昆平日待人說話，總帶上幾分老氣橫秋之態，但他對葛氏兄弟十分和氣，回頭對兩人笑道：「令尊沒有和兩位兄弟說過『七巧梭』的事麼?」

葛煒側臉望了哥哥一眼，答道：「家父自歸隱雲台山後，很少有時間教誨我們兄弟。」

葛煌接道：「晚輩只聽家父談過，當今武林中以二毒雙絕四大暗器最爲凶殘有名，卻未曾聞聽過『七巧梭』暗器之名。」

羅昆笑道：「令尊以一支文昌筆，縱橫江湖，博得一筆翻天之名，足跡滿天下，其對江湖上各門各派的獨家武學、暗器，自是瞭如指掌，獨未對兩位小兄弟談起『七巧梭』的往事，想必令尊已認爲此梭已然絕傳江湖，那施用此梭之人，早已埋骨泉下了。」

他微微嘆息了一聲，又說道：「就是老朽，今宵如非親眼看到此梭，縱然聽人談起，只怕也不敢深信。」

葛煌看他說得認真，忍不住心生好奇之念，問道：「這麼說來，這『七巧梭』定然有一段大動人心的經過了。」

羅昆目光橫掃，見葛氏兄弟凝神靜立，臉上微現焦急之情，天風道長的四個弟子，也都把

目光投注在他的身上，不禁老興勃發，哈哈一笑道：「各位既然都有興趣，那就請坐下來吧！這段往事也非三言兩語能夠說完。」

葛煌、葛煒相視一笑，依言坐下。

羅昆輕輕咳了一聲，說道：

「四十年前，江湖道上出了兩個蓋世奇人，一男一女，武功之高，並世高手，均難與其抗衡，兩人形影不離，並騎出入在江湖之上。

「男的英挺秀偉，女的國色天香，不知羨煞了當代多少青年男女，據聞這一男一女，同出一師門下，但因兩人武功過高，而且做事又任性而為，不管黑白二道、水旱兩路，只要他們看不順眼，出手就要傷人。

「因此激起了天下武林道上的公憤，暗傳俠義柬、綠林箭，到處布下陷阱，謀算兩人，但因兩人武功奇高，心思又極縝密，依然橫行於江湖……」

葛煒聽得大感不服，一揚兩道劍眉，接道：「難道天下武林中人，就真沒有一人敢向他們兩人正面挑戰麼？」

羅昆點頭一笑，道：「當今武林正大武學，應首推少林技擊之術，嵩山少林寺，顯然為領袖天下武學的泰山北斗，此事雖未聞人傳誦，但也未為人否認，大家彼此心中有數……」

羅昆繼續說道：「少林寺羅漢陣天下馳名，千百年來很少有人能夠衝出羅漢陣的圍困，但卻被兩人連傷三十六個僧人後，破陣而出，只此一樁，就可想見兩人的武功，是何等高強了！」

葛煌道：「那兩人的武功，既然這般高強，天下誰人能敵，為什麼不自立一派門戶呢？」

羅昆道：「天下哪有盡如人意之事，這一對萬人羡慕的少年男女，因倚仗武功，任意作爲，成了江湖黑白兩道上眾矢之的，他們武功雖高，心機雖敏，明鬥暗算，都無法勝得他們，但最後卻鬧成自相殘殺之局。」

葛煒聽得呆了一呆，道：「這倒是大出人意外的事，不知兩人爲什麼竟鬧得自相殘殺？」

羅昆拂鬚一嘆，道：「就在兩人聲名傳播最盛之時，江湖上消失了這一對青年男女的形跡，事情過了半年之久，才傳了出來兩人自相殘殺之事。

「據唯一目睹兩人搏鬥的玉骨妖姬俞罌花傳出之言，說那場搏鬥的激烈，乃武林罕見奇觀，兩人由晨至暮，由暮至晨，交手千招以上，最後雙方都鬥到力盡筋疲，落得個兩敗俱傷之局。」

葛煒奇道：「玉骨妖姬俞罌花……這名字我好像聽得家父談過。」

羅昆道：「老弟只聽她這怪模怪樣的綽號，大概就可以想到她的爲人，此人乃四十年前武林中一代妖姬，不但人生得美麗絕倫，而且全身柔若無骨，只是生性淫蕩；

「當時，因那一對青年男女，武功過高，手段過辣，普天之下，找不到對付兩人的高手，不知是哪一個出的主意，重金請玉骨妖姬俞罌花，對付兩人。

「這以毒攻毒的辦法，果然收到了很大的效果，也不知玉骨妖姬用的什麼法子，和那男子接近，挑撥起那場火併，此事有很多不同的傳說，但只是細節上有所不同……」

他微微一頓，似是要籌想一下措詞，以免話中有失身分。

葛煒年輕性急，看羅昆又停口不說，不覺追問道：「以後的事呢？」

羅昆道：「那場搏鬥之中，男女雙方都受傷很重，男的被玉骨妖姬救走，女的卻被棄置荒

野，事後才被一個姓梅的武林同道救走，這些傳說雖然活龍活現，但卻無人能證實，老朽只是從紛紜傳聞之中聽來，至於真正詳細情形，也許只有三個當事人知道。」

葛煌笑道：「這三人情場紛擾之事，不知和『七巧梭』又有什麼樣的牽扯關係呢？」

羅昆道：「就在那一對青年男女隱失江湖之後的第二年，玉骨妖姬卻又重在江湖中出現，她因挑撥那一對青年男女火併有功於江湖黑白兩道，是以，大家都對她謙讓幾分。

「這一來，卻促成了她的驕狂淫蕩，放性任爲，不知有多少出身各大門派的青年弟子，毀在了她的手中，逐漸引起了武林各大門派中人的憤慨，聯合派遣高手，圍捕於她。

「哪知她匿跡江湖一年多工夫之中，武功竟然增強不少，竟被她一連三次突破圍困而去，而且膽子也愈來愈大，公然自創一門，大肆劫擄美貌少女，強行收爲弟子。

「她的淫行惡聲，直使武林同道側目，這才引起江南、江北俠義道中人士的公憤，決心聯手除她，那時令尊盛名已然傳遍江湖，首起響應，老朽亦受邀同行，哪知我們還未動手，突然又傳來了驚人的變化。」

葛煌道：「怎麼？那玉骨妖姬事先聞得風聲，逃遁而去不成？」

羅昆搖搖頭道：「如果她是聞風逃遁而去，那就算不得驚人的變化了。」

葛煒道：「難道她已先被人殺了不成？」

羅昆笑道：「不錯，玉骨妖姬費盡千辛萬苦建立的基業，被人在一個晚上，燒個片瓦不存，她座下的弟子，也被人殺了個雞犬不留，但最奇怪的是，遍尋不到玉骨妖姬的屍體何在。

「這一代妖姬的女人，就這樣生死成謎地找不到了，以後，再也未聞得她重在江湖出現，算起來距今已經三十多年了……」

葛氏兄弟聽得甚是入神，一齊接口說道：「以晚輩等想來，那玉骨妖姬的屍體，大概是被大火燒焦了。」

兩人心意相同，是以一齊開口問話。

羅昆道：「這個恕老朽不敢妄加測度，此謎到現在爲止，仍然沒有人能夠證實……」

他側臉望了天風道長一眼，只見他仍然仰首而立，望著天上星辰，似乎未聽到他的談話一般，但他身側四個弟子卻聽得一個個目光投注在自己身上，十分地入神。

他不禁微微一笑，又道：「玉骨妖姬失蹤不到一年光景，江湖之上又出現了一個女魔頭，此人除了從她嬌小的身軀、衣著上可以看出她是女人外，從未有人聽到過她說話，經常用一層黑紗，遮去了面目。據說，她是羅玄的門下，她的武功比起那玉骨妖姬，要高出很多，且每次殺人之後，就在死者身上要穴部位，留下一支『七巧梭』，久而久之，這『七巧梭』變成她殺人的信物了，只要看到過她的『七巧梭』，必然有人送命。

「有人說她這『七巧梭』，暗合七夕鵲橋度雙星之意，先和人纏綿一宵，然後再用『七巧梭』釘在那人穴道之上，這傳說似甚可信，只不過無人出面證實罷了。」

葛煒道：「這女人手段之辣，似是比起玉骨妖姬，更進一層，只不知她長得是否和玉骨妖姬一樣的美麗？」

葛煌道：「她用黑紗蒙面，不肯以真面目示人，自然是有缺陷了。」

羅昆道：「她長得相貌如何，只怕無人能知道，凡是見過她廬山真面目之人，聽過她講話聲音的人，沒有一個能活著，她的長相如何，恐怕是千古疑案了。」

葛煌問道：「難道一般俠義道上人物，能以聯合對付玉骨妖姬，爲什麼不聯合把那黑紗蒙

面的女人除去呢？」

羅昆道：「怎麼沒有，南七北六一十三省八十多個武林高手，分組成四隊鐵騎，追蹤她的下落，有一組在金陵和她相遇，二十多個人一齊出手，圍攻於她，但卻被她在每人『玄機』要穴之上，釘了一枚『七巧梭』，參與那場搏鬥之人，無一生還。

「另一組在河南開封找到了她的下落，也同樣地被她在各人『命門』穴釘上一梭，經過這兩次事件之後，誰還敢自尋死路，找她麻煩，只求她不找到自己頭上，那就算是托天之佑了。

「因爲無人見過她的真面目，也沒有人知道她姓名，大家就以『七巧梭』的綽號稱她，『七巧梭』也就變成死亡的一種標幟。

「所幸她出道江湖不久，就自動隱匿不出，但『七巧梭』的恐怖威名，仍然震盪了江湖數年之久，直到了她藏匿五、六年以後，江湖上才逐漸地淡忘了此事，此刻，這『七巧梭』陡然間在此地出現，實在叫人大費疑猜……」

忽見天風道長一揮手中長劍，說道：「不入虎穴，焉得虎子，『七巧梭』雖然重現江湖，咱們也不能就此而退，不知羅兄肯否深入一行？」

羅昆笑道：「你想了半天，就是在想這件事麼？我已年登花甲，哪還會把生死之事放在心上，縱然埋骨九宮山，死亦無憾。」

天風道長單掌立胸，說道：「故友情重，貧道感激不盡。」

說完，橫劍當先，向前奔去。

葛煌、葛煒兩人剛聽羅昆談起「七巧梭」的往事，心中好奇之念甚重，暗中加力，倏然之間，已超過天風道長。

天風道長知這兩人家傳武學不弱，但對方來歷未明，如何肯讓兩人涉險，沉聲說道：「兩位小兄弟請慢走一步。」忽地一躍，從兩人身側而過。

轉過了幾個山彎，形勢突然一變，觸目一片茫茫水光。

天下武林同道，雖然大家都知道言陵甫隱居在九宮山，但知道他真正住處之人，卻是少之又少。

天風道長回頭對羅昆和葛氏兄弟說道：「那百頃碧波之上，似矗立著兩座浮閣，幾位暫請留在岸上，讓貧道先去瞧瞧……」

葛煌道：「老前輩乃主持全局之人，豈可輕身涉險，還是由晚輩去一趟吧！」

說完也不等天風道長答允，暗提一口真氣，振袂直向湖中浮閣奔去。

羅昆看他踏波而渡的身法，快速異常，不覺讚道：「『一筆翻天』葛大俠，以文昌筆、輕功提縱術，馳譽武林數十年，盛名卓著，老朽聞名雖久，但卻始終未能親眼瞧他施展過一次身手，但今日一見小兄弟，『登萍涉水』身法，果然不凡，將來不難繼乃父聲威。」

葛煒笑道：「愚兄弟才質庸劣，怎能及得家父萬一。」

幾人說話之間，葛煌已奔入那浮閣之中。

人入浮閣，卻有如投海沙石一般，久久不聞動靜。

天風道長突然一揮手中寶劍，低聲說道：「羅兄請在岸上等候貧道……」

葛煒關心手足，一語不發，縱身躍入碧波之中，直向浮閣奔去，行動迅速，不輸乃兄身

法。

天風道長探手一把沒有抓住，葛煒人已到七、八尺外，不禁一皺眉頭，袍袖拂處，一躍丈餘，搶在葛煒前面，踏波向前奔去。

哪知快近浮閣之時，葛煒陡然一躍，身子凌空飛去，反而搶先一步落在浮閣上面。

左腳剛剛踏在浮閣木板上，肩上兩支判官筆已同時拔在手中，一筆護面，一筆應敵，身子一側，人已竄入浮閣。

閣中黝暗如漆，伸手難見五指，他見乃兄入閣後不見絲毫動靜的教訓，心中早已存了戒備之心，左手判官筆隨勢劃出一圈護身筆影，然後雙腳才落實地。

只感腳下一軟，似是踏在人的身上，不禁心頭一駭，不待雙腳踏實，一提丹田真氣，人已懸空躍了起來。

他怕誤踏乃兄身上，心中慌張，急躍而起，一頭撞在浮閣頂上，待他落下，忽覺一股疾風，由側面直襲過來，而且來勢勁急，風到人到，幽香拂面撲鼻，右腕脈門要穴已被人扣制。

耳際同時響起了一陣嬌脆笑聲，道：「快些放下兵器，如果企圖做困獸之鬥，那可是自討苦吃。」

葛煒冷哼一聲，反手一筆「倒打金鈴」，疾點過去。

哪知判官筆點擊出手，忽感肩後「風府穴」上一麻，全身勁力頓失，摔倒在地上。

浮閣外響起了天風道長一聲大喝，劍光閃動，一道銀虹電射而入。

葛煒穴道雖然受制，但神智仍然清醒，運目瞧去，見點倒自己之人，竟是一個年輕少女，

手中拂塵一揮，擊在天風道長的長劍之上。

天風道長，以劍術領袖江南道上俠義，造詣自是極深，一挫腕收回長劍，第二招還未攻出，那少女已借勢搶了先機，手中拂塵揮動，連攻三招。

這三招快速、詭異，兼具並有，乃極是少見之學，饒是天風道長劍術精奇，也被迫得向後退了兩步。

忽見暗影中伸出一隻枯瘦之手，無聲無息地向天風道長肩上拍去。

當前強敵的拂塵招數凌厲無比，分去了天風道長大部分的精神，竟然覺不出身後有人向他偷襲。

葛煒雖然瞧在眼中，但他苦於穴道被點，不能開口說話，心中空自焦急。

但聞咚的一聲，天風道長也被那身後暗襲之人，拍中穴道，丟了手中長劍，栽倒在地上，不禁心頭一涼，暗道：「天風道長也被人點中了穴道，無疑全軍覆沒！」隨即緩緩閉上雙目。

但覺身子被人移動了一個位置後，又被點中了一處「暈穴」，神智頓失。

九　玄霜身世

葛煒醒來時，已經是日升三竿時分。

一個全身紅衣的妙齡少女，站在浮閣的正中，在她身後，站著一個身材奇高，全身黑衣的瘦長怪人。

女的美如嬌花，男的卻是醜怪無比。他們兩個人站在一起，實在有些不倫不類，怎麼看也不順眼。

轉眼望去，只見哥哥和另一個英俊少年，倚壁而坐，天風道長卻不知被放何處。

但見那紅衣少女手中拂塵一揮，擊在自己背上，被制穴道，竟被她一擊解開。

葛煒暗中運氣，挺身坐起，正待去搶她身側放著的判官筆。

忽聽那紅衣少女嬌笑一聲，說道：「你已被我施展獨門手法，點傷雙腿經脈，已經不能再和人動手了，還是乖乖地坐著吧！」

葛煒一沉真氣，果覺雙腿一條經脈，微生麻木之感，知她所言非虛，不覺豪氣頓消，頹然坐下，道：「妳是什麼人?這等殺不殺、放不放的行徑，究竟是何用心?」

紅衣少女微笑道：「我還沒有問你，你倒是敢問起我來了?」

葛煒道：「這有什麼不敢，大不了一條命！」

紅衣少女道：「看來你倒是很想死啊！」

葛煒怒道：「大丈夫可殺不可辱，妳這般對待我，可別怪我要開口罵人了！」

黑衣瘦長怪人冷森森地一笑，罵道：「龜兒子，你們想死還不容易，格老子一掌打碎你腦殼子。」

說完猛然向前一步，舉掌拍下。

此人手臂特長，雖然相距葛煒還有三、四步遠，但舉臂一探，已可及葛煒停身之處。

紅衣少女手中拂塵一揮，封開那瘦長怪人掌勢，笑道：「不要傷他！」

黑衣瘦長怪人依言退回原處，說道：「放著這多活口，只怕終是大患，我看還是早些送他們回老家好些。」

紅衣少女道：「咱們冥嶽獨門的點穴手法，天下無人能解，只要他們穴道受制，縱然被人救走，他們也一樣無能相救……」

她緩緩把目光移投數尺外的葛煌和方兆南身上，又道：「你先把這兩個人，送到外面那座較小的浮閣上去。」

那黑衣瘦長怪人，微一錯步，兩臂疾探，一把一個，提起了葛煌和方兆南，逕自出了浮閣而去。

紅衣少女緩緩舉起拂塵，慢慢地從葛煒的臉上掃過，笑道：「眼下這座浮閣之中，只有你和我兩個人了。」

葛煒只覺那拂面塵絲，輕緩地拂著臉皮而過，全身感到一陣發麻，慌忙別過臉說道：「只有我們兩個人，又怎麼樣……」

紅衣少女嬌聲笑道：「你可以據實回答我問的話了。」

葛煒雖只有十五、六歲的年紀，但他生性卻十分倔強，冷笑一聲，道：「只怕沒有那麼容易吧！」

紅衣少女因見他年紀最輕，想他必然難以受得住刑懲之苦，是以才留下來，想從他口中，探出點「血池圖」的消息。

如今聽得葛煒之言，不禁心頭火起，格格一陣嬌笑，道：「看不出你倒還是個英雄人物，我就不信你是鐵打銅澆之人。」

說著纖手一揚，握住葛煒右手，接道：「小兄弟，我看你還是說了吧！那『血池圖』究竟在什麼地方？」

她暗中潛運真力，柔若無骨的玉掌，突然變得堅逾精鋼，緩緩收合。

葛煒覺得不對，立時一提真氣，正待運功抗拒，忽覺體內兩道經脈一陣抽動，竟無法提聚丹田真氣，不禁心中大吃一駭。

但聞那紅衣少女嬌笑道：「你已被我用獨門手法，震傷了體內『少陽膽經』和『太陰脾經』，全身武功，都已失去，如果妄想運氣抗拒，那是自找苦吃。」

葛煒只覺對方手掌逐漸收緊，右臂行血返向內腑回攻，痛苦至極，但他卻仍然咬牙苦忍。

紅衣少女面不改色的微微一笑，繼續說道：「如果不及時解救，打通你受傷的膽、脾二脈，三個月後，傷脈就開始硬化，不但要失去全身武功，而且要逐漸癱瘓而死，你這點年紀，如果就這樣死了，那真是可惜得很！」

她言笑輕語之間，暗中又加了兩成內勁。

葛煒只覺返攻內腑行血，愈來愈猛，和心臟向外排血相互衝突，直似要裂胸而出。

紅衣少女似已瞧出葛煒難再忍耐，格格一笑，又道：「你只要能據實答覆我問的話，我不但替你解開受傷的膽、脾二脈，而且把你們同來之人，一齊釋放，你可要好好地想想看，免得悔恨無及。」

說完，陡然鬆開五指。

葛煒只覺返攻內腑行血，壓力突然大減，行血返經，身體大感舒暢，長長地吁了一口氣。

他暗自忖道：「眼下天風道長和哥哥，全部落在此女的手中。我如逞一時血氣之勇，不但自身難保，只怕落入她手中之人，無一能夠生還，反正我也不知道什麼，不如先和她約好了條件再說……」

心念一轉，說道：「妳要我答覆妳問話不難，但必須得先答應我三個條件。」

紅衣少女笑道：「你說吧！什麼樣的條件？」

葛煒道：「第一件，必須把你們擒到之人完全釋放。」

紅衣少女微微一笑，道：「你倒是想得很周到，照這麼看來，今夜到此之人，都是你們……」

她忽然頓了一頓，接著：「好吧！你再說第二件！」

葛煒道：「第二件最爲重要，妳要想想再決定。」

紅衣少女道：「姑娘做事，從不多想，你說吧！」

葛煒道：「凡我知道之事，絕不保留一字一句，但是如果我不知道的事情，到時妳便不能強我所難。」

紅衣少女略一沉忖，道：「好！第三件呢？」

葛煒笑道：「咱們素不相識，彼此空口無憑，眼下又無作證之人，咱們各立重誓，免得屆時毀信背諾。」

紅衣少女臉上閃過了一抹陰森的笑意，說道：「好吧！我先解開你受傷的膽、脾二經脈，再問你話。」

她舉手連拍了葛煒身上九處的穴道，然後又在他傷處推拿了一陣，笑道：「我已解了你的膽、脾兩條經脈，現在要問你話了！」

葛煒挺身坐起，說道：「慢來！慢來！妳還沒有立誓。」

他仍未脫童心，心中想著此事重要，就非迫著那紅衣少女立誓不可。

紅衣少女聽了笑道：「一諾千金，豈有背信毀約的道理，你這般不放心於我，未免太顯得孩子氣了。」

葛煒就是最怕人家說他稚氣未除、孩子氣，當下冷哼了一聲，道：「既然如此，那麼就請妳問吧！」

紅衣少女笑道：「你們千里迢迢趕到九宮山來，可是要找言陵甫麼？」

葛煒道：「不錯！」

紅衣少女道：「找他做什麼？」

葛煒道：「這我就不太清楚了，好像是請他找一件什麼東西！」

紅衣少女一皺眉頭，道：「是不是『血池圖』？」

葛煒略一沉吟，道：「我不太清楚，不便隨口亂說！」

紅衣少女突然格格嬌笑，道：「小兄弟，你就知道這麼多麼？」

葛煒哈哈大笑道：「不錯，不錯，可是咱們已經有言在先，我是知無不言，但我事實上並不知道什麼事呀！怎麼，妳有點後悔了麼？」

紅衣少女道：「你很聰明，不過我倒未必後悔。」突然提高聲音，說道：「石大彪，你把他們全都帶到這裡來！」

但聞一個破鑼般的沙啞聲音應道：「二姑娘，時候已經不早啦！帶著他們走，太麻煩，最好讓我給他們一人一掌，結果掉算啦！」

紅衣少女道：「我要你把他們送到這裡，你沒有聽到麼？」

石大彪似是不敢再多說話，挾著兩人，飛上紅衣少女停身的浮閣上。

他動作迅快，片刻把擒到之人全部帶了上來，橫七豎八，躺了一地。

葛煒暗中一數，自己不算，正好十人。

紅衣少女看了躺在地上的群豪一眼，道：「沒有了麼？」

石大彪搖頭道：「全部在此。」

紅衣少女微微一笑，問道：「六日之後，就是教主閉關期滿之日，咱們做點好事把他們全放了吧！」

石大彪驚奇地望了那紅衣少女一眼，道：「什麼？」

紅衣少女目光投在葛煒的身上，笑道：「我和那位小兄弟訂下約言，全部釋放他們，豈可背信毀諾說了不算？」

話落，舉手一掌，擊在葛煌身上。

但聞葛煌長長吁了一口氣，挺身坐了起來。

紅衣少女動作迅快無比，一掌一個，眨眼間，十人全都醒了過來。

石大彪呆呆地站在一側，寒著臉一語不發。

顯然的，他對紅衣少女釋放眾人之事，心中大感不快，雖然不敢出手阻止，但卻流露於神色之間。

此人長像瘦骨嶙峋，難看已極，此時寒著臉站在一側，直似一根沒有枝葉的枯樹一般，神情木然，怎麼看也不像一個活人。

紅衣少女拍解了十人被點穴道，然後笑道：「諸位千里迢迢，趕來此地，小妹沒有好好招待，心中甚是不安。」

言來鶯鳴燕語，笑容招展，絲毫不帶敵意。

這十人之中，除了天風道長和他的四個門下弟子之外，還有江湖綠林道上總瓢把子袁九逵兩個得力助手，神刀羅昆及方兆南、葛煌。

原來羅昆帶著天風道長門下四弟子，目睹葛煌、葛煒和天風道長，先後衝入浮閣之中，不見出來，不禁心頭大急，五人一齊向浮閣中衝去。

除了神刀羅昆功力深厚，能夠施展「登萍渡水」身法，踏波衝入浮閣之外，天風門下四個弟子，輕功火候都還未達「登萍渡水」之境，四人就地找了一些枯枝捆起，借那枯枝浮力，渡水而入。

紅衣少女和石大彪隱在暗裡施襲，把五個人一一點了穴道。

紅衣少女解開群豪穴道之後，說幾句玩笑之言，神態從容地緩步走出浮閣。

走了幾步，忽然又回過身子，笑道：「你們哪個知道『血池圖』下落，最好能自動送上冥嶽，如若不然，一個月內，江南武林道上，即將掀起一片狂濤……」

神刀羅昆冷哼一聲，接道：「隱身暗處，突施奇襲，縱然成功也算不得什麼榮耀之事……」

紅衣少女道：「看來你倒是有些不服氣了？」

羅昆拂髯大笑道：「何止不服，老夫還想領教姑娘幾手絕學。」

說著，大步向前走去。

石大彪一晃身直搶過來，呼的一招「推山塡海」，當胸劈去，口中大罵道：「格老子吹得什麼牛皮，先吃我一拳試試！」

紅衣少女拂塵一揮，橫擊過來，逼開石大彪拳勢，笑道：「他們都已是要死的人了，不要和他們一般見識啦！」

天風道長心中一動，輕輕一扯羅昆衣角，道：「羅兄不可衝動，快些退下。」

紅衣少女緩緩把目光移注到方兆南臉上，笑道：「方相公不可忘記和我三師妹冥嶽相會之約，你只要見著她的面，她自有救你之法。」

說完，轉身一躍，踏波而去。

石大彪望了群豪一眼，振袂飛起，緊隨那紅衣少女身後而去。

群豪之中，天風道長一方占了絕對優勢，連葛煌、葛煒算上，共有八人之多，方兆南和雙方均無恩怨，十一人只有耿三元和毛通兩個是袁九逵手下之人。

是以，二人自被那紅衣少女解了穴道，清醒過來之後，始終一言不發，噤若寒蟬。

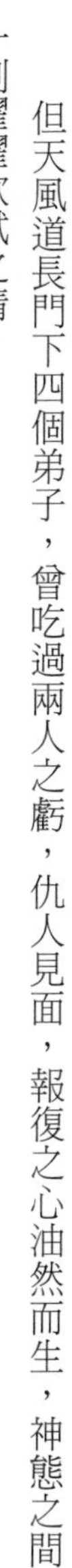

但天風道長門下四個弟子，曾吃過兩人之虧，仇人見面，報復之心油然而生，神態之間，一副躍躍欲試之情。

毛通生性陰沉，瞧出今日局面不對，立時冷笑一聲，高聲向耿三元說道：「耿兄，可惜總瓢把子此時不在，只有咱們兩人，只怕雙拳難抵人多……」

天風道長淡淡一笑，道：「兩位但請放心，貧道縱然存有殺兩位以爲江湖除害之心，但也不會在此時此地動手。」

毛通知他爲人正大，又是領袖江南俠義道上的首要之人，一言九鼎，不由大爲寬心，口中卻故意冷笑道：「其實生死也不放在在下心上！」

天風道長不再理他，回頭對四個弟子說道：「沒有我的吩咐，不許你們妄自惹事生非，膽敢有違，必以門規制裁。」

四個弟子一齊躬身領命，退到一側。

天風道長目光投注到方兆南臉上望了一陣，道：「請恕貧道眼拙，閣下面生得很，不知是哪位高人的門下？」

方兆南道：「在下方兆南，很少在江南地面上走動，自難怪道長不識。」

羅昆突然插嘴接道：「方兄既然不是江南道上之人，不知何以會到此九宮山中來？可否告訴老朽一、二？」

他見紅衣少女臨去之時，曾對方兆南說，不要忘記去冥嶽相會之約，不禁對方兆南生出了懷疑之心。

方兆南聰明絕頂，一聽羅昆問話，立時了然對方已對自己動疑，但事實經過如是，如要詳

細解說，不但要大費一番唇舌，而且也極不易解說清楚……

當下故作鎮靜，淡淡一笑，道：「在下和知機子言陵甫言老前輩有忘年之交，特意來此相訪，哪知故人不見，卻遇上了那紅衣少女……」

羅昆拂髯呵呵大笑了一陣，還未及開口，葛煒已搶先說道：「這麼說來，方兄和那紅衣少女也是偶然相遇的了？」

這一問如擊要害，方兆南登時被問得呆呆地答不上話來。

羅昆突然一欺步，探手向方兆南臂上抓去，口中冷喝道：「你如再不肯據實相告，可不要怪我老人家無禮了。」

方兆南急向旁側一閃，避開羅昆抓來之勢，道：「哼！前輩這等突施暗襲，算什麼英雄人物？」

他心知羅昆這一擊不中，第二招必將連續擊出，自己如一還手，立時就糊糊塗塗地打了起來，故而出言相激，讓他先自動停下手來。

果然羅昆收掌躍退，冷笑道：「這麼說，你是想和我老頭子比劃比劃了？」

方兆南正待答話，天風道長突然一欺步，攔在兩人中間說道：「這位方兄雖然和那紅衣少女相識，但貧道可保證他絕非同路之人，羅兄不可太過認真……」

說著，回頭又對四個弟子說道：「你們想辦法把這浮閣划到岸邊。」

四個弟子口中雖連聲答應，但臉上卻一副無可奈何之色，不知要用什麼法子，才能把浮閣划到對岸。

方兆南踏前兩步，探手抓起水底繩索，雙手交替，片刻之間，便把浮閣拉到岸邊。

群豪魚貫登岸，向前走去。

大約行有七、八里之後，到了一座山嶺之上，天風門下四個弟子首先覺得背心之處，隱隱作痛，身體極感不適，全身氣力大減，舉步如拖重鉛。

但四人眼瞧群豪個個無恙，不敢對師父說明，勉強向前趕路，累得臉上汗水滾滾而下。

神刀羅昆目睹四人神情，心中甚覺奇怪，低聲對天風道長說道：「你看他們四個是怎麼一回事？」

天風道長回頭瞧了四個門下一眼，道：「只怕他們是被紅衣少女，在利用拍活穴道之時，暗中下了毒手。」

此言一出，群豪個個一怔，不約而同地把眼光投到天風道長四個弟子身上，心中暗自忖道：「那紅衣少女既能對四個小道士下手，自然也能對我暗下毒手。」

大家想法一樣，都覺得自己也中了暗算。

天風道長走到一個弟子身側，道：「快些脫下衣服，讓我瞧瞧。」

那弟子依言脫下道袍，天風道長伸手撕破上身短衫，果見背心之上，有五個纖巧的血紅色指痕。

順次瞧看四個弟子，人人如此，每人背心之處，腫起五個紅色指痕。

群豪目睹之下，個個心中犯疑。

葛煒首先忍耐不住，對他哥哥叫道：「哥哥，你先脫下衣服讓我看看，你背上有沒有那紅色指痕？」

葛煌年紀比弟弟長了三歲，人也持重許多，雖知弟弟一片好心，但在眾目睽睽之下，要他脫去衣衫，甚覺不好意思，沉忖半晌不答。

葛煒微微一笑道：「哥哥心中不願脫去衣服，我來脫吧！」

此人年輕率真，說脫就脫，自動解開衣襟，脫掉上衣。

他既然脫了衣服，葛煌自是不能不看。

他轉臉瞧去，不禁心頭一跳，果見葛煒背脊之處，和那四個道人一樣，有著五指纖巧的指痕，只不過顏色沒有四個道人鮮艷。

葛煒見哥哥瞧著自己背心出神，一語不發，心中甚是著急，大聲問道：「你怎麼不說話呢？究竟有沒有？」

葛煌點點頭，黯然說道：「怎麼沒有，咱們快些回家去吧！也許爹爹有解救之法。」

羅昆垂頭一嘆，道：「兩位小哥兒本來在雲台山大鵬谷中生活得自由自在，這次被我們把兩位邀了出來，受此無妄之災。」

葛煒一面穿衣服，一面說道：「這怎麼能夠怪你們，只怕老前輩也一樣受了那個鬼丫頭的暗算。」

羅昆道：「老朽已屆就木之年，生死之事，早已不放在心上，但兩位前程正如旭日初升，前途無可限量……」

葛煌笑道：「老前輩也不必太過抱疚，生死有命，豈是人力能夠挽回的，再說這點掌傷，也未必真的能要人性命。」

毛通看了幾人背上指痕，心中暗想：「眼下之事，每人都被那紅衣少女拍過一掌，只怕個

個背上都印有這血紅掌痕……」

他轉臉對耿三元道：「耿兄請脫下衣服讓我瞧瞧，看你背上是否也被那紅衣少女印上了指痕？」

耿三元道：「不用瞧了，不但我有，這在場之人，只怕個個都有，咱們最好停下來，靜坐一陣，運氣調息一下，看看各處經脈，是否受了傷害。」

他最後這幾句話，明是對毛通講，其實無疑告訴在場所有之人。

天風道長回頭望了耿三元一眼，當先盤膝而坐，閉目運氣調息。

群豪紛紛仿效，盤膝坐下，各自運氣行功。

只有一人在群豪運氣行動之時，卻悄然離去。

羅昆久走江橱，人雖在盤坐運氣行功，仍然時時刻刻在注意著方兆南。

如今見他乘人在不注意時，拔腿欲溜，不覺心中大怒，高聲罵道：「我早就看出你不是好人，還不給我站住！」

方兆南眼看四個道人和葛煒背上都印著鮮紅的指痕，心知自己也絕難倖免，師妹還陷身抱犢崗朝陽坪下的石洞之中，日夕要伴著鬼模般的怪嫗，淒涼、驚魂，度日如年。

自己既然身中暗算，正不知哪一天會死，必須在未死之前，趕回抱犢崗，以「生肌續命散」援救師妹出險，讓她到西湖棲霞嶺去找垂釣逸翁林清嘯，自己才能死得心安理得。

但在眼下情境之中，既無法對人說明，也無法說得清楚，只好趁著群豪在運氣坐息之時，悄然一走。

哪知神刀羅昆，早已對他留上了心，見他一走，立時大聲叫了起來。

葛煌、葛煒兩兄弟，聽得羅昆喝叫之聲，當先一躍而起，施展出「蜻蜓點水」的輕功身法，唰唰唰，一連三個急躍，已追近方兆南。

方兆南停步回頭，目注葛氏兄弟，問道：「兩位追趕在下，是何用心？」

葛煒年少氣盛，冷笑道：「你想往哪裡去？」

方兆南接道：「這個你能管得著麼？」

葛煌道：「我們和你無怨無仇，你要哪裡去，我們確管不著。不過，此時此地、此情此景，你這般悄然而去，自難免讓人心中犯疑。」

此人雖比弟弟大不了幾歲，但卻少年持重，講話也入情入理。

這番話，聽得方兆南暗自點頭答道：「你說得不錯，你們如果懷疑到我和那紅衣少女是同路人，我這般不辭而別，也難怪你們犯疑……」

他心繫師妹的安危，重過自己的生死，不得不忍下一口怨氣，自動脫下上衣，接道：「兩位請看在下背上，是否也印的有紅色指痕，如果沒有，在下就算和那紅……」

他話還未說完，只聽葛煒已經冷笑說道：「如果我們以君子之心相度，只怕真的要被你瞞過去了！」

方兆南聽得呆了一呆，問道：「怎麼，我背上沒有指痕麼？」

葛煌看他神色愕然，似非裝作，橫跨一步，擋在弟弟面前，以防他陡然出手，然後才點點頭道：「不錯，你背上不見一點指跡傷痕。」

這時，神刀羅昆已經追了過來，擋住方兆南的去路，冷冷接道：「老夫終日打雁，能讓雁兒啄了眼去不成？」

方兆南目光橫掠葛氏兄弟而過，心中暗暗忖道：「此等情勢之下，就算有百口，也是難以說得清楚……」

一時之間，想不出適當話說，只好借著穿衣服時，籌思措詞。

葛煒目睹方兆南一語下發，心中甚感惱火，怒道：「事實俱在，你還有什麼話說？」輕輕一閃，從葛煌身後繞了出來，探手一把，疾向方兆南手腕上抓去。

方兆南大喝一聲，道：「這般欺人太甚，難道我方兆南還真的怕了你們不成？」左腕疾沉，避開葛煒擒拿之勢，右手猛出一招「飛瀑流泉」，當胸直擊過去。

他在忿怒之下，出手力道極是強猛，掌風勁急，迫得葛煒橫躍避開。

葛煌左臂一伸，擋住弟弟，說道：「方兄且慢動手，兄弟還有幾句話說。」

神刀羅昆大聲喝道：「我老頭跑了大半輩子江湖，難道還會看走眼不成？此人分明與那紅衣少女一丘之貉，只要把他抓住，不愁逼不出療傷之法。」

方兆南為著師妹安危之事，不願別生枝節，此刻連番受到激震，哪裡還忍得下這口仇怒之氣。

當下大聲喝道：「你們就一齊上吧！」

說完砰的一拳，直向羅昆擊去。

神刀羅昆左臂橫掃，硬向方兆南擊來拳勢迎去，口中大聲喝道：「瞧我老頭子年老力衰好欺侮，你就硬接我一招試試！」

方兆南本已收回拳勢，聽得羅昆譏諷之言，不覺又被激起怒火，暗中加力，收回的拳勢，又陡然疾掃過去。

兩人手臂相觸，方兆南被震得向後疾退了兩步。

羅昆哈哈一笑，欺身直攻上去，雙掌連續劈擊出去，掌風潛力，震得方兆南衣袂飄飄。

葛煌、葛煒目睹羅昆攻勢猛烈，搶盡先機，方兆南已陷入被動挨打之局，只有招架之功，兩人不約而同分移兩側，但心意卻是大不相同。

葛煒是怕方兆南落敗之後逃走，以便出手阻攔於他，葛煌卻是準備在方兆南落敗後，助他一臂之力，放他逃走……

這時，場中的激鬥愈來愈是猛烈，羅昆老而彌辣，拳拳如鐵錘擊岩一般。

方兆南雖然奮力抗拒，但卻無法扳回劣勢，激鬥之初，憑藉一股憤怒的銳氣，還可勉力支撐，鬥到二十個回合之後，銳氣漸失，被羅昆猛烈的攻勢，迫得滿頭大汗，氣喘如牛。

只要羅昆再攻上幾招，方兆南勢必要傷在羅昆拳下不可。

葛煌眼看方兆南形勢危殆，心中甚是焦急，但又不便出手相助，正自為難當兒，忽聽羅昆大叫一聲，向後退了兩步，舉拳不發。

方兆南藉機搶攻，欺近身側，舉手一掌，當胸擊下。

他掌勢將要擊中羅昆前胸之時，忽然發覺這位生性如烈火的老人，皺著眉頭，滿臉似有痛苦之色，頂門之上，汗水隱隱，不禁微微一愣，收掌躍退。

只見羅昆緩緩蹲下身子，左手按在背上，口中微出呻吟之聲。

他乃年紀老邁之人，氣血漸衰，生平所學的又是剛猛為主的外門功夫，平時對敵出手威猛絕倫，絲毫未因年紀老邁而見遜色。

但如一旦受傷，其耐受之力，就不似壯年之人那般的深長。

葛煒一見羅昆按著後背蹲下，立時晃身直搶過去，雙掌連續劈出，一出手就連續攻了四招，而且招招指襲方兆南大穴要害。

葛煌瞧得一皺眉頭，叫道：「煒弟……」

葛煒左手一招「五丁開山」，右手推出一招「飛瀑流泉」，迫得方兆南向後退了一步，口中卻大聲笑道：「哥哥不必擔心，我一個人足可應付他了。」

原來，他誤認葛煌要出手相助於他。

天風道長縱身一躍，落到羅昆身側，問道：「羅兄，受了傷麼？」

忽然想到他也曾被那紅衣少女在背後擊過一掌，莫不是他強運氣血和人動手，促使傷勢提前發作了不成？

念轉心動，立時伸手扯破羅昆的上衣。

定神望去，果見羅昆背心之上也有著五個血紅的指痕，而且已然紅腫脹大起來，指痕四周，一大塊青紫之色，和指痕顏色鮮紅如血，大不相同。

天風道長伸手觸摸一下傷勢，只覺他傷處火熱燙手，不禁心中吃了一驚，暗道：「這是什麼歹毒功夫所傷，怎麼從未聽人說過？」

回頭望去，只見四個弟子並肩盤膝，一排而坐，個個臉上汗水如雨，眉宇之間無限痛苦，心頭驚駭更甚，立時提高聲音說道：「兩位暫請住手，貧道有話要說。」

方兆南和羅昆動手，已耗去大部分真力，葛煒出手攻勢，又極凌厲，被迫得險象環生，聽得天風道長之言，立時向後躍開。

哪知葛煒趁勢直欺中宮而入，右手一翻，施一招擒拿手法，緊緊地扣住了方兆南的左腕脈門。

葛煌一瞧兄弟乘人不備，擒住了方兆南脈門要穴，心中甚是不安，縱身一躍直飛過去。

方兆南只道葛煌趕來相助，不但怒火暴起，大喝一聲，右手一招「推波助瀾」，迎向葛煌拍去，氣運左臂側身上步，手肘疾撞葛煒肋間「章門穴」。

他急怒之間，用出全身氣力，準備以死相拚。

葛煌想不到方兆南竟然一掌攻向自己，他有心救人，去勢極猛，變起倉猝，閃避不及，形勢所迫，只好奮起右手，硬接了方兆南一擊。

兩股掌力一撞，葛煌的掌風來勢被阻，相距方兆南還有三、四尺遠，被壓落下來。

方兆南卻被震得真氣一散，撞向葛煒脅間的手肘，力道大減。

葛煒冷笑一聲，道：「你自找苦吃，可怪不得下手狠辣了！」

說著五指暗加真力一收。

方兆南登時感到左臂行血，返向內腑攻去，全身勁力頓失，胸中氣憤欲炸，大聲喝道：「這般倚多爲勝，算什麼……」

話還未完，驀聞一聲嬌叱傳來，道：「不要臉，兩個打一個。」

聲音劃空而到，倏忽間已到場中。

人還未落實地，一縷指風，已到葛煒前胸，迫得葛煒鬆開了方兆南的左腕，向後疾退五步。

凝目望去，只見一個頭梳雙辮，年約十五、六歲，衣著襤褸的女孩子，滿臉嗔怒之色，擋在方兆南的前面。

葛煒初被指風迫退，還道是來了什麼武功高強之人，及見是衣著襤褸的女孩子時，不禁大怒，喝道：「哪裡來的野丫頭，還不快些給我滾開！」大步直欺過去。

那褸衣村女星目電波一閃，道：「你罵哪個？」雙肩一晃，迅捷無比地直欺過去，素手揮動，眨眼攻出三掌。

這三掌不但迅快絕倫，而且詭異難測，迫得葛煒連連後退。

葛煌原本存心救援方兆南，哪知憑空殺出來這樣一個褸衣村女，而且出手凌厲無比，三招快攻已迫得葛煒落處下風，兄弟關心，葛煌不得不出手搶救，大喝了一聲，探手一掌向那褸衣村女身後拍去。

方兆南縱身直搶過來，一招「手撥五弦」，斜向葛煌擊去。

褸衣村女一面回頭望著方兆南，嬌聲說道：「誰要你幫我的忙，快些退下去。」

方兆南聽得一怔，道：「什麼？」

就這一分神，葛煌已趨勢攻進一掌，拍向左肩。

只聽那褸衣村女冷笑一聲，快如脫弦流矢般疾射過來，纖指直取葛煌右臂肘間「曲池穴」。

葛煌疾收擊出右臂，向後躍退，腳落實地，心中暗自驚道：「此女身法這等迅速！」心念初動，驀見滿天寒影。

原來葛煒連吃那村女迫攻，激起怒火，放出雙筆揮舞攻來，一出手就家傳絕學，三十六招「流星筆」法，揮舞之間，筆影點點，撒出一片寒芒攻來。

這套「流星筆」乃葛天鵬生平採取各種武技之長，精心苦研而成，雖是一套筆法，但其間變化精奇，混入了刀，劍、杖等各種招數，出手攻勢，極是難測。

葛煌瞧兄弟一出手，就施出這套筆法，心中甚是不滿，正待喝止，忽見那村女嬌軀一晃，竟然直向那滿天筆影之中欺去，素手揮舞，以一雙空手和葛煒雙筆相搏。

雙方交手五、六個照面，忽聞那村女嬌叱一聲，素手翻轉之間，擒住了葛煒右腕，一振一抖，把葛煒右手一支判官筆奪了過來。

這一招手法奇奧無比，葛煌和方兆南都未看清楚那褸衣村女使的是什麼手法，奪過葛煒的判官筆。

那褸衣村女奪筆之後，緊隨著又向前欺進一步，揮筆封住了葛煒左手判官筆還擊之勢，揚起玉掌，疾向葛煒前胸按去。

她掌勢還未燭及對方，忽聞葛煒大叫一聲，向後退了兩步，一屁股坐在地上，左手判官筆，也自行脫手落地。

葛煌的視線，剛好被那褸衣村女的身子擋住，只道葛煒傷在那褸衣村女手中，怒喝一聲，衝了過來。

他雖然不滿弟弟的輕舉妄動，但手足情重，葛煒一旦傷在那村女手中，自是難以忍下胸中的怒火。

是以借著前衝之勢，已拔出背邊雙筆，一招「風雷齊發」，雙筆疾奔那村女背後「腦戶」、「命門」兩大死穴。

因去勢奇快，方兆南想出手攔截，已自不及，不禁大吃一驚，高聲叫道：「姑娘小心暗襲。」

其實方兆南話出口時，已然過遲，葛煌雙筆已如電奔到。

那村女渾如不覺有人施襲一般，直待葛煌雙筆將要點中之時，她才陡然向前一伏，讓開雙筆，右腳著地，左腿橫掃而出。

閃避、還擊，一式出手，大出葛煌意料之外．趕快一吸丹田真氣，穩住向前奔衝的勁道，向後暴退。

他應變雖然迅速，但那村女掃出的一腿，勢道更快，葛惶只覺左腿膝一麻，一腿作用頓失，人雖沒有摔倒，但半身麻木，已然無力再攻。

那村女身子一旋，挺身而起，說道：「若不是爺爺告誡我，不准我隨便傷人，今天非要把你一條左腿踢斷不可。」

隨手把奪得判官筆丟在地上，瞧了天風道長一眼，逕自轉身離去。

天風道長見多識廣，爲人持重，一瞧那褸衣村女出手武功，已知遇上奇人，自己上去，也未必能勝得了人家。

而且，眼下的情勢，必需有人收拾，如果自己出手再敗，勢將爲一場無人收拾的殘局，是以，他始終未肯插手過去。

那褸衣村女緩步而行，走了三、四丈時，突然回頭叫道：「你怎麼還站著不來呢？我走遠了，人家又要欺侮你啦！」

方兆南正在站著出神，覺得跟她而去不對，不跟她走，也不對，一時之間，心中拿不定主意，呆呆地站著出神。

直待那褸衣村女呼喚之言，他才追了上去。

葛煌左腿雖然受傷，但他仍然惦念著弟弟的安危，暗提真氣，奮力一躍，躍落到葛煒身邊，問道：「你的傷重麼？」

忽覺左腿一陣麻木，身子搖搖欲倒，趕快坐了下來。

葛煒睜開眼睛，搖頭說道：「我不是傷在那村女手中。」

天風道長疾奔過來，接邊：「只怕是中那紅衣少女的掌毒發作了。」

解開葛煒衣服望去，只見背上指痕鮮艷，四周一片青腫。

葛煌看弟弟傷勢轉重，心中甚是不安，黯然一嘆，說道：「弟弟，快些運氣試試看，能否止住傷疼，我背你兼程出山，咱們回家去吧，也許爹爹能夠療救你的傷勢。」

天風道長道：「眼下所有之人，都中了那紅衣少女掌毒，因各人功力修爲不同，是以發作時間有早有晚，令弟天資聰涵，內功已有深厚基礎，只因和人動手相搏，促使血氣流動加速，傷勢提前發作……」

他微微一頓之後，又道：「不瞞葛世兄說，貧道此刻亦微覺背上隱隱作痛，恐怕掌毒即將發作，縱然令尊確有療救這掌毒之能，但雲台山距此遙遠的行程，豈是一、二天所能到達，萬一中途世兄傷勢發作，那時救應無人，豈不更糟？」

葛煌暗中運氣一試，果然覺得背上隱隱生疼，心頭一震，接道：「老前輩話雖說得不錯，但咱們總不能坐以待斃，等待傷勢發作啊！」

轉頭望去，只見葛煒頭上汗水如雨，滾滾而下，心頭大生憐惜。

天風道長經驗豐富，雖陷困窘之境，但仍能保持心神不亂。

微微一笑，道：「葛世兄不必焦慮，容貧道想想再說。」

抬頭看去，群山拱立，綿延無盡，深冬旺陽，照著四周山峰的積雪，反射出了千百道霞光。

忽然間腦際雲光一閃，探手入懷摸出兩個翠玉瓶子，心中暗自忖道：「幸好這兩瓶藥物未被人搜去。」

他打開瓶塞，倒出兩粒顏色不同的藥丸，放在手中嗅了嗅，當下把兩粒藥丸送到羅昆面前道：「羅兄請服下這兩粒丹丸，看看能否止住傷疼？」

這時羅昆的掌傷劇疼正烈，雖然閉目靜坐，運氣調息，但仍疼得全身大汗如雨，神智不清，糊糊塗塗地伸手接過丹丸，瞧也不瞧就吞了下去。

天風道長緊張地瞧著羅昆的反應，因這丹丸能否醫得掌毒傷痛之苦，對眼下所有人的生死關係太大了。

大約一盞熱茶工夫後，羅昆臉上汗水逐漸消滅，神色也漸平靜。

天風道長見丹丸有效，沉重的臉上，微現一抹笑意，把瓶中丹丸分給葛煒和門下四個弟子服下，讓他們各自靜坐運氣調息。

果然，片刻之後，幾人痛苦大減。

十　生死玄關

方兆南隨在那褸衣村女身後，離開了天風道長那些群豪。走了三、四里左右，忽然想到師妹被困那山洞之苦，自己如若晚去一天，她就要多吃一天的苦頭。

當下停住腳步，高聲說道：「在下承姑娘援手相救，心中十分感激……」

褸衣村女忽地回過頭，接道：「你難道不認識我了？」

方兆南雖然早已瞧出此女正是自己月前投奔抱犢崗朝陽坪尋找袖手樵隱時，店中所遇的村女，但因不知對方姓名，不知如何稱呼。

聽得她相詢之言，抱拳一笑道：「月前得姑娘相贈食物，在下才不致身受饑寒交迫之苦，怎能忘去，因我不知……」

褸衣村女道：「是啦！當時我沒有告訴你我的姓名，難怪你不知了，我姓陳……」

忽然覺得一個大姑娘家，怎能親口把閨諱告訴一個少年男子，只感臉上一熱，倏然住口。

方兆南躬身一禮，神情拘謹地笑道：「原來是陳姑娘，在下方兆南……」

褸衣村女嘆道：「唉！我爺爺也來了。」此言說得大是突然，而且說來幽幽如訴、無限淒楚，輕顰秀眉，滿臉愁苦之容。

方兆南怔了一怔，道：「令祖定然是位隱跡風塵中的高人，方兆南如有幸能拜見一面，實乃生平一大幸事。」

他本想說出告別之言，但在聽得那褸衣村女之言後，不得不客氣一番。

那褸衣村女長嘆一聲，幽幽說道：「我爺爺舊傷復發，臥病不起，已經暈迷過去三日夜，唉！在這等荒山之中，我一個孤身弱女子，遇上了這等事……」

說話之間，熱淚奪眶而出。

方兆南勸道：「陳姑娘不必太過傷心，吉人自有天相……」

褸衣村女接道：「我爺爺恐怕是不能活了！」

方兆南聽了一呆，暗道：「縱然是你爺爺病情沉重，妳也不能這般說法啊！」

但他口中卻勸慰道：「在下身上帶有譽滿天下的名醫知機子言陵甫言老前輩的辟毒鎮神丹，或能有助令祖病情。」

褸衣村女搖頭道：「我爺爺的醫道，舉世無二，不管什麼重傷大病，都能著手而癒，他都無法療救自己重發舊傷，縱然華陀重生，也怕是無能爲力了！」

言來神情淒然，無限悲戚，緩緩轉身，慢步而去。

方兆南心中暗道：「人家對我有救命之恩，我豈能在此時告別而去？」當下跟在那褸衣村女身後行去。

轉過了兩個山彎，到一處突岩，說道：「我爺爺就臥病在那突岩上一座石洞之中。」兩臂一振，嬌軀凌空而起，半空中一個翻身，落在那突岩之上。

方兆南看那突岩大約有兩丈多高，估計自己輕功，絕難一躍而上，岩下石壁如削，又無立足之處，不禁卻步發呆。

那褸衣村女似已瞧出方兆南的爲難，解下束腰絹帶，垂下突岩，說道：「你跳起來抓住絹帶，我帶你上來吧！」

方兆南暗道了一聲：「慚愧！」一提丹田真氣，振臂向上一躍，右手探處，抓住了下垂絹帶。

那褸衣村女玉腕一收，把方兆南帶出了突岩，緩緩地把絹帶繫在腰上，說道：「我爺爺就在這石洞之中。」轉身向裡走去。

方兆南轉眼望去，果然一座兩間大小的石洞靠壁處鋪了一片枯草，草上橫臥著一個銀髯駝背的老人。

褸衣村女走近那老人身邊，屈膝跪在地上，叫道：「爺爺，有人來瞧你了。」

她一連呼喚數聲，那老人渾如不聞，連身子也未動過一下。

方兆南低聲說道：「讓他好好地睡一會兒，不要叫他。」

褸衣村女回過頭幽淒一笑，坐下身子，雙手抱膝，凝目望著那沉睡的老人，淚水緩緩而出。

石室中一片沉寂，但卻瀰漫著一種淒涼的氣氛。

方兆南心中雖想說幾句勸慰之言，但又覺千頭萬緒，無從說起，默然地坐在一側，望著那褸衣村女暗道：「以她的武功推論，這臥病老人必然是身負奇學之人，不知何以竟臥病這荒山之中？」

正自忖思當兒，忽聽那橫臥枯草的銀髯駝背老人，輕微地嘆息一聲，坐了起來，說道：「霜兒，妳又哭了麼？」

褸衣村女慌忙舉手拂拭去臉上淚水，笑道：「我沒有哭！」

她一面舉手擦著淚痕，一面說著天真的謊言，可是，此情此景，謊言卻加重了淒涼的氣氛。

駝背老人微微搖著頭，說道：「我已經對妳說過幾次了，妳此時正值『玄天氣功』將要圓滿之時，十二重樓雖通，生死玄關還未開，最忌憂苦悲戚。我舊傷復發，壽數已盡，縱然有靈芝仙丹，也難續我壽命……」

這幾句話，似是說得十分吃力，喘息了兩口氣，才接道：「我早已元氣耗盡，油乾燈枯，所以未立時死去，全為惦念妳武學未成，一念之後，使我每日要熬受三十時辰的氣血逆轉經脈之苦……」

他緩緩地把目光投注在方兆南身上，問道：「霜兒，這位是什麼人？」

褸衣村女道：「他是我剛才救援之人，我見他被人群毆，一時氣憤，出手相救，我告訴了他爺爺臥病之事，他就隨我一同來此瞧你。」

方兆南聽得一張臉通紅似火，熱辣辣地難受，暗道：「妳縱然對我有過救命之恩，也不能這般瞧不起我。」

挺身站了起來，深深一揖，說道：「陳姑娘相救之恩，在下絕不敢忘，他日如有機緣，定當投桃一報，我此刻尚有急事待辦，就此告別了。」

說完話，也不待對方回答，轉身向洞外走去。

他剛走到洞口，突聽一個低沉的聲音叫道：「舉世之間有幾人敢在老夫面前這等放肆，你這娃兒膽子不小，還不快些給我回來！」

聲音雖然低沉無力，但語氣之中，卻含蘊著無比的尊嚴，方兆南聽得微微一怔，停下了腳步。

回頭望去，只見那銀髯駝背老人倚壁而坐，臉上一片莊嚴肅穆，雖然面如黃蠟，一副病容，但卻仍然有一種懾入心神的氣魄，不自覺地緩步走了過去。

那褸衣村女一直靜靜地瞧著方兆南，臉上神情十分奇怪，既無憤怒之意，亦無戀戀不捨之情。

方兆南走近那老人之後，躬身一禮，問道：「老前輩有什麼吩咐麼？」

駝背老人輕輕地哼了一聲，一瞪雙目，那神光渙散的眼睛中，陡然暴射出兩道稜芒，有如冷電霜刃，直似要看透人五臟六腑。

方兆南和那目光接觸，不自覺地打了一個冷顫。

銀髯老人從頭到腳把方兆南打量一遍，冷冷說道：「見了老夫，怎生這等無禮？」

方兆南奇道：「晚輩怎敢對老前輩無禮。」

銀髯老人道：「當今之世見了老夫不拜之人，屈指可數，你這娃兒竟敢以常禮和老夫相見。」

此人口氣之大，方兆南從未聽過，不禁微生怒意，暗道：「我對你這般恭敬，還算禮數不夠，難道真要對你行三跪九叩的大禮不成？」

轉眼望去，只見那褸衣村女，瞪著一雙明如秋水的眼睛望著他，眉宇間憂鬱重重，不禁心

中一動，忖道：「此女對我有過施食之情，救命之恩，我對眼下這傷病纏身的老人，有什麼不恭敬的舉動，定要害她傷心。」

念頭一轉，霍然站直身子，對那銀髯駝背老人，拜了下去。

駝背老人面上泛現歡愉之色，低聲說道：「孩子，起來啦！當今世上想要我受他一拜之人，不知凡幾，但能對我行這等大禮的，舉世滔滔，卻只有你一人……」

方兆南見他雙頰上，各有一大塊又深又長的刀疤痕跡，使他輪廓本極端正的臉上，增加不少恐怖之色。

駝背老人深深地嘆息一聲，望了那褸衣村女一眼，自言自語地說道：「霜兒，我已經熬受幾十年的痛苦了，現在要盡力再支撐下去，除非找到『血池圖』……」

他微微一頓，又接道：「此刻，縱然能夠找到『血池圖』，但也已經太晚了……」

褸衣村女道：「我知道爺爺能夠再活下去，但爺爺自己卻不願再活下去了。」

方兆南只聽得心頭大生震動，暗暗地忖道：「怎麼？這些人都好像和『血池圖』有著牽連糾葛？」

駝背老人略一沉思，緩緩伸出右手，輕撫著褸衣村女，說道：「我已經耗盡了本身的元氣，就是起死回生的靈丹，也無法使我長留人世了，唉！妳行將一個人……」

褸衣村女似已無法再控制激動的情緒，撲向那老人懷中，放聲哭了起來。

駝背老人緩緩閉上眼睛，兩滴淚水，由眼角滾落面頰。

石洞中充滿了淒傷的氣氛，方兆南不知不覺間受到感動，想道：「此女對祖父這般留戀，卻從未提到父母，想是父母早已死去……」

駝背老人突然一整臉色，神色嚴肅地說道：「霜兒，我最多能活上半月的時間了，我必須在這半月之內，把我知道的武功盡數傳授於妳……」

只聽老人繼續說道：「我所以異於常人不死，全憑一口真元之氣，保身護命，再者我事先有了妥善的準備，配製了很多藥物服用，才能多延至現在……」

褸衣村女道：「這些事，我一直都不知道，爺爺爲什麼不早告訴我呢？」

銀髯駝背老人道：「我如早把此事洩露，影響妳武功進境甚大，所以，一直未告訴過妳……」他仰臉望著洞頂，默然思索了一陣，聲色突轉嚴厲地問道：「霜兒，你聽不聽爺爺的話？」

褸衣村女道：「霜兒怎敢不聽，爺爺，但請吩咐！」

駝背老人嘆道：「在我未死之前，你需要以百倍的信心，打通生死玄關，使武功步入另一種境界，如若不能做到，那就不如把一身武功，全部廢去，做一個平平常常之人，嫁一個山野樵夫、農夫，或能樂享天年……」

方兆南暗道：「這話倒是說得不錯，一個不會武功的女孩子，才能安安分分地嫁做人婦，相夫教子，操持家務……」

偷眼向那褸衣村女望去，只見那臉色一片冷靜，毫無激動之容，不禁心底生出敬佩之感，暗道：「此女聽得挑斷她經脈之言，仍然這般地沉著冷靜，實非常人能及。」

那銀髯老人目光緩緩地從那村女臉上掃過，又道：「須知妳現在的武功，已非一般武林人物所能望項背，我如死了之後，妳一人在江湖上闖蕩，難免會和人動手，只要妳一出手，就不難被人瞧出你的武功來路，查出你的身世，那時……」

褸衣村女淒婉一笑，道：「爺爺可是擔心你的仇人，查出霜兒身世後，向我施下辣手報復麼？」

銀髯老人道：「不錯，如果妳被人查出身世，他們勢非千方百計地追擒於妳不可，一旦被他們擒住，妳即將罹受舉世無匹的慘酷之刑……」

這兩人談話之時，從未轉頭看過方兆南一眼，直似旁若無人一般。

那褸衣村女，臉上仍是一片冷肅，並未爲銀髯老人的話，稍露驚恐，凝目靜思，似是正在考慮決定一件極大的難事。

銀髯老人亦似是被孫女出奇的冷靜，感到茫然無措，沉吟良久，才繼續說道：「他們雖然想找出我的下落，但他們始終未能如願。月前在咱們開設的小店中，被妳點住穴道的兩人，經我一番盤究之後，已然盡吐實情，確是冥嶽中人，所以我決定歇了小店，帶妳遷移一處僻靜所在。哪知，在途中又聽到『血池圖』的傳言，臨時又變意到九宮山來，不幸經過一段跋涉，傷勢卻陡然發作……」話至此處，突然咳嗽起來。

褸衣村女輕伸右手，在那老人後背輕輕捶了兩下，待老人咳聲止住後，突然問道：「爺爺醫理精深，替人療病，無不藥到病除，妙手回春，難道就無能療治自己的傷勢麼？」

銀髯老人道：「要想療治我的傷勢，除非你那師祖羅玄此刻突然出現在九宮山中。可是你那師祖早已道成飛升，不在人世間了，除他之外，即使窮集天下名醫高手，也難療治我的傷勢，孩子，不要瞎想了。」

褸衣村女突然面現堅毅之色，道：「爺爺既然傷勢難癒，留下霜兒一人，也不願獨留人世，等我葬了爺爺遺體後，就在爺爺墳前自縊一死。」

銀髯老人呆了一呆後，突然怒道：「我辛辛苦苦把妳撫養長大，身兼嚴父慈母兩職，十幾年來每日忍受奇經八脈硬化之苦，耗損我一生修爲的真元之氣，用盡了心機尋求延喘我生命的靈藥，爲的是什麼？想不到把妳撫養長大了，妳竟然這等輕賤自己的生命，早知如此，我也不會忍受十幾年的痛苦了。」

褸衣村女受了一頓申斥後，再也無法忍受心中的委屈痛苦，熱淚如泉，奪眶而出，一面幽幽說道：「爺爺不願霜兒追隨泉下，難道就忍心讓我一個孤苦無依的女孩子，以清白之身，混跡在江湖之中麼？」

銀髯老人輕輕嘆道：「如待我將要嚥絕最後一口氣時，如果妳的『生死玄關』還未打通，你必自斷一條經脈，今生今世，不許再談武功。」

褸衣村女良久之後，才突然一咬玉牙，斬釘截鐵地說道：「既然爺爺決定了，霜兒怎敢抗拒，只有盡我之力一試了。」

說完，突然閉上雙目，盤膝而坐。

銀髯老人把目光投注在方兆南身上，問道：「你是什麼人的門下？」

方兆南道：「晚輩乃周佩周老英雄門下弟子！」

銀髯老人道：「你能和老夫相見，總算緣份不淺，老夫有事相求，不知你能否答應？」

方兆南心惦師妹安危，遲疑了一陣答道：「老前輩有什麼教示之言，且請說出，讓晚輩斟酌斟酌，只要我力所能及，自當盡量不使老前輩失望！」

銀髯老人雙肩突揚，瘦削的臉上，微泛憤怒之色，但隨即恢復平靜，嘆道：「老夫每日之中，有三十時辰，要運集僅存的一點真氣，抗拒經脈硬化之苦，在此期內，無力抗拒任何侵襲

之力。」

方兆南啊了一聲，道：「老前輩可是要晚輩替陳姑娘護法麼？」

銀髯老人突覺臉上一熱，道：「老夫生平之中，從未開口求過他人，你如答允護法之事，老夫絕不虧待於你，在我清醒之時，傳授你各種武功，直到功行圓滿，或是老夫噓絕最後一口氣爲止。」

方兆南暗自想道：「傳授我一、二招奇奧手法，已足謝我護法之恩，此老卻要無限制傳授我武功，可惜師妹陷身抱犢崗下石洞之中，盼我之心，是何等的殷切，看來勢將白白放過這大好機緣。」

正待開口拒絕，忽然心念一轉，暗道：「此老再三強調，說他難再久生人世，想來絕非虛言，現下相距那怪嫗相約的三月期限，還有一段時日，不如答允於他。

「陳姑娘的武功，我已親目所睹，既是此老傳授，想這老人的武功，絕是不會太差，恩師滅門大仇，日後能否由我洗雪沉冤，武功高低關係至大，今日有此機緣，錯過了實在可惜，不如答允於他。」

當下說道：「在下承陳姑娘相助解圍，心中感激不盡，護法一舉，自是不該推辭，不過晚輩和人有約，不能久留此地，如在十五日內，陳姑娘還難打通『生死玄關』，在下就恐難再留此地。」

銀髯老人嘆道：「老夫也許還難支撐過十五天的時間，十五日內她如還難打通『生死玄關』，只有讓她自挑經脈，廢去武功。」

他微一沉吟，又道：「你用的什麼兵刃？」

方兆南道，「晚輩用劍。」

銀髯老人隨手撿起一根尺許長的松枝，說道：「那我就先傳一套劍法，不過老夫已是元氣將盡之人，也許難以解說得清楚，你要用心一點。」

說完，隨手一揮枯枝，開始講授劍訣，一面講，一面不停地作式相授。

方兆南全神貫注，凝神聽講，一面以手作勢學習。

初學幾招，還不覺有何奇奧之處，學上了幾招之後，漸覺老人所授劍式，似都是自己劍術的破綻，夢寐索求，難以彌補的缺點。任何一招都是自己窮盡所有劍式，難以破解封架之學，不禁暗生凜駭。

銀髯老人一口氣講授十二式，才放下手中枯枝，說道：「這一套劍法，大致已算授完，你自己再用心體會一番，如有不解之處，再一式一招地問我。」

說完閉上雙目，微作喘息，似是他講授這套劍法，十分吃力一般。

這時，方兆南已確知眼前的老者，是一位身負絕學的奇人，敬慕之心，油然而生。

偷眼瞧去，只見那銀髯老人兩條濃眉微微皺起，臉上神色，微現痛苦之狀。

他爲這老人的不幸，生出一種莫名的感傷，不覺暗自嘆息。

他呆呆地望了一陣，突然想到老人傳授的奇奧劍招，立時凝聚心神，撿起老人丟下的松枝，開始練習起來。

只覺愈練愈覺深奧，也愈是糊塗不解，他幾次停手下來，想叫醒老人問他，但目光一投注在老人的臉上，立時打消了心念。

原來那銀髯老人正汗水如雨，由臉上滾滾而下，鬚髮微顫，似正強忍著無比的痛苦。

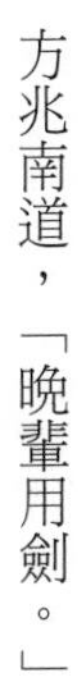

他不忍也不敢驚動老人，因他知道此刻如若驚動於他，不但有擾他走火入魔之危，且將使內傷轉重。

轉臉望去，只見秀逸絕倫的陳姑娘，也正輕顰著雙眉，盤膝端坐，鼻尖和頂門之間，熱氣騰騰而起，心中微生凜駭之感，暗道：「想不到一個不足二十歲的少女，竟有這般精深的內功，怎不使鬚眉愧煞？」

他突然感覺自己的責任重大起來，石洞中一老一小，都正運氣調息，進入了渾然忘我之境，此際，只要輕微一擊，立時可把兩人重創手下。

他深深地吸一回氣，放下手中松枝，緩步走到洞口。

探頭張望，只見滿天雲墨，寒風怒吼，天色突然大變，陰暗的天色下，更顯得峰頂積雪銀白。

忽聞寒風中飄來大喝之聲，道：「你是說也不說？」

方兆南大吃一驚忖道：「這聲音好生耳熟。」

轉眼望去，只見谷口之處，魚貫走入了兩人，前面之人雙手反背，緩步而行，後面一人，長髮散披，手提竹杖，不住大聲催喝前面之人快走。

方兆南一瞧之下，立時認出後面之人，正是知機子言陵甫。

他不停地把竹杖在地上亂敲，催迫快走，前面一人似是不得不放快腳步，片刻之間，已到石洞下數丈之處。

這當兒，方兆南已看清楚前面之人，正是挾持自己重來九宮山尋訪知機子言陵甫的笑面一梟袁九逵。

只見袁九逵雙手已被反綁，言陵甫左手握著一條五、六尺長的繩頭，右手提著竹杖，隨在身後而行。

方兆南看得暗暗笑道：「這位橫行江南道上的綠林盜首，現下被人家如此地擺布，如若被他的屬下看到，只怕再也不肯受他的領導了。」

忽然心中一動，忖道：「言陵甫醫術精深，或能療救得了老人傷勢，不如請他上來，替這老人醫治一下。」正待出口召喚，忽見袁九逵停下腳步，仰臉向上望來。

方兆南迅捷地一閃身軀，隱入洞側，凝神靜聽。

谷底傳上來袁九逵的聲音道：「在下確實不知『血池圖』的下落，你執意不信，叫我有什麼法子？」

言陵甫大聲怒道：「我言陵甫豈是受人欺騙之人，不說出『血池圖』的下落，你就別想活命！」

袁九逵道：「生死豈足以威脅於我，要殺就殺，但這般羞辱於我，可別怪我要出口罵人了！」

言陵甫道：「只要你帶著我找到『血池圖』，我就放開你的雙手，隨你到哪裡去，我也不管。」

此人語無倫次，說來說去只要尋找「血池圖」。

方兆南聽得一愣，暗暗嘆道：「此老人醫術絕世，才智超人，我初次和他相見之時，一派仙風道骨，是何等超逸的清雅之士，想不到為一幅『血池圖』，竟使他憒急成瘋，落得這般模

樣……」

正嘆息間，只聽袁九逵說道：「你對我有著療傷救命之恩，但對我也有無與倫比的羞辱，恩怨已兩抵，我如殺了你，可算不得恩將仇報？」

言陵甫大喝道：「哪來的這麼多廢話，快帶我找『血池圖』去。」

但聞袁九逵陰森森地冷笑了一陣，道：「在下雖然知道那『血池圖』存放之處，但是只怕言兄不敢去取。」

言陵甫道：「誰說我不敢去取？」

方兆南聽得心中一驚，暗道：「言陵甫瘋瘋癲癲，如果袁九逵存下害他之心，那可是極易之事，此老對我不錯，我豈能坐視不管？」

正想現身而出，忽然又想到石洞中銀髯老人的安危，轉頭望去，只見老人頭上汗水滾滾而下，如水澆頭一般。

忽聽言陵甫叫道：「你要攀這山峰作甚？」

谷底傳來袁九逵的冷笑，道：「『血池圖』存放之處距此甚遠，越峰而過，可省去不少路程時間。」

方兆南暗中運集功力準備，一面想道：「如若言陵甫聽信了袁九逵的話，越峰而過，勢非發現這座石洞不可，他兩人武功，均在我之上，我要如何方能把人擋拒洞外？」

哪知言陵甫竟是不肯上當，大聲說道：「此處懸崖如削，要想攀上峰去，勢非解開你被縛的雙手，咱們向前面走走，找到斜度較大之處，再越峰而過不遲。」

他雖然瘋瘋癲癲，但還未到神智完全迷亂之境，偶爾還有對事判斷之能。

但聞步履之聲，逐漸遠去，兩人似又向前行去。

寒風越來越大，片片雪花飄舞而下，方兆南呆呆地坐在洞口，望著飄落的雪花出神，想著連日的際遇，直似經歷了一場夢境。

不知過去了多少時間，忽聞身後響起了那老人的聲音，道：「我傳授你的劍招，可都學會了麼？」

方兆南回頭答道：「老前輩所授劍式，精妙繁雜，晚輩下愚之質，自習了數遍，竟越練越覺繁難。」

銀髯老人臉上浮現出難得的微笑，道：「這也不能全怪你，那十二劍式，乃是群集天下劍術精萃之學，其變化奇奧自非短期內所能領悟，只要你能把十二招劍式熟記胸中，不停練習，劍招自會隨你的功力增進而加入威力，至於其中的變化，等你劍招熟練之後，自然能體會出來……」

他忽然住口，回頭望著孫女，凝目注視，臉上逐漸泛現歡愉之色。

方兆南心中甚感奇怪，不知他何以高興起來，靜心聽去，忽然聞得一種極其輕微的嘟嘟之聲。

再瞧向那褸衣村女，只見那臉紅似火，全身不住地微微顫動，看樣子似在強熬著極大的痛苦一般。

忽聽她「哇」的一聲大叫，秀髮一陣波動，仰身向後栽去。

方兆南大吃一驚，縱身而起，直撲過去，忽聽那銀髯老人急聲叫道：「不要動她！」

方兆南雙手已探出向那褸衣村女抓去，聽那老人大喝之言後，倏然住手，向後退了兩步，回頭望著老人發呆。

銀髯老人道：「她凝聚了全身真氣，逼上十二重樓，想打通『生死玄關』，你如妄自動她，只怕要擾她真氣岔行，走火入魔。」

褸衣村女身子仰倒地上之後，雙膝仍然盤在一起，大約有一盞熱茶工夫，忽見她雙腿一伸，挺身坐了起來。

銀髯老人笑道：「已快達功行圓滿之境，也許在半月期內能如償老夫心願。」

褸衣村女不知爺爺和方兆南有半月護法之約，聞言搖頭，說道：「爺爺不可寄望於霜兒太高，半月時光，彈指即過，只怕霜兒會使爺爺失望。」

說完一嘆，起身走向石洞一角，取出鍋碗等物，燃起松枝開始煮飯，她動作迅熟，片刻工夫，飯菜俱好。

三人席地面坐，開始食用，雖然菜肴不多，但燒得卻很可口，方兆南已近一日夜未進食用之物，一口氣吃了四碗才放碗筷。

餐畢之後，褸衣村女又開始打坐練功，銀髯老人卻借空暇又傳了方兆南一套掌法，三人就這般在石洞中住了下去。

十幾天的時間，很快地過去。

銀髯老人忙著傳授方兆南的武功；褸衣村女忙著調運真氣，打通「生死玄關」；方兆南忙著複習那銀髯老人傳授的掌法劍術。

他已覺出這十四天中所學的武功，似乎包羅了天下武林名門名派中的武學。

不知那銀髯老人是否存有使自己死前，把胸中所知武功盡數傳人之心，以免各種絕技，因他的死亡失傳，或是因生命火焰將要熄去之時，盡量炫耀自己的深博。

不論是何種理由，都給予了方兆南無比的恩寵，使他在短短的半月之內，學到了舉世難求的武功。

十四日子夜時分。

銀髯老人忽然掙扎著站起了身子，手扶石壁，緩步走到洞口，探頭向外張望。

這夜，萬里無雲，滿天繁星，積雪皚皚，瓊粧大地。

老人拂著顎下銀髯，輕輕地嘆息一聲，自言自語地說道：「想不到我連最後一次的月光，也無緣見到了？」語氣之中，充滿著淒涼感傷。

方兆南忽然覺著應該安慰那老人幾句，但一時之間，又不知該如何開口才對，他只輕輕地叫出了一聲：「老前輩！」，就默默無言。

銀髯老人慢慢地轉過頭，低聲說道：「你過來！」

方兆南急步奔到老人身側，躬身說道：「老前輩可有什麼教言吩咐？」

老人淡然一笑，道：「我生平之中，從未對人這般慈愛親善過……」他轉臉望了正在運功打坐的褸衣村女一眼，接道：「只有霜兒是唯一例外！」

方兆南道：「老前輩對晚輩，恩寵有加，雖是父母師長，也難及得……」

銀髯老人道：「這也許就是我真的要離開這人世的跡象了……」他依戀地望著洞外的景

物，接道：「我死之後，你們就把我埋葬在那座山峰吧！」

方兆南順著眼光瞧去，只見那是座高插雲表的絕峰，聳立如筆，突出群峰甚多。

他突然覺著心頭泛上來一股莫名的衝動，熱淚點點奪眶而出。

銀髯老人慢慢地轉過頭，冷冷地喝道：「沒有出息的孩子，哭什麼？老夫昔年身受重傷，從頭到腳，傷痕斑斑，倒臥在雪地上一日一夜之久，從未呻吟過一聲，滴下過一點淚水。」

方兆南道：「老前輩人間聖傑，晚輩怎敢相比？」

銀髯老人微微一笑，道：「罵得好，爲什麼不說我冷面冰心？」

他突一整臉色，滿臉肅穆地說道：「明日午時，就是咱們約期屆滿之日，我必須盡最後一口元氣，助霜兒打通『生死玄關』。」

方兆南道：「這個老前輩不要放……」

他本想說不要放在心上，再晚上幾天也不要緊。

但銀髯老人卻不讓他再接下去，搶先說道：「這十幾日她進境很快，我助她，也不過是盡些引導之力，也許我耗去最後一口真元之氣，會立時死去，你必須保持鎮靜，等她自行醒來。」

他探手入懷，摸出一只錦袋，接道：「這錦袋暫時由你保管，等她清醒之後，交給她，如若難通『生死玄關』，你就把這只錦袋一併燒去……」

方兆南依言奔了過來，走近那老人身側，接過錦袋，藏入懷中，他知此刻再勸說他，也是無用，是以默然不語。

銀髯老人嘆息一聲，道：「我極可能在霜兒還未清醒之前死去，你不許因驚駭而擾亂她運

氣行功……」

方兆南躬身答道：「老前輩但請放心，晚輩當敬遵教命。」

銀髯老人突然凝眸沉思起來，良久之後目光轉投在褸衣村女臉上瞧了一陣。

轉頭對方兆南道：「老夫生平不願受人之助，我再以一招劍式，一招掌法，再換你爲我做一件事。」

方兆南道：「老前輩有什麼需要晚輩效勞，但請吩咐就是。」

銀髯老人截住了方兆南未完之言，冷冷地接道：「老夫此刻隨時有死去的可能，沒有時間和你多費口舌，你究竟答不答應？快說！」

方兆南道：「老前輩定要如此，晚輩就恭敬不如從命了。」

銀髯老人隨手撿了一段松枝，說道：「這一式劍招，名叫『巧奪造化』，乃千古以來劍術最爲奇奧之學，雖非老夫研創，但當今武林之世，除了老夫之外，再無第二人會此一招……」

他喘息一陣之後，又道：「可惜的是老夫對這一招曠絕今古的劍式，悟解地過晚，生平對敵之中，從未用過一次，至於那一招掌式，雖不如劍招奇絕武林，但卻有相輔劍式克敵之能，天下沒有一個人，能同時躲過劍掌齊施攻襲，除非是老夫那武功通玄的恩師羅玄復生人世！」

方兆南聽得心中甚感奇怪，暗自想道：「不管一劍、一掌如何精奧，天下絕沒單單一招劍式和一招掌法，能予克敵制勝。看來只怕他神智有些迷亂了。」

他暗暗嘆息一聲，道：「老前輩請先告訴需晚輩效勞之事！」

銀髯老人緩緩把手中松枝向外推出，說道：「看著，這一招劍式出手時，共有八個變化，你必須熟記這八個變化，才能把這一劍招威力發揮出來，減少一個變化，劍式的威力就減少一成。」

說著松枝平胸推出，手腕微微搖動，劃出一連串的小圈。

方兆南仔細瞧著那老人手中松枝，在徐徐推出之時，果然很多變化，因他推出松枝很慢，是以很容易看得清楚。

奇怪的是，看去並無什麼奇奧之處，但那老人卻神色鄭重、滿臉肅穆，方兆南不願使那老人失望，趕忙凝神舉手，試學著那老人推出的松枝變化。

銀髯老人一面比式相授，一面口中講解著要點。

方兆南聽了一陣，突覺這招劍式確有著奇奧絕倫的變化，連忙用心默記口訣。

銀髯老人傳完了一招「巧奪造化」的劍式，突然咳嗽起來，吐出來幾口鮮血。

方兆南心頭大駭，伸手在那老人的背上輕輕地拍著。

銀髯老人咳了一陣，說道：「你可記住那變化了麼？」

方兆南看老人焦急之態，暗道：「我如說記不得劍招變化，勢必又要勞他重新傳授。」一時之間，無暇多思，隨口應道：「記住了！」

銀髯老人此刻已然神智迷亂，聽得方兆南說記住了，竟然不再深究，當下說道：「那很好，我再傳你掌法，這一掌名叫『佛法無邊』。」

當下舉掌緩緩拍出，一面接道：「這一掌出手之後，共有三十變化，暗合天、地、人三才，和那一劍『巧奪造化』暗合八卦變化，有異曲同工之妙，只不過在威力方面，稍見遜色，雖然如此，但能閃過這一掌攻擊的人，已是絕無僅有的了。」

方兆南這次倒是集中了全副精神去學，那老人也似迴光返照一般，精神陡然大好起來，這

一掌不但傳授得十分仔細，而且抓住了方兆南右腕，一面講解一面逼著他試用。

兩人反覆演練，足足有一頓飯工夫之久。

方兆南雖然體會了一招「佛法無邊」的概要，可是那老人卻累得又吐了幾口鮮血，神智又陷入混亂之中。

他閉目養息了一陣，掙扎著站起身子，說道：「我已把舉世無雙、千古曠絕的一劍一掌傳授於你，現在，我要你代我做一件事，但你必須先立下重誓，要替我做到。」

方兆南吃了一驚，暗道：「什麼事必須要我立下重誓？」沉吟片刻，問道：「晚輩能夠辦得到麼？」

銀髯老人道：「你絕對能夠辦到，只怕你不肯去辦而已。」

方兆南道：「如若晚輩能夠辦到而不全力以赴，願遭天誅地滅！」

銀髯老人道：「此事容易至極，老夫要以最後一口真元之氣，助霜兒打通『生死玄關』，在我用力把僅存一口真氣逼出之後，人將立刻死去。但能否有助她打通『生死玄關』還很難說，我估計她在明日午時之前，當可清醒過來，如果她『生死玄關』未通，人必疲累不堪。」

銀髯老人神色突然間變得十分嚴厲，接道：「如果她告訴你『生死玄關』未通，你就突然下手點她一處死穴，然後撿些乾枝枯草，堆在這石洞之中，放起一把火來……」

方兆南驚道：「什麼？」

銀髯老人道：「你已立下重誓，如不聽老夫之言，甘心天誅地滅……」

他忽然輕輕一嘆，道：「這些我都是爲她著想，你只管照我的話做。」說完，搖搖晃晃地向那褸衣村女走去，在她身後盤膝坐下。

方兆南驚愕地望著那銀髯老人，只見他閉上雙目，緩緩舉起右手抵住那褸衣村女的背心之上。

片刻工夫，銀髯老人枯黃臉上，陡然泛現出一片紅光，滿頭熱氣，蒸蒸而上。那靜坐的褸衣村女，卻反而平靜下來，香汗全消。

石洞中寂靜的聽不到一點聲息，但方兆南兩道眼神卻不稍轉瞬地一直盯在一老一少臉上，心中泛起極深的哀傷。

他為練習那一劍一掌，耗去了很多心神，靜坐一陣之後，沉沉地熟睡過去。

待他一覺醒來，已是滿洞陽光，那褸衣村女仍然靜坐未醒。

他深深吸一口氣，挺身站起來，緩緩向洞口走去。

忽聽一聲「血池圖」淒厲呼叫之聲劃空而來，不禁心頭大驚，暗道：「知機子言陵甫又回來了，這瘋瘋癲癲的老人，武功奇高，如若被他闖了上來，那可是不易抵擋，陳姑娘行功正值緊要關頭，如被闖入山洞一擾，勢非走火入魔不可。」

心念及此，大感焦急，探手撿起一根較長的松枝，隱在洞門之後，想道：「如若他真的闖了上來，為了這洞中一老一少的安全，只有出奇不意地施展偷襲了。」

但聞那「血池圖」尖厲呼叫之聲搖曳在山谷之中，逐漸遠去消失，言陵甫似是由谷中直奔過去。

回頭看時，只見那褸衣村女半啓櫻唇，呼吸急促異常，滿臉黃豆大小的汗珠滾滾而下，不禁心頭大駭，放腿急奔過去。

他本想伸手去扶那褸衣村女，但在伸出雙手之時，突然想到那銀髯老人相戒之言，倏然縮回雙手。

忽聽身後，響起了一聲輕微的冷笑，道：「不要動她。」

方兆南急急轉頭望去，只見洞口之處站著一個青袍覆履，面如古銅，頭戴方巾的老人。

此人來得無聲無息，竟不知他何時登上了突岩。

一陣驚奇過後，方兆南恢復了鎮靜神情，緩緩向前走了兩步，問道：「老前輩找哪一位？」

青袍老人目光如電，環視全洞一周，冷然答道：「你們三位都不是老夫欲尋之人。」轉身舉步欲去。

方兆南見他要走，正合心意，怕他藉故多留，是以一言不發。

哪知青袍老人走了兩步之後，突然又回過頭來，問道：「可見過兩個背負判官筆的少年麼？」

方兆南道：「兩人可都是十七、八歲的年紀麼？」

青袍老者喜道：「不錯，不錯，不知他們現在何處？」

方兆南道：「晚輩半月之前曾和兩人相遇一次，但現在兩人行蹤何處，晚輩就不知道了。」

青袍老者似乎不太相信方兆南的話，緊隨著一句道：「他們兩人同行？還是有別人一起？」

方兆南道：「他們同行之人中，有一位背插大刀的長髯老人。」

青袍者者「哦」了一聲道：「那定是神刀羅昆了！」

方兆南道：「那老人姓名，晚輩不知道，除了背刀的老人之外，還有幾位道長同行。」

青袍者者道：「那是天風道長和他門下弟子，看來你說的倒是實言。」

方兆南不願讓他多留，怕驚擾褸衣村女行動，緊接一句道：「晚輩素來不說謊言！」

青袍老者微一點頭，緩緩轉過身子，大邁一步，人已到了洞口。

方兆南暗暗舒一口氣，正待回顧那褸衣村女，看看她情形有無變化，忽見那青袍老者一轉身，人已躍回洞中。

兩道目光盯在盤坐褸衣村女身後的銀髯老人望了一陣，問道：「閣下貴姓大名？」

方兆南道：「晚輩方兆南。」

青袍老者又問道：「那女孩身後老人可是令師麼？」

方兆南暗想：「那老人傳我不少武功，論將起來，也算是我師父，但我如承認這老人是我師父，他勢必又要問長問短。」

他略一沉吟，道：「晚輩也是在這洞中和他們初次相遇。」

青袍老人面現懷疑之色，道：「原來如此！」雙肩一晃，直向洞中欺去。

方兆南心頭一驚，橫臂一攔，擋住去路，道：「老前輩要幹什麼？他們正在行功，驚擾不得。」

青袍老者冷笑一聲，道：「閃開！」左手一伸，橫撥過去。

方兆南左臂一收，右手隨著疾向青袍老者手腕之上拂去。

他在惶急之間，無意中用出那老人傳授的拂穴手法，隨手一擊，迫得那青袍老者倒躍而

退。

青袍老者口中噫了一聲，目光投注在方兆南臉上瞧了一陣，突然仰臉大笑道：「我葛天鵬已二十年不履江湖了，想不到後輩人物之中，竟有這等高手，老夫今天倒要討教兩招了。」

方兆南聽他語氣之中，大有動手之意，不禁心中焦急起來，深深一揖說道：「晚輩絕無和老前輩動手之心……」

葛天鵬突然提高了聲音，接道：「老實告訴我，那老人究竟是誰？」

方兆南道：「晚輩確實不知他姓名身世，這個還得請老前輩原諒！」

葛天鵬冷哼一聲，道：「老夫是何等人物，豈能受你所騙！」

身軀微晃，人已欺近身側，舉手一掌，當胸擊來。

方兆南看他來勢奇快，心中甚是驚駭，而且掌風凌厲，威勢也極猛，估計自己功力，絕難硬接這人一掌。

但如果閃避開去，勢必要被他欺了進來，匆急之間，提聚真氣，還擊一掌。

但聞葛天鵬悶哼一聲，忽然向後倒退三步，縱身一躍飛下突岩而去。

方兆南呆了一呆，才覺出剛才一掌，竟然糊糊塗塗地擊中了對方。

他根本未存打人之心，掌勢隨手擊出，眼神卻未隨掌勢移動，僅把全身真氣提凝胸前，護住了幾處要穴，準備硬擋對方一擊，是以，掌勢擊中那青袍老者的什麼地方，他也沒有看到。

原來他在惶急之下，無意中用出老人傳他一招「佛法無邊」，此招耗去他心神最多，也在他腦際之中，留下了最深刻的印象，不知不覺間就用了出來。

他呆立一陣，才緩步走到洞口，探頭望去，只見一條人影，疾如離弦流矢般飛奔出谷，眨

眼間轉過一個山角不見。

這時他忽然想起了那銀髯老人在傳授一劍一掌之時的訓告之言道：「可惜老夫對這一招曠絕今古的劍式，悟解地過晚，生平對敵之中，從未用過一次，至於這一招掌法，雖然不如劍招奇絕武林，但卻有相輔劍式克敵之能，天下沒有人能同時躲過劍掌齊施的攻擊……」

當時他還未深信，但此刻卻感到那銀髯老人之言非虛了，立時又開始依照那老人所授的掌式變化，練習了兩遍。

方兆南這次心神集中，毫無雜念，但練來卻感到繁雜無比。

僅僅是一招掌法的變化，卻耗去他一頓飯之久的時間，才算自覺無錯。

待他再開始練習那劍招之時，不覺大吃一驚，原來那老人傳授他劍式變化，竟然完全忘去。

他凝神靜思，窮盡了所有的才智，才想起出劍之式，趕忙伏身撿起一段松枝，當做長劍施用，依照那老人傳授的劍招，一劍刺出。

他心中雖記著了銀髯老人相告之言，這一招「巧奪造化」中，共有八個變化，但當他劃出劍勢三變之後，竟自停了下來。

想不出下面的五個變化……

他反覆演練了數十次，但只能在刺出劍勢中演出三個變化，下面的五個變化，怎麼也想不起來了，不禁擲去手中松枝，長長一嘆。

忽然想起那褸衣村女，暗自責道：「我只管這般自私地練掌、練劍，如若驚擾了她，如何對得起老人的傳武之賜、陳姑娘救命之恩……」

轉頭望去，只見那褸衣村女仍然端坐無恙，才放下心中一塊石頭。

這時，她臉上的汗水已經消去，半啓的櫻唇也已合上，神態恬靜，臉上微現著盈盈笑意。

他忽然發覺眼前這位少女，除膚色稍顯黑些之外，輪廓秀美，眉目似畫，櫻口稜角，齒排碎玉，再也找不出半點不美之處。不禁多看了兩眼。

只聽她長長吁了一口氣，睜開了眼睛，左右瞧了一陣，口中輕輕地噫了一聲，問道：「我爺爺呢？」

方兆南突然憶起那老人之言，不禁心頭一凜，無法接言。

那褸衣村女看他低頭不言，若有無限心事似的，不禁一皺眉頭嗔道：「人家同你講話，你聽到沒有？」

方兆南怔了一怔，答非所問地說道：「姑娘『生死玄關』可已打通了麼？」

褸衣村女點點頭，道：「打通啦！」

方兆南鬆了胸中一口緊張之氣，像是卸去壓在胸口的一塊千斤重石，神情舒暢，微微一笑道：「那就好！」

褸衣村女聽得心中大奇，說道：「你說的什麼呀？」

方兆南道：「我說的是老前輩以他老人家本身修成的真元之氣，助了妳一臂之力，果然得償了他的心願。」

他不想把那老人之言據實轉告，隨口支吾過去，但一時間又想不出適當的話說，是以說得生生硬硬，連他自己也覺得這幾句謊言的破綻太多。

哪知褸衣村女卻似毫未聽出破綻，長長嘆息一聲，道：「不知何故，我爺爺對我打通『生死玄關』之事，特別關注，這幾年來，日日以此事相勉於我，唉！如非爺爺日夜督促，再過十年，只怕我也難以打得通『生死玄關』。」

說到這裡，忽然想到尚未見到爺爺的面，立時又問了一句，道：「我爺爺到哪裡去了？」

方兆南道：「他老人家就在妳身後坐著。」

褸衣村女臉色一變，緩緩轉過頭瞧去。

她似已有了不幸的預感，那轉頭之勢慢得異乎尋常。

她雖然盡量使轉頭之勢緩慢，但目光終於投到那老人臉上。

只覺如受千斤重錘在胸口重擊了一下，泉湧熱淚，奪眶而出。

過度的震驚悲傷，她反而哭不出聲來，只管呆呆地瞧著盤膝而坐的老人，熱淚如斷線珍珠般，一顆接一顆滾下粉頰。

方兆南緩步走了過去，低聲問道：「陳老前輩……」

褸衣村女突然大叫一聲：「爺爺……」一股氣血，直沖胸口，她吐了一口鮮血後，暈了過去。

她從小離開父母，在祖父教養之下長大，祖孫之間，相依為命，茫茫人間，她也只有爺爺這麼一個親人。

如今一旦目睹她世間唯一的親人，拋她而去，離開人世，此後人鬼殊途，永無見面之日，叫她如何不柔腸寸斷，肝膽俱裂。

方兆南緩緩伸出右手，輕輕一觸那老人手背，只覺僵硬冰冷，死去的時間似已不短，可笑自己一直守在這石洞之中，竟然不知這老人何時死去。

回頭望去，只見那褸衣村女，已自行醒了過來，原來她「生死玄關」已通，真氣已暢通全身經脈穴道，不致凝聚不散，是以暈厥不久，即自動清醒過來。

方兆南黯然嘆息一聲，勸道：「人死不能復生，姑娘也不必太過悲傷，何況陳老前輩生前還要熬受經脈硬化之苦，這等舉世無比的慘酷折磨，只怕非常人所能忍受，如非為著姑娘，只怕他老人家早已不願生在人間了。」

褸衣村女慢慢地挺身坐了起來，拭去臉上淚痕，說道：「我爺爺可有什麼遺言告訴你麼？」

方兆南道：「陳老前輩昨宵傳授我武功之時曾經告訴我說，他死之後，把他屍體葬在洞外一座絕峰之上……」

褸衣村女突然伸出雙手，抱起銀髯老人的屍體，道：「在什麼地方？快些去找。」

方兆南話還沒有說完，正待接下去再說，那褸衣村女似已不耐，怒聲叱道：「快些走啊！」

她似是突然想起了什麼緊要之事一般，面色間隱現焦急之色。

方兆南默然無言，轉身當先出洞，心中卻暗暗忖道：「我雖身受妳救命之恩，但妳也不可這般對我，這銀髯老人傳我武功，以後我常到他葬身之處，奠祭奠祭也就是了……」

他心中突然泛起了早些離開這少女的念頭。

忖思之間，人已到了石洞口邊。

他雖然自知輕功難以躍落這等高的距離，但卻不願有畏怯之情落入那褸衣村女眼中，縱身一躍，直向谷底飛去。

待身子將要落入谷底之際，猛然一提真氣，竟然輕飄飄地腳落實地，回頭瞧時，褸衣村女早已站在他的身後。

方兆南舉手指著前面一座突出群山的高峰說道：「就是那座高峰。」

褸衣村女微微點頭，抱著祖父屍體，當先向前奔去。

她「生死玄關」已通，輕身之術突飛猛進，手中雖然抱著一具屍體，但奔行之勢，仍然迅如飄風，翻山越嶺，如履平地。

方兆南用出了全身的氣力，仍然被她越抛越遠，逐漸地消失了那褸衣村女的背影。

待他爬上那高出群山的絕峰時，那褸衣村女已經挖好了一個洞穴了。

峰頂上滿是積雪掩遮了的山石草物，望去一片銀白，只有那洞穴突處，可見到一些山石泥土。

那銀髯老人仍然盤膝而坐的姿勢，長髯在強勁的山風中飄飄飛舞……

褸衣村女回顧望了方兆南一眼，欲言又止，輕輕地伸出玉臂，抱起放在雪中的屍體，放入洞穴。

方兆南忍不住說道：「妳就這般把他埋起嗎？」

褸衣村女微一怔神，回頭問道：「那要怎麼埋？」

方兆南舉目遠眺，看群山盡在眼底，心頭突然一動，暗忖道：「陳老前輩不選風景佳美之處，做他埋骨之所，單單選此絕峰，只怕別有用心。」

念頭一轉，突然想到銀髯老人臨死之前，曾經交給自己一個錦袋，囑咐自己暫時代為保管，如那褸衣村女「生死玄關」未通，就把這錦袋投入江海之中，如那褸衣村女打通了「生死玄關」，就把這錦袋交付於她。

當下伸手入懷摸出錦袋，說道：「陳老前輩曾交給在下這只錦袋，囑我暫時保管，待姑娘運功清醒之時，交於姑娘，也許陳老前輩在這錦袋之中，說出了他身後之事。」

褸衣村女接過錦袋，立時打開，方兆南卻轉身向絕峰一邊走去。

忽聞一聲嬌叱，起自身後，道：「回來！」

方兆南一猶豫，回頭問道：「姑娘可是叫我嗎？」

褸衣村女道：「這山峰只有咱們兩人，我不叫你，難道說給石頭聽嗎？」

方兆南大步走了過來，心中卻在暗自想道：「魯南小店和她初遇之時，她是何等的知禮嫻靜，怎地現在卻變得這般刁蠻？忽然想到，她是一個幼失父母之愛的弱女子，和祖父相依為命長大，一旦失去世上唯一的親人，自是難怪她性情急躁、心緒不寧。」一念及此，對她諸多無禮之處，全部釋然於懷。

褸衣村女把手中錦袋交給方兆南道：「你瞧瞧吧！」

方兆南猶豫了半晌道：「這個……」

褸衣村女嗔道：「什麼這個那個，我要你看，你就只管放心的看啦！」

方兆南打開錦袋，只見半支小巧的鋼梭，和一紙白箋，箋上寫道：「來年仲秋之夜，到泰山黑龍潭畔，憑此半截『七巧梭』，討還『龍舌劍』……」

箋上顯然餘意未盡，但不知何故，卻倏然中斷，除此白箋和那半截「七巧梭」外，別無他物。

方兆南舉起半截斷梭，瞧了又瞧，除了發現梭尖一端，雕刻著「七巧梭」三個字外，再也找不出可疑之物。

那銀髯老人並沒有在錦袋中安排自己的後事。

褸衣村女看他只管瞧著半截的「七巧梭」發呆，不禁嗔道：「你怎麼不講話呢？」

方兆南把半截「七巧梭」和白箋，一齊放在錦袋之中，笑道：「陳老前輩確實告訴過我，他死後把他屍體葬在這絕峰之上，如若咱們把他老人家的屍體，埋葬在土中，沒有棺木保護，只要數月之後，屍體就化在泥土之中，日後咱們來奠祭他老人家時，只怕難以找出……」

褸衣村女忽然插口接道：「你日後當真會和我一起來奠祭我爺爺嗎？」

方兆南道：「陳老前輩對我有傳授武功之恩，我自應把他當做師長看待。」

凝目望去，只見那老人屍體乾枯的毫無血色，心中突然一動，暗道：「他這般枯瘦如柴，想必精血早已乾竭，在這等終年積雪不化的絕峰之上，屍體當可保持不壞，眼下問題，是要想出個法子，保護他的遺體，不要被鳥獸之類傷害到。」

抬頭望去，只見數丈外處，有一座七、八尺的高大岩石，日光照耀下，晶瑩透明，不禁心中一動，失聲叫道：「有啦！這辦法倒是不錯。」

褸衣村女霍地挺身站了起來，道：「什麼辦法不錯？」

方兆南指著那岩石說道：「妳那看岩石外面，不是有一片晶明玉物嗎？」

褸衣村女道：「這等絕峰之上，冰雪終年不化，石外冰層，有什麼好奇之處？」

方兆南道：「如果咱們把陳老前輩的屍體，凍在冰雪之中，在嚴寒保護之下，屍體決不致腐壞。」

褸衣村女黯然點頭，道：「你想的辦法確實很好！」

方兆南縱身躍到那大岩石下，舉手一掌拍去，但聞呼的一聲，緩緩落下幾塊碎冰。要知這等千年積冰，緊硬無比，方兆南這一掌用足了六成功力，竟難劈裂冰層。

褸衣村女抱起老人身體，找到峰後一處終年難見陽光之處，和方兆南一齊動手，破開冰層積雪，把那銀髯老人屍體放入冰窟之中，然後緩緩堆上積雪，皚皚白雪，逐漸掩沒了銀髯老人的屍體。

寒風凜冽，吹飄著兩人的衣袂，那褸衣村女秀美面頰上，直垂著四個冰條。

原來她埋葬屍體之時，淚水由眼角緩緩滴下，冷風撲面，嚴寒透骨，不待她淚水滾下面頰，已然在臉上結成了冰條。

方兆南幫著她堆好雪後，嘆道：「姑娘準備到哪裡去？」

褸衣村女舉手拂去臉上的冰痕，茫然一笑，道：「茫茫世界，沒有棲身立足之處，我就留在這裡伴守著爺爺吧！」

方兆南道：「絕峰酷寒，生物絕跡，姑娘縱有一身武功，也難常居此處。」

褸衣村女重又取出懷中錦袋，瞧了白箋一眼，道：「那我就到泰山黑龍潭去吧！」

方兆南道：「箋上既未指明妳找什麼人討劍，又無對方住處，不屆仲秋，去也無用！」

褸衣村女雙目一瞪，逼視住方兆南道：「留這裡不行，去泰山也不行，你要我到哪裡去呢？」

方兆南道：「姑娘難道就沒有一處可以投奔的親人嗎？」

褸衣村女搖搖頭，答道：「除了我死去的爺爺之外，舉目世間，我沒有一個親人……」

臥龍生精品集

272

方兆南道：「妳的父母呢？」
褸衣村女茫然一笑，答道：「自我了解人事之後，就隨在爺爺身邊，從未聽爺爺談過我父母之事。」
方兆南暗暗忖道：「這倒是極爲難辦之事，她一個毫無經驗閱歷的女孩子，縱有一身武功，也難應付江湖間重重險詐，眼下只有暫時讓她和我走在一起，先去抱犢崗救了師妹再說。」
心念一轉，說道：「姑娘既無一定行止，不如暫時和我同到魯南一行……」
褸衣村女緩緩地起身接道：「要我陪你同到魯南一行可以，但你得答應來年仲秋，陪我到泰山黑龍潭畔一行。」
方兆南暗暗想道：「我是爲怕妳孤零，哪裡要妳陪我。」但又不便出言解說，只好微微一笑，道：「好吧！如我屆時有暇，當奉陪姑娘同赴泰山一行就是！」
褸衣村女仰臉望著天際默默沉思了一陣，突然說道：「我一個女孩子家，和你同行在江湖之上，被人瞧在眼中，定然會取笑於我……」
方兆南倒沒想到她會突然說出這幾句話，不覺聽得微微一怔，心下暗自想道：「這倒不錯，男女之嫌，總得設法避避才好。」
正待答覆，那褸衣村女已搶先接道：「我從小隨在爺爺身側長大，本對男女之嫌看得很淡，不知何故想到和你同行之事，心中忽然會緊張起來。」
方兆南道：「這也難怪，姑娘十幾年中，除了和陳老前輩在一起外，從未和生人接觸相處……」

褸衣村女不待方兆南說完，接道：「但我心裡卻又知道你是個很好的人……」陡然站起身子，緩步向峰下走去。

方兆南望著她的背影，心中泛起了極深的感慨，暗自嘆道：「像她這等孤零無依之人，從小就在寂寞之中生活，追隨著白髮蒼蒼的祖父，上下兩輩，相差了五、六十歲，只怕連個伴她遊樂之人，也是沒有，實難怪她胡思亂想，語無倫次。」

一念及此，心中油生同情之感，忖道：「以後我要對她多多照顧，讓她明白人世之上，除了她死去的祖父，還有和藹可親之人，用最大的容忍，慰藉她孤零生活中養成的寂寞之心。」當下放步追了上去。

兩人走了十幾里路，褸衣村女從未回頭瞧過方兆南一眼，方兆南也未和她說一句話，只是默默地相隨身後。

其實她內功精深，耳目靈敏無比，只聽步履之聲，已知方兆南緊隨身後而行。

十一　冥嶽隱秘

褸衣村女生平之中，除了祖父之外，從未和男人單獨相處在一起，陡然和一個年齡相若、英俊瀟灑的男人走在一起，而且今後還有著極長一段相處的時日，只覺心中生出了無比的緊張，千情萬緒，紛湧心頭，但仔細想去，卻又都是些茫茫渺渺，無可捉摸之事……

忽聞一陣喝叱之聲，飄入耳際，使她紛亂的情緒，暫時平靜下去，回頭望著方兆南問道：「咱們要是遇上了別人時，你要如何稱呼於我？」

方兆南聽得一呆，暗道：「這倒是一個難題？」一時之間，竟然想不出適當措詞回答。

褸衣村女輕嘆一聲，道：「我的名字叫陳玄霜，爺爺活著之時，常常叫我霜兒，你也叫我霜兒吧！」

方兆南道：「霜兒兩字，我豈能叫，我叫妳霜姑娘如何？」

陳玄霜搖搖頭道：「不好，你這般稱呼我，別人聽到了，就知道咱們是素無瓜葛的陌生之人，孤男寡女，走在一起，豈不讓人笑話？」

方兆南聽她說得似是而非，不禁莞爾一笑，道：「那我要叫妳什麼？」

陳玄霜嗔道：「要你叫霜兒，你不肯，那你就乾脆別叫我好了！」

方兆南早已對她存下容讓之心，是以對她嗔怒刁蠻之態，也不放在心上。反而覺得她輕嗔

薄怒之間，別具一種天真嬌稚情態，不禁又是微微一笑。

陳玄霜看他毫無焦急模樣，心中更是氣惱，怒道：「你笑什麼？人家心裡急得不得了，你倒是滿開心的。」

方兆南臉色一整，答道：「我倒是想到一個主意，只是怕太委曲了妳。」

陳玄霜道：「你說來聽聽？」

方兆南道：「陳老前輩傳授過我的武功，我雖未行過拜師大禮，但已有授藝之實，如若陳姑娘不覺唐突，不妨喚我師兄，這樣別人聽起來既不刺耳，咱們也可名正言順地走在一起了！」

陳玄霜嫣然一笑，道：「這辦法倒是不錯。」

忽聞前面山谷之中喝叱之聲，愈來愈大，隱聞雙物交擊之聲，似是正有人在動手。

陳玄霜側耳聽了一陣，道：「咱們到前面去瞧瞧，看什麼人在動手好嗎？」

她「生死玄關」已通，武功已步入了另一境界，耳目也較前更爲靈敏，方兆南只是隱隱可聞，但她卻聽得十分清楚，方兆南道：「咱們去瞧瞧可以，但卻不能停留太久。」

陳玄霜應了一聲，放步向前奔去。

方兆南也施出輕身功夫，全力疾追，片刻之間，轉過了兩個山彎，用眼望去，只見長髮散披的言陵甫，揮舞竹杖，正和一個身著青袍，手執文昌筆的老者，打得難解難分。

在兩人動手旁側，橫臥著神刀羅昆、葛煌、葛煒，以及天風道長和他門下的四個弟子。

方兆南看得暗裡嘆息一聲，忖道：「天風道長等人定因走到這山谷之後，背上掌毒發作，臥病難行……」

只聽言陵甫大喝一聲，手中竹杖突然一變，杖風如嘯，攻勢急轉凌厲，杖影滾滾，威勢十分驚人，此人雖然瘋瘋癲癲，但武功卻是絲毫無減，而且更覺勇猛彪悍。

方兆南曾用一招「佛法無邊」擊退那長衫老人，還隱隱記得他自稱葛天鵬。

但見他筆影縱橫，撒出滿天精芒，和知機子言陵甫武功相當，難分上下，不禁心中暗生驚駭，忖道：「此人武功這般高強，如非陳老前輩傳授我的一招『佛法無邊』僥倖勝他，只怕早已送命在此人手中了！」心念及此，不自覺又凝神思索那一招「佛法無邊」的變化起來。

陳玄霜目睹方兆南看了兩人動手情形之後，忽然仰首靜立，神情木然，不禁芳心一跳，低聲說道：「方師兄你怎麼啦？」

方兆南啊了一聲，如夢初醒一般，望著陳玄霜，問道：「陳姑……」叫了一半，慌忙改口道：「霜師妹叫我了嗎？」

原來他正在用心思索那招「佛法無邊」的變化，根本沒聽清楚陳玄霜說的什麼？

陳玄霜道：「你這人的心哪，不曉得被什麼吃啦！人家給你講話，你總是聽不明白！」

方兆南訕訕一笑，道：「我正在想一件事，師妹就再說一遍吧！」

陳玄霜大眼睛眨了兩眨，答不出話，想了半晌道：「不要說啦！現在就是說也說不清楚。」

方兆南奇道：「為什麼？」忽然若有所悟，接道：「是啦！妳定然是在問我在想的什麼心事！」

陳玄霜忸怩一笑，道：「我才不管你呢！」

突聞葛天鵬厲喝一聲，文昌筆陡然急攻三招，幻化出一片筆影，迫得言陵甫退了兩步。

一筆翻天逼退言陵甫後橫筆問道：「大駕可是譽滿江湖的神醫知機子言陵甫道兄嗎？兄弟葛天鵬。」轉臉瞧了方兆南一眼，立時又轉回頭去。

言陵甫雙目圓睜，逼視著葛天鵬，聽他說完話後，突然大喝一聲：「還我『血池圖』來。」舉手一杖「泰山壓頂」，猛劈而下。

葛天鵬一皺眉頭，橫躍三尺，避開杖陣，怒道：「你究竟是什麼人……」

言陵甫神志迷亂，哪裡能聽得清楚，呼的一杖「力掃五嶽」，橫掃過去。

葛天鵬臉色大變，向後一閃，避開杖陣，反手一筆「畫龍點睛」，直擊過去。

兩人重新交手，較剛才尤爲猛烈，葛天鵬不知言陵甫神志迷亂，只道他不屑和自己談話，不覺激起胸頭怒火，文昌筆連續演出殺手絕學，寒芒電轉，攻勢凌厲異常。

言陵甫雖然瘋瘋癲癲，但手中竹杖縱打橫擊，猛勇無倫，和葛天鵬展開了一場搶制先機的快攻。

兩人功力相差不遠，武功也在伯仲之間，這一全力拚搏，更顯得凶猛絕倫，慘烈無比。

方兆南目睹兩人激烈惡戰，心中突然一動，暗自忖道：「言陵甫這等見人就打的瘋癲之狀，終非善局，他武功雖然高強，但靈智心機盡失，以眼下所見情勢而論，那『血池圖』藏在他身上，決非長久之策，必須早些設法把它取回！」

抬眼望去，只見兩人激戰之勢，愈發猛烈，言陵甫久戰之後，已不似初動手時那般穩健，攻勢雖然迅快，但已隱隱呈現後力不繼之態，杖法也漸見散亂。

反觀葛天鵬，經過一陣急打猛拚之後，似已知遇上勁敵，勝敗之分，決難在百招以內分

出，心神漸定，不再搶攻，以閃避和輕巧的身法，蓄力游鬥，準備待對方真力將要耗盡之時，再以雷霆萬鈞之勢，反擊求勝。

方兆南冷眼旁觀，默查雙方激戰情勢，估計言陵甫再難支撐到五十個回合以上。念轉意決，回頭低聲對陳玄霜道：「霜師妹請在此等我片刻，我把那施竹杖的瘋癲之人引開，免得他傷在施筆之人的手中。」

陳玄霜道：「怎麼，你認識他嗎？」

方兆南道：「其人和我有過數面之緣，以醫術馳名江湖，只因丹爐被人毀去，使他耗去十餘年心血採集的靈藥，毀於一旦，一急之下，竟然急成了瘋癲之症，但他內功精深，又極善醫術，我想過些時日，當可慢慢好轉……」

陳玄霜嘆道：「可惜爺爺死了，如果他老人家還活在世上，定然可以療好他的瘋癲之症。」

方兆南嘆道：「唉！可憐一位享譽江湖的俠醫，竟然自罹瘋病……」縱身一躍，直向兩人衝過去。

葛天鵬自被方兆南一招「佛法無邊」擊退之後，對他早已心存戒懼，一方面和言陵甫動手相搏，一面暗中留神著方兆南的舉動，瞧他縱身直衝過來，不自覺地收筆向後躍退了七、八尺。

方兆南一心取回「血池圖」，也未理會葛天鵬，橫身攔在言陵甫身前，笑道：「言老前輩還認識晚輩嗎？」

言陵甫凝目呆呆地瞧了方兆南一陣，突然大喝一聲，舉手一杖劈下。

方兆南知他神志不清，早已暗中運氣戒備，橫裡一躍閃開五尺，笑道：「言老前輩如想找回失物，就請隨在晚輩身後。」也不容言陵甫答話，轉身向前奔去。

言陵甫果然緊隨身後追去，一面大聲叫道：「你就是逃到天邊，我也要追上你！」

方兆南一語不發，只管放腿疾奔，他知對方功力要比自己深厚，腳程也比自己快速很多，如若被他追上，纏鬥起來，只怕難以脫身，是以不敢和他說話，怕分散精神，影響奔行速度。

他自得那銀髯老人傳授之後，日夕用心苦練，不知不覺之間，武功已增進很多，奔行腳程，也較前快速不少，片刻之間，已越過兩、三個山嶺。

方兆南流目四顧，只見四野一片靜寂，立時停下了腳步，正待轉身過去，忽覺一股杖風疾掃過來。

原來言陵甫緊追身後，一見方兆南停下身子，不問青紅皂白，呼的一杖攔腰掃去。

這一招來勢勁急，發難又大出方兆南意料之外，再想躍身閃避之時，已自不及，匆忙中一挫身子，回頭拍出一招「佛法無邊」。

這一招耗去他心神最多，記得也最清楚，是以不覺間就用了出來。

但覺掌勢糊糊塗塗地，觸按在對方身上，言陵甫大叫一聲向後退去。

定神看去，才發覺這一掌正好按在對方右臂之上，如非這一掌按中對方右臂，勢非被杖勢掃中不可。

言陵甫似是受創不輕，躍退之後，一直瞪著雙目望著方兆南發呆，未再搶攻。

他和葛天鵬力拚了數百招，早耗去大部真力，方兆南反臂一招「佛法無邊」，雖然未用出

全力，但因在慌急之下，已用七成勁道。

言陵甫已筋疲力盡之軀，如何還能受方兆南這奇奧的一擊，只覺右臂肩骨之處，痛疼如折，一條左臂再難運轉，因他神志不清，也不覺得對方手法的奇奧，只知運氣調息。

方兆南一擊得手，逃過了一杖之危，立時用心思索如何取得他身上的「血池圖」。

他雖聰明絕倫，機智百出，但卻忠厚待人，雖然心知此刻，擊倒對方並非難事，但卻不忍出手傷害到他一個瘋癲之人，忖思良久，仍然想不出取圖之法。

言陵甫一直靜靜地站著，目光遲滯，怔怔地望著方兆南。

忽聽他輕微地哼了一聲，轉身向前走去。

方兆南看他轉身欲去，不禁心頭大急，急道：「老前輩哪裡去？」縱身一躍，直撲過去。

言陵甫聽得身後呼叫之聲，本能地回頭劈出一掌。

方兆南去勢勁快，收勢不及，只好右掌疾吐，硬接言陵甫的一掌。

但聞一聲砰然微響，雙掌接實，方兆南被撞得由空中直落下來，言陵甫卻踉踉蹌蹌地向後退了幾步，一跤跌在地上。

方兆南略一運氣調息，緩步走了過去，只見他雙目微閉，側臥地下，亂髮散覆，竹杖橫陳，看得人心生淒涼之感。

他輕輕地嘆息一聲，伸手撩開言陵甫的長衫，以極迅快的動作，取回「血池圖」，藏入懷中，然後施展推宮過穴的手法，推拿言陵甫的穴道。

這可憐老人，似是受傷極重，足足過了一盞熱茶工夫之久，他才長長地吐出一口氣來，睜開了眼睛。

方兆南看他清醒過來，黯然一嘆，縱身而起，放腿向來路奔回。

陳玄霜正在四面張望，見他回來，很快地迎了過去，低聲說道：「這些人個個都受了重傷，而且臉色慘白，只怕是難以救得活了……」

她微微一頓之後，又嘆道：「如果爺爺還活在世上，就是他們傷勢再重一點，也死不了，可惜爺爺……」兩行淚水，順腮而下，滴在了方兆南的手上。

方兆南勸道：「霜師妹別再傷心，需知世間沒有不死之人、不散的筵席。」

轉眼望去，只見葛天鵬已把那些倒臥谷旁的受傷眾人，全部移聚在一處，臉上神情黯然，默默無言地站在一側，他似自知無能救得幾人性命，也不設法解救。

只見那躺在地上之人，有兩個年輕道裝的，身體已然僵硬，八成是早已死去，其他之人雖然還像活著的樣子，但個個臉色慘白、形態枯瘦、眼圈深陷，想必是這幾人走到這山谷之中，傷勢發作，難再行動，立時席地而坐，調息傷勢，風雪交加，鳥獸絕跡，幾人縱然帶有乾糧，亦必用盡，饑寒交迫，傷勢煎熬，致落得這般模樣……

方兆南忽然心頭一寒，暗道：「這幾人都是那紅衣少女所傷，不知她用的什麼功力，竟然如此歹毒，但她對我心中懷恨，只怕超過眼下幾人很多，何以竟然不肯下手傷我，難道對方所下之毒手還未發作不成？」

一念及此，忽覺背上隱隱作痛，不覺出了一身冷汗。

忽聽葛天鵬自言自語說道：「煌兒、煒兒，想不到你們初出江湖，就遭了這等毒手，我來晚一步，父子們竟成永訣！」伏身抱起葛煌、葛煒，轉身而去。

他此時正沉浸在極度的傷痛之中，心神恍恍惚惚，抱著葛煌、葛煒，直對兩人衝去。

方兆南疾向旁側一閃，讓開了去路。

一陣冷風吹來，飄起了葛天鵬衣袂，也使他恍惚的神志，忽然一清，倏然停下腳步，回頭望向倒臥在路側的天風道長等，又緩步走了回去。

只見他蹲下身子，把倒臥在地上幾人扶了起來，分別在幾人背後「命門穴」上擊了兩掌。

方兆南默算時間，自己在那山洞之中度過了半月時間，而天風道長諸人，仍然停在這山谷之中，依幾人未能遠去而論，傷勢定然發作極早。

但以幾人還未死去來看，那紅衣少女下手雖然陰毒，但必然是一種緩緩傷人的陰歹工夫。

方兆南心中暗道：「我身上現有言陵甫相贈的『辟毒鎮神丹』。何不拿出來試上一試，如能救得幾人性命，也算一件大善事。」

他探手入懷摸出藥物，大步走了過去，說道：「在下身上帶有療治毒傷的丹藥，但卻不知能否醫得這幾位的傷勢……」他微一停頓之後，又道：「不過眼下他們都已奄奄一息，縱然藥物難以收效，倒也不妨一試，不知老前輩是否同意?」

他怕藥物用錯，反而會促使幾人早死，特地事先把話說明。

葛天鵬曾被他出手一擊而中，知他武功奇高，聽說他身懷藥物，當非妄言，以他之能，或能救得幾人和愛子生命。

當下點頭說：「小兄弟既肯出手相救，老朽甚是感激。這般人中，除了老朽犬子之外，都是多年好友，小兄弟但請出手。眼下他們都已是生機全絕，縱然用錯藥物，那也是天不假年，怪不得你。」

方兆南打開瓶塞，倒出了幾粒「辟毒鎮神丹」分別送入各人口中，呆呆地望著幾人服下藥物後的反應。

他這誤打誤撞的下藥，還真是被他撞對，那「辟毒鎮神丹」，正是那紅衣少女「赤練毒掌」的剋星，對症投藥、收效奇快。

幾人服下藥物，不到一頓飯的工夫，竟然都氣息轉重，臉泛血色了。

葛天鵬眼看各人服下藥丸後，大有轉機，心中對方兆南異常感激，抱拳一禮，道：「老朽久已不在江湖之上走動，請恕老眼昏花，不識高人！」

方兆南道：「晚輩不過碰巧施藥，怎敢當這等稱謝，老前輩請留此等待他們醒來，晚輩還有要事，必須趕路，就此告別！」

拱手為禮，站起身子，向前疾奔而去。

他怕這幾個人一醒來，又要和他糾纏不清，是以不願多留，一口氣跑過了幾座峰嶺，才放慢腳步而行。

陳玄霜一直和他聯袂而奔，她的輕身功夫本高過方兆南許多，是以不管他奔行如何迅快，都能從容相隨，不快不慢地和他並肩而行。

兩人兼程趕了數日，已到抱犢崗下，方兆南費了半日時間，才找著出那怪老嫗所居的山谷。

方兆南一面走，一面留心著四周山勢形態，只怕找錯了路。

忽聽水聲淙淙，一道山泉由峰上倒垂而下，流在一片突岩之上，濺起一片水珠。

他那日被那怪傴抓起身軀，送出山洞之時，曾被泉水淋個滿頭滿身，是以，對那垂泉記得特別清楚，一見垂泉，立時向那突岩之上攀去。

一口氣攀上突岩，舉手擊在石壁之上，高聲說道：「老前輩快些開門，晚輩送藥來了。」

他一連叫了數聲，不聞答應。

抬頭望去，只見陽光耀目，心中忽然想起，暗道：「是了，那怪傴身上滿塗有化肌消膚的藥物，不能見得陽光，看來只有等到深夜了。」

忽聞一陣衣袂飄風聲，陳玄霜緊隨他躍上了突岩，問道：「你要找什麼人，爲什麼跑到這等地方？」

方兆南指指石壁，低聲地說道：「那人就住在這石壁之內，不過，咱們現在還不能見到她的。」

陳玄霜奇道：「爲什麼？咱們合力把石壁打開，不就可以見到他了？」

方兆南搖搖頭低聲說道：「不行，人家也不是故意不和咱們見面，實有難以見面的苦衷。」

陳玄霜道：「那你爲什麼還要跑來見他，既然見不到，咱們走吧！」

方兆南道：「等到天色入夜，就可以見到她啦！」

陳玄霜聽得一怔，道：「什麼？光天化日之下不肯見人，卻要在晚上會客，那他定然不是人了……」

方兆南急道：「別亂說，要是讓她聽到了，那還得了！」

陳玄霜道：「聽到就聽到，怕什麼？哼！你怕他，難道我也一定要怕他嗎？」

她說話聲音，愈來愈大，似乎故意要讓那壁中之人聽到。

方兆南知她任性無比，此刻勸說於她，不但於事無補，反將弄巧成拙，趕快站起身子，拉著她說道：「咱們到別處談去。」

方兆南吃了一驚，想攔阻她時，已自不及，只驚得呆在當地。

陳玄霜緩緩站起身子，突然飛起一腳，向那石壁之上踢去。

陳玄霜將要踢中石壁之時，突然身子一旋，一個大轉身，向突岩下面飛縱了下去，落在一株突出的矮松之上，仰臉拍著手笑道：「下來呀！」

方兆南縱身追下，笑道：「這幾天來，我剛想說妳乖了，妳竟又頑皮起來！」

陳玄霜道：「你幾時稱讚過我，我怎麼一點都不知道呢？」

方兆南道：「我還沒有說出口來，妳自然不知道了。」

陳玄霜嫣然一笑，縱身躍下，兩人坐息之處，四面都是山壁環繞，不受嚴寒風雪侵襲，仍然生著滿地青草。

陳玄霜躺在草地之上，望著天空幾片飄浮的白雲，只覺人生變幻，際遇有如無際藍天上的浮雲，飄泊難定，感懷身世，不覺悲從中來，兩行晶瑩淚珠，奪眶而出。

方兆南也正在暗暗地想著心事，九宮山中連番出人意外的際遇，延遲東歸日期雖未逾越三月限期，但距屆滿只不過四、五日時光，不知被那怪嫗留居石洞的瑛師妹，該如何望眼欲穿了……

如若那怪嫗不守限約，或是她那殘損的身軀，已無能再支撐下去，會不會遷怒於師妹，而

把她傷在手下……

轉頭望去，只見陳玄霜淚水不停地滾下雙頰，趕忙勸道：「陳老前輩已經逝去，哭有何補呢？」

陳玄霜道：「從我記事之日，就只有爺爺一人教養我，可憐我連父母容貌也未見過一面，如今爺爺又棄我而去，茫茫世界上，只有我一個無依靠的女孩子，這孤苦無依的淒涼景況，你要我何去何從？」

方兆南道：「人世間淒涼之事太多，這孤苦無依又何止姑娘一人？」

陳玄霜拭去臉上淚痕，挺身坐了起來，道：「怎麼？難道你也和我身世一般……」

她本想說一般淒涼，但話將出口之時，忽然覺出這幾句話有些不妥，倏而住口。

方兆南道：「我雖托福皇天，父母健在，但我卻眼看一件比姑娘際遇更爲淒涼之事……」

陳玄霜道：「世上千千萬萬的悲慘之事，但如非身受之人，只怕難以體會出個中痛苦。」

方兆南道：「那人雖非我生身父母，但卻是我授業恩師，師倫大道，傳藝情深，比起父母之恩毫無遜色，唉！他們際遇之慘，比姑娘有過之而無不及，全家老幼盡遭慘殺，只餘下一個比妳稍大的女孩子……」

陳玄霜道：「那一定是你真正的師妹了？」

方兆南道：「妳也不是假的啊！陳老前輩在十餘日中傳授我武功，縱用上三、五年時間，也難學得。」

陳玄霜幽幽一笑，道：「你來抱犢崗上，可是要找你師妹嗎？」

方兆南道：「不錯！她被一個遭人毒害囚禁山洞中的怪嫗，留作人質，迫我到九宮山尋找

言陵甫，替她討取九轉生肌續命散，以藥易人。」
陳玄霜不再追問，閉上雙目，緩緩地躺在草地上，一陣山風吹來，飄起她垂散的秀髮和襤褸的衣袂。
方兆南心中忽然泛起一陣羞愧之感，暗道：「我只管日夜兼程趕路，連一件衣服也不知替她製作。」
心中愧疚叢集，只覺太對不起她，緩緩伸手撫著她飄垂的散髮，低聲說道：「咱們倆只管趕路，連一件衣服也沒給妳做，想來使我不安得很！」
陳玄霜道，「我從小就穿補過的破衣服，穿慣了，師兄不要把這件事放在心上。」
方兆南雖想說幾句慰藉之言，但一時間卻不知從何說起，而且她一副冷漠莊嚴的神情，心中縱有親切之言，也叫他不敢說出口來。
他忽然覺得這女孩的性格，和那爲逼自己吞服「血池圖」而以身相許的梅絳雪，有些不同，但又有很多相同的地方，卻無法明確地說出來……
正忖思間，忽然聽得一陣步履之聲，由身後傳了過來。
轉頭看去，只見一個腰束白布帶子，手執巨斧，肩挑柴擔的大漢，急步奔來，他身後跟著一個肩扛禪杖，足著芒履，年約四旬的中年和尙。
方兆南一見來人，立時認出是袖手樵隱門下弟子盛金波，立時大聲叫道：「盛兄別來無恙吧？」
盛金波轉頭瞧了方兆南一眼，冷冷地說道：「你又來我們朝陽坪下做什麼？哼！是否覺得麻煩還沒有找夠？」

方兆南本想問他張一平的下落，但聽得盛金波一番頂撞之言，一時間想不出恰當措詞回答，不禁呆在當地。

陳玄霜忽然挺身而起道：「朝陽坪非你們私有之地，我們高興來，你管得著嗎？哼！多管閒事！」

盛金波被她頂懂得愣了一愣，道：「一個女孩子家，說話沒輕沒重，成何體統，我盛金波堂堂六尺之軀，豈肯和妳個女孩子家嘔氣！」

回頭對那和尚說道：「咱們走吧！」轉身放步而行。

陳玄霜嬌喝一聲：「站住！」

正待放腿追去，卻被方兆南一把抓住了左腕，勸道：「我們還有正經事辦，別再多惹事啦！」

盛金波已然停下腳步，那中年和尚也把扛在肩上的禪杖，取在手中。

陳玄霜看兩人都似擺出動手相搏的態勢，平熄的怒火，陡然間又沖上心頭，低叱一聲：「放開！」

用力一掙，摔脫了方兆南握在左腕的右手，一提真氣，直衝過去。

那中年和尚隨在盛金波身後而行，停下步來，正好擋在盛金波的前面。

陳玄霜衝到那和尚面前，星目一瞪，道：「站開去，是不是想擋我去路！」

中年和尚合掌道了一聲佛號，道：「女施主請看我佛之面，暫息胸中之憤，貧僧千里兼程趕來，有要事面謁這位盛施主的恩師，事關千百武林同道生死，急如星火，延誤上一刻時光，即將多增加一分危機，唉！也許將貽害幾條人命……」

陳玄霜笑道：「你說了半天，我一句也聽不明白，究竟是怎麼回事呀？」

那和尚似是異常焦急，神情間甚是不安地說道：「三十年前名震江湖的死亡標幟『七巧梭』，重又在江湖之上出現，而且江湖各大門派的掌門之人，和黑道上的高手，都接到一張通知，限令今年端陽之日，齊到冥嶽『絕命谷』中，赴她『招魂宴』。如若屆時不到，一月之內盡戮背約之人的全家親友，刀刀誅絕，一口不留……」

說至此處，突然想到和這樣一個女孩子家，談論目下江湖上驚天動地的大事，實是有些不盡合適，趕忙收住話鋒。

和尚合掌一禮，接道：「因此事關係太大，貧僧奉命來此，邀請袖手樵隱史大俠破例出山，共籌挽救此一浩劫的辦法，女施主如不肯忍一時之氣，和盛施主動手相搏，只怕激怒了……」

忽覺得下面之言說出口來，不但於事無補，恐將引起對方反感，高喧一聲：「阿彌陀佛！」住口不言。

陳玄霜看那和尚滿臉愁苦之容不覺微微一笑，道：「絕命谷中招魂宴，聽來倒像是有點可怕！」

那中年和尚聽她隨口說來，輕輕鬆鬆，臉上毫無緊張之色，搖頭一嘆道：「女施主年紀幼小，自然不知三十年前傳言江湖之事。」

陳玄霜探手入懷，摸出爺爺遺留的錦袋，拿出了半截「七巧梭」，道：「你說那江湖上視爲死亡標幟的『七巧梭』，可是此物嗎？」

那中年和尚，雖然看她從懷裡摸出半截斷梭，但還不信那是「七巧梭」，哪知凝神一看，

登時臉色大變，全身微微顫動了一下，回頭拉著盛金波，以極快的速度向前走去，眨眼間消失不見人影。

陳玄霜看那和尚驚慌之態，心中甚覺好笑，凝目尋思片刻。回頭對方兆南笑道：「那和尚怎生這等害怕這支半截斷梭呢？咱們追上去，問問他去！」

方兆南已知袖手樵隱武功高強，追上去只怕將要惹出一場麻煩，立時勸道：「人家既然害怕此物，咱們如果追了上去，只怕給人家增了很多麻煩，我看還是別追算了！」

陳玄霜只不過是覺得好玩，一聽方兆南勸不要追趕，也就不再堅持，微微一笑道：「好吧！這次依你就是……」

忽然臉色一整，接道：「你是怕我追了去，招惹出麻煩，誤了救你師妹的大事嗎？」

方兆南聽得微微一怔，道：「救我師妹之事，縱然誤一天，也不要緊，我是怕妳追過去，和人打起來，如果傷了別人，彼此無怨無仇，心中定然感覺難過，如若咱們被別人打傷，那就更不值得啦！」

陳玄霜聽他一番解說之後，芳心甚感安慰，嫣然一笑，道：「我只道爺爺死了之後，世界之上再也不會有惜我憐我之人……」

忽然想到言中之意太過露骨，倏而住口不言，緩步向前走去。

在她童年到少女這些歲月之中，一直未能快快樂樂地玩過，因而使她性格之中潛藏了強烈的熱情，和極尖銳的反抗意識。這兩種大不相同的觀念，使她自己也無法把握自己的性格，愛恨交織，忽冷忽熱。

方兆南默然相隨她身後而行，一語不發，但在這幾日觀察之中，已然覺出此女喜怒難測，

有時笑靨如花，極是平和溫柔，但有時卻是半日不言不笑，沉默的可怕。

兩人默默走了一段路程，陳玄霜突然回過頭來問過：「方師兄，我心中想到了難解之事，不知你是否能夠解得？」

方兆南道：「妳且說將出來，讓我幫妳想想看。」

陳玄霜微微一笑，道：「那和尚見到我這半截斷梭之後，驚慌而去，不知是何用意？」

方兆南略一沉思，說道：「他見妳手中斷梭，定然誤認了妳也是冥嶽中人，故而驚慌而去，那也是人之常情。」

陳玄霜道：「可是爺爺又怎麼會把這數十年前，震懾武林人心的死亡標幟，留在這錦袋之中呢？難到我真的……」

她瞧了方兆南一眼，倏然住口不言。

方兆南聽得心頭一震，暗道：「這話倒是不錯，她祖父留下這半截斷梭，不知是何用意，看來此事只有到泰山黑龍潭畔，憑此斷梭取劍之時，或能看出一點蛛絲馬跡……」

陳玄霜看他默然不言，不禁又追問道：「你在想什麼心事？難道你真的懷疑我也是冥嶽中人嗎？」

方兆南搖頭道：「陳老前輩留此斷梭，用意定然很深，姑娘縱非冥嶽中人，只怕也和『七巧梭』有什麼恩怨牽纏……」

陳玄霜凝目沉思，想從記憶之中，找出點可資追索的痕跡，但她想了半天，腦際中仍然是一片空白，想不出一點能和「七巧梭」關連一起的事。

她不禁幽幽一嘆，道：「我對自己身世，一直就模糊不清，父母形貌，一點也記憶不起，當我記事之日，就和爺爺住在一起。」

方兆南勸道：「也許陳老前輩早已預作安排……」他微一沉忖，接道：「陳老前輩，武功絕世，醫術通神，自非無名之人，師妹身世將來不難查出，何苦自找無謂煩惱呢？」

陳玄霜展顏一笑，道：「你說得也是，像我爺爺那樣高深的武功，舉世也難找出幾個，如果他不是身受內傷，定然要名列一代武學宗師。」

方兆南抬頭看看天色已是黃昏時分，笑道：「天色已是不早，咱們在此坐息一陣，等候天色入夜，去救我師妹出來，就可離開此處，到名滿天下的西湖遊覽一番。」

陳玄霜道：「西湖好玩嗎？」

方兆南正待答話，陳玄霜又搶先說道：「我知道西湖乃天下有名的風景之區，山明水秀，自然是好玩的地方，咱們快些休息吧！」

兩人盤膝運息了一陣，待天色初更時分，起身向那山洞奔去。

方兆南白天來過一次，早已把地形記熟，一口氣便奔到那流泉突岩所在。

待方兆南登上飛泉之下的突岩時，陳玄霜早已停身在上，飛起一腳，向石壁之上踢去。

方兆南大聲喝道：「霜師妹不可亂來！」出聲阻止之時，已遲了一步，但聞砰的一聲，已然踢中了石壁。

只聽壁間回音嗡嗡，這一腳顯然踢在石門之上，方兆南心頭有如鹿撞一般，咚咚亂跳，只怕這一腳要踢出一番大禍。

哪知過了半晌，仍不聞有何動靜，心中大感奇怪，舉起右手，輕叩石門，高聲說道：「晚

輩已取得九轉生肌續命散，老前輩快請開門。」

他一連喚了數聲，石壁門既未開放，也未聞有人答應之聲。

陳玄霜突然插口說道：「也許那老媼已經傷重死去啦！」

方兆南心頭一凜，道：「那怪嫗在這石洞之中住了幾十年，都能夠撐得過去，何以會在和自己相約的三月限期之中死去？」

陳玄霜嗤的一笑，道：「方師兄，人死只要一會兒的工夫呀！」

方兆南久叫石門不開，心中本已懷疑，再聽陳玄霜連番提說，只感背脊之上，陡然升起來一股寒意，打了一個冷顫，自言自語地說道：「那老嫗冷怪無比，如若真的傷重而死，只怕我那師妹也難以逃出她的毒手。」

他愈想愈怕，不禁火起，飛起一腳踢在那石門之上，厲聲說道：「晚輩並未延誤三月限期，老前輩何以閉門不見？」

但聞山石嗡嗡回聲，顯然這一腳又踢在石門之上，但卻仍不聞石壁之內，有何反應。

陳玄霜道：「咱們把這石門打開，進去瞧瞧吧！」

她說打就打，雙腳齊飛，連踢石壁。

十二　生死茫茫

這一塊石門，只不過有數寸之厚，哪裡經得住陳玄霜連續飛腳猛踢。

不足一盞熱茶工夫，已被她踢得裂痕橫生，方兆南忽然伸手阻擋住陳玄霜，說道：「那怪嫗擒拿之術，甚是厲害，師妹妳別著了她的暗算。」

陳玄霜盈盈一笑，道：「我不怕！」潛運真力，用手一推。

那石門立時片片破裂。

她果是膽大無比，方兆南把那怪嫗描繪得如何厲害，她竟仍然不放在心上，一掌拍出，縱身直向那石洞之中躍去。

方兆南怕她遇上什麼凶險，緊隨她身後躍入山洞。

忽聽陳玄霜啊喲一聲，嬌軀疾向後退，偎入方兆南懷中。

方兆南不自覺地伸手一抱陳玄霜偎來嬌軀，問道：「什麼事？」

陳玄霜緩緩由他懷中抬起頭來，說道：「我害怕……」羞怩一笑，住口不言。

方兆南道：「怕什麼？」定神瞧去，只見那依壁而放的石板之上，橫臥一具骷髏，除了頭上還餘有一點皮肉，和那長長的頭髮仍在之外，全身上下各處皮肉都已化盡，只餘下森森白骨。

方兆南不禁大吃了一驚，叫道：「瑛師妹！」他在焦急之間，用力甚大，但聞滿洞回音，盈耳盡都是呼喚瑛師妹的聲音。

陳玄霜緩緩地離開了方兆南的懷抱，向後退了幾步，靠在石壁之上，目光凝注在方兆南的臉上，一語不發。

方兆南大喊了兩聲之後，心情逐漸安定下來，緩步走到那橫陳白骨的石榻之側，低頭一瞧，立時大叫一聲，一跤跌摔在地上。

在這等星月暗淡的夜中，在這等陰風森森的石洞中，這一聲淒厲的大叫之聲，登時使人毛髮皆豎，只嚇得靠壁而立的陳玄霜全身爲之一顫，呆了一呆，才奔到方兆南身側，扶他坐了起來。

只見他雙目圓睜，滿臉淒厲之容，淚水一顆接一顆滾了下來。

陳玄霜芳心之中大爲震動，突然回想到方兆南相待自己的諸般好處，一種母性潛在的母愛發揮了作用。

這十幾年歲月之中，她一直把這等先天潛在的誠摰情愛，深藏在心底深處，沒有機會，使它發洩出來……。

此刻，她卻被方兆南淒厲、悲苦的神情，觸發了潛藏在心底深處的情愛，忽然間，變得無限溫柔。

右手緩緩舉起了一塊羅帕，輕輕地拂著他頰間淚痕，深情款款地說道：「方師兄，你心裡難過了嗎？」她生平之中，從未柔情綿綿地勸慰過人，心中雖有著千萬慰藉關懷之言，但一時卻不知該從何說起。

方兆南忽然長長一嘆，熱淚如泉奪眶而出，道：「我師妹死了。」

陳玄霜轉頭看去，果見那石榻一旁的角落之中，側臥著一個全身女裝之人，雲鬟散髮，斜靠在石壁之上，全身僵硬，似是早已死去多時。以她身材和衣著看去，年齡決非三十歲以上之人。

方兆南呆坐了一陣，忽然挺身而起，走到她屍體之旁，伸手抓住她的右臂，扳轉過她的屍體，拂開她亂髮看去。

原來他忽然想到了，也許這死去的女人不是周蕙瑛呢，心念一動，立時起身走了過去，哪知拂開她垂首散髮一瞧，登時嚇得向後退了兩步。

原來那人臉上，早已被人抓得血肉模糊，無法分辨。

方兆南呆了一呆，突然轉過身子，指著那石榻之上，橫陳的白骨，罵道：「妳這殘忍的妖婦，三月限期，並未超過，妳竟不守信約，害死了我師妹……」他愈罵愈是火大，一腿向石榻之上掃去。

但聞一陣嘩嘩之聲，石榻上一具完整的人體白骨，應聲而碎，向四面散飛開去。

他一腳踢去了那石榻上一具白骨的下半個身子，心中似是仍未解恨，舉手一掌，又向那白骨上半身拂去，白骨和一顆肌骨稍存的長髮怪頭，橫飛而起，擊在對面石壁之上，噗噗的響聲之中，夾雜著一陣金鐵相擊的聲音。

方兆南轉頭望去，只見一支金光燦爛之物，擊在石壁之上，沒落下去。

陳玄霜探手撿了起來，說道：「那屍體不見得就一定是你師妹……」

方兆南道：「這石洞僻處山腹，外面石壁又光滑異常，極難看出破綻，不知此洞之人，如何能找到此處，必然是這老妖婦所傷，自忖必死之時，心中生出殺機，突然下手，抓碎我師妹面骨。」

陳玄霜道：「難道世上就再無人知道此洞之秘了嗎？」

方兆南嘆道：「這老妖婦被人塗上化肌消膚的藥物，據她所說，已有數十年寒暑之久，如是知她被囚禁此處秘密的人，年歲亦必在六十歲以上。但那屍體瞧去，卻似少女模樣，除我師妹之外，還有何人？」

陳玄霜凝目尋思片刻，說道：「你可記得你那位師妹穿的什麼衣服嗎？」

方兆南被她問得一怔，轉頭向那屍體瞧去，沉吟良久，答道：「我記得她穿的是綠色衣服。」

陳玄霜瞧了那屍骨一眼，道：「你記得不錯嗎？」

方兆南略一尋思，道：「決不會錯，她從小就喜愛綠色衣裳。」

夜色之中，極不易分辨顏色，但陳玄霜目光銳利，大異常人，雖在陰暗的洞中，已瞧出那少女顏色如非青藍，就是深綠，不禁芳心頓感一震，不敢再接口說話。

方兆南聽她久久不言，回頭抱起屍體，到了洞口之處，藉星光水色一看，登時向後退了三步，緩緩把手中屍體放下，自言自語地說道：「果然是綠色衣服，這一定是她了！」熱淚滾滾而下，滴在屍體上。

陳玄霜緩緩走近他身邊說道：「師兄不是勸過我嗎？人死不能復生，哭有何益……」

方兆南道：「是我害了她的，如我能早些時回來，她也許不致死在這老妖婦的手中了。」

陳玄霜幽幽嘆道：「都是我不好，害得你師妹遭了那妖婦毒手，如你不是等我，可以早就

回來啦！」

陳玄霜突然放低了聲音，問道：「你那瑛師妹，待你可好嗎？」

方兆南緩緩把屍體向石榻之上放去，目光觸處，忽然發覺那石榻之上，放著一柄銀光燦爛之物，隨手取了下來，把屍體放下，隨口答道：「她待我很好！」

只聽陳玄霜微帶著抖顫的聲音，說道：「如今她已經死了，那也是無可奈何之事，我要像她對你一樣地待你……」

她聲音突然地低沉下去，「待你」兩字之後，說的什麼，大概只有她心中知道了。

方兆南暗然地嘆息了一聲，道：「咱們走吧！」探手又抱起石榻上面的屍體，緩步向外走去。

陳玄霜低聲喚道：「方師兄！」

方兆南停下步，回頭答道：「師妹有話說嗎？」

陳玄霜道：「你要把她屍體，帶往何處？」

方兆南淒然一笑，接道：「我要爲她找一處山明水秀，風景絕佳之地，把她好好地安葬在那裡……」

他微微一頓之後，凝注洞外，接道：「恩師全家遇難，橫遭慘死，她是唯一逃出劫難之人，想不到卻喪身在這荒涼的深山之中……」

他這話，似是說給陳玄霜聽，也似是對著懷抱著的屍體懺悔、祈禱，又好像自言自語，神態間無限黯然，熱淚滂沱，滾下雙頰，滴在那屍體之上。

陳玄霜緩步走近他身側說道：「師兄不要再傷心了，她既然已去，人死不能復生，哭有何

用，咱們該想法子，替她……」

她本想說替她復仇，忽然想到那害死他師妹之人，早已成一堆白骨，這報仇之事，已是永無可能了。

她本是極爲聰明之人，略一沉思，立時接道：「替她好好地安葬起來，盡到你的心意，也就是了，你這般憂傷、痛苦，對死者無補，但對你的身體，卻有著很大妨害。」

言來深情款款，目光中情意無限。

方兆南道：「眼下四面無村鎮，連找個售棺木之處，也難找到，唉……」

陳玄霜道：「這石洞之中雖然黑暗，但尚可通風，不如把她屍體暫時存放此處，再想法子把那洞口堵閉起來，過些時日，我們再來此地，把她屍骨取回，和她父母合葬一起。」

方兆南抬頭打量了四周一眼，道：「只怕這山洞之中有蟲蟻吃了她的屍體。」

陳玄霜略一沉忖，道：「我倒有個法子，說將出來，只怕師兄生氣。」

方兆南雖在忿怒痛苦之中，但他乃極端聰明之人，微一思索，已想出陳玄霜之意。當下說道：「妳可是想要我把她屍體用火化去嗎？」

陳玄霜道：「不錯，用火化去之後，咱們再找一個瓷罐來把她骨灰盛起，送回她家中，把她和父母合葬在一起。」

她一略停頓之後，又追道：「再不然和我爺爺的屍體一樣，找一處高峰嚴寒之處，把她屍體放入冰雪之中，凍起來，你如想念她時，隨時可以瞧她。」

方兆南發覺眼前固執、任性、天不怕、地不怕的陳玄霜，忽然間性情大變，溫柔嫻靜，對自己關顧愛護得無微不至。

心念一動，不覺轉頭瞧了她兩眼，只見她滿臉情愛橫溢，心中忽然一凜，接道：「霜師妹說得對，咱們就把她火化了吧！」

當下舉步走出石洞。

陳玄霜看他居然肯聽自己之言，心中十分高興，緊隨身後，出了石門。

方兆南站在洞口外的突岩之上，長長吸一口氣，運轉於丹田之中，縱身而下，藉突出矮松、山石一接腳力，落入谷底。

陳玄霜的輕功，本比他高出很多，但她不願在他心中忿急、痛苦之時，在他眼前賣弄，滑步而下，緊隨在他身後，落入谷底。

她情竇初開，積存心底的熱情，極容易奔放出來，此刻，她已覺得方兆南是她在茫茫人世間的唯一親人了。

兩人奔行到一處山坳所在，方兆南放下手中屍體，翩翩的月光之下，已可看出這僵臥的少女屍體，確實穿著一身綠色的衣服！

這使他更確認橫放在眼前的屍體，是周蕙瑛而毫無可疑了，僅存在心中的一點僥倖想法，已完全消失。

他呆呆地望著屍體，回想著兒時相伴遊樂的諸般情景，熱淚又不禁湧出眼眶。

陳玄霜附在他耳際間，輕聲說道：「方師兄，我們可要去砍些乾枯的樹枝來嗎？」

方兆南突然覺得放下那屍體之後，手中還似拿著什麼東西，低頭看時，只見右手之中，握著一柄一尺五寸左右，銀光燦爛，似劍非劍，似刀非刀之物。

他在揮掌掃去那石榻上白骨之時，曾見此物，當時他急痛之間，神智恍恍惚惚，隨手取了過來，也不覺得。

現在仔細一瞧，星光下隱隱可見那銀光燦爛的似劍非劍之物，泛起一道紫色線痕，不自覺地伸手觸摸了一下，只覺此物鈍難切物，兩邊都是銅錢般厚，似劍非劍，似是造來好玩的銀牌，而且拿在手中，輕靈異常。

他瞧了一眼，本想隨手棄去，瞥眼見陳玄霜手中也握著一支和自己長短相同之物，只是顏色金黃，中間隱起一道黑色跡痕。

心中暗自忖道：「此等好玩之物，她定然喜愛，不如暫時先把它存放起來，將來送給她玩吧。」

隨手放入袋中，點頭說道：「我去砍點枯枝，妳在這裡守著她的屍體吧！」

也不待陳玄霜答話，立時向一處山坡之下奔去。

他以一個身負武功之人，折砍一些枯枝，自是輕而易舉之事，片刻之間已採集了一大捆回來了。

陳玄霜忽然想到，還未找到裝盛骨灰之物，當下說道：「咱們先去找一只罐子來吧！」

方兆南想了一想，道：「此處一片荒涼，除了到袖手樵隱居處的所在之外，往哪裡去找尋罐子呢？」

陳玄霜道：「袖手樵隱，想必是一位很有名氣的人，咱們找他借一個罐子，難道就不肯借嗎？」

方兆南道：「此人生性怪僻，不通達一點人情，別說借個罐子，就是想借個茶杯用上一

用，只怕他也不肯！」

陳玄霜道：「有這等怪人？那咱們更是得去瞧瞧了，如他肯借，那就算了，如若不肯，那就鬧他個天翻地覆，然後再強拿他一個罐子，看他有什麼法子！」

方兆南道：「那袖手樵隱武功奇高，只怕咱們兩人，也不是他的敵手。」

陳玄霜心中更是不服，冷笑一聲，暗忖道：「我偏要去瞧瞧他是個什麼樣的三頭六臂之人。」但口中卻答道：「那咱們總不能不要盛裝骨灰的罐子呀！」

方兆南思索了半天，覺得除了到袖手樵隱之處外，這方圓數里之內，很難找得到人家，縱然遇上一、兩家，只怕也沒有罐子可借。思來想去，覺得除此一條路，別無他徑可循，微微一嘆道：「我們去找袖手樵隱可以，但師妹必須要聽我的話。」

陳玄霜笑道：「好吧！到了那裡之後，我就緊隨在師兄身後，一語不發，什麼事都由你一個人和他說吧！」

方兆南道：「我並非要約束師妹行動，實是因爲那人武功太高，如若真要是鬧出事來，那可是煩惱無比……」

陳玄霜笑道：「你放心好啦！你不同意，我決不隨便出手就是！」

方兆南把放在山坳中的屍體，移到一塊突岩之上，搬來了幾塊山石，把屍體圍起，上面用樹枝掩遮起來，恭恭敬敬地對那屍體一個長揖。

這才回頭對陳玄霜道：「那袖手樵隱號如其人，從來不肯管人閒事，咱們見他之後，不要理他，自己動手取了應用之物，回頭就走，也許不致惹起麻煩。」

陳玄霜道：「我已記在心中了，快點走啦！把她屍體放在岩石之上，也非長久之計……」

方兆南黯然一嘆，轉身向前奔去。

他已到過了一次朝陽坪，對去路記憶猶新，停屍之處，相距朝陽坪也不過四、五里，兩人一路急奔，一口氣趕到斷魂樁處。

他雖知陳玄霜輕功提縱術高過自己，但仍然回頭吩咐道：「此處險惡異常，師妹請小心一些，看不準落足之處，不可逞強飛渡！」

說完，提聚丹田真氣，運足目力，看清了第一道石樁位置，正等飛躍過去，忽聞衣袂飄風之聲，陳玄霜已搶先向前躍去。

她身法迅快，認位奇準，足著石樁，回頭叫道：「師兄快向我停身之處躍來！」

方兆南急道：「快退回來，我已經來過一次，讓我走在前面替妳帶路。」

陳玄霜道：「眼下夜色朦朧，石樁位置辨認不易，我從小就隨爺爺修習易筋經說的上乘內功，可以黑夜見物，師兄只管放心，向我停身之處躍來。」

方兆南知她武功，高過自己甚多，聽她說得甚有把握，也不再多問，縱身一躍，直飛過去。

陳玄霜瞧他躍來之勢，認位甚準，立時振袂而起，向第二道石樁之上飛去。

她每落一道石樁，就回頭舉手向方兆南招呼，直待瞧出他無須自己伸手相助之時，又才向前面一道石樁飛去。

但覺那石樁距離，愈來愈遠，到最後一道石樁，距離已長達三丈左右。

她停身微一調息，回首說道：「師兄快來！」

方兆南提氣一躍，直向最後一道突石樁上飛去，眼看就要撞上了陳玄霜，仍不見她閃避，不覺心頭一驚，趕忙一沉真氣，身子疾向絕谷之中沉去，兩手急出，準備用五指之力，抓住突出石樁。

他怕把陳玄霜撞入了千丈絕谷之中，匆忙之中，來不及多做考慮，真氣一沉，身子疾墜而下了。

忽覺眼前人影一閃，一隻柔綿的手，抓在左腕之上，向上一帶，硬把他向下急沉的身子，抓了起來。

耳際間響起了陳玄霜溫柔嬌脆的聲音過：「這石柱之上，勉強可以擠兩個人，我已替你留下位置，快些閉目休息一陣，我幫助你躍過對岸。」

方兆南身體被她拖住，伸腳在下面一划，果然登上了石樁，只覺自己整個身子，緊緊地被陳玄霜抱在懷中。

要知這斷魂石柱，只可容一人存身而立，陳玄霜把方兆南捉上石柱，讓他有了著足之處，自己卻一足懸空而立，背脊緊貼在峭壁之上。

在這等驚險無比處，自是無法顧及到男女之嫌，兩人前胸相貼，臉兒相偎，彼此可互聞對方呼吸之聲。

陳玄霜衣著雖然襤褸，但人卻嬌若春花，只聽她嬌喘吁吁，吹氣如蘭，過了半晌，才附在方兆南耳際間低聲說道：「你不肯落到這石樁之上，可是怕把我撞落入那懸崖下嗎？」

方兆南道：「師妹武功高強，出了我意料之外，如非妳伸手相助，只怕我早已跌在懸崖中摔死了！」

陳玄霜道：「你如不是怕把我撞落下去，也下會甘冒大險了，快些閉目運息一下，我以掌力助你躍飛這段……」

她本想說這段距離，但在將要出口之時，忽然想到此話可能傷對方的自尊心，趕忙住口不語。

方兆南微微一笑，長長吸一口氣，低聲說道：「師妹請放開我！」

陳玄霜鬆了雙臂，伸出一掌按在他後背之上，道：「我用掌力助你！」

方兆南心中對躍過這最後一道的斷魂石樁距離，心中本毫無把握，但又不好在陳玄霜面前示弱，當下提口真氣，縱身向前躍去。

陳玄霜在他身子躍起之時，右掌用力向前一送。

方兆南突覺一股強大的暗勁，猛力把自己的身子向前推去，再加上自己向前飛躍之勢，迅快絕倫地落到對岸。

他身子剛剛站好，耳際間已響起陳玄霜嬌笑之聲，道：「這斷魂樁，果是險惡，只瞧他這住處，就可想到定是位冷僻異常之人。」

方兆南暗叫一聲慚愧，大步向前走去。

抬頭望去，只見茅廬中燭火輝煌，不禁大感奇怪，袖手樵隱乃十分冷僻之人，生平最不喜歡和人交往，這深更半夜之中，茅廬之內，爲什麼還高燒燭火？

心中忖思之間，人已到茅廬門前，只見雙門大開，廳旁燭火通明。

袖手樵隱史謀遁是一身樵夫裝扮，身著藍布短褂，足著高沿芒鞋，腰結草繩，下著淺灰套褲，端坐在面向門口的一個棗木椅子之上，默然不語。

在他身側垂手靜立著盛金波，除了他們師徒二人之外，廳中人影晃動，似乎人數不少。

方兆南目睹此景，大感驚奇，暗道：「此老一向孤僻成性，怎地會容這麼多人來他朝陽坪上，而且還親自接待在大廳之上。」

正自心念轉動之際，忽聽袖手樵隱冷冷地喝道：「什麼人鬼鬼祟祟，既然敢來我朝陽坪，為什麼不敢大大膽膽地進來！」

方兆南暗道：「此等情景，和他性格為人大不相同，我何不進去瞧瞧。」

當下一挺胸，直向大廳之中走去。

只見廳中坐了一個六旬以上，白髮垂胸的老人，和一個髮束金箍，身背寶劍的道人，一個灰袍芒服的大和尚，還有兩個身軀高大，氣宇軒昂的中年男子。

這般人神采個個不凡，似都非平常之人，而且眼中神光炯炯，一瞧之下，立時可以辨出是身具上乘武功之人。

除了那灰袍和尚瞧了兩人一眼，似是欲言又止之外，其他之人，都不過目光微一投瞥兩人，立時別過頭去，不相理會。

袖手樵隱冷冷地喝道：「你又來我朝陽坪做什麼？」

方兆南道：「在下想和老前輩借件東西一用。」

袖手樵隱還未答言，那兩個中年大漢已齊齊地站起身子，道：「這是什麼地方？豈容你們撒野，還不快給我退出去，當真要討死嗎？」

陳玄霜秀眉微聳，面泛殺機，似要發作，但瞧了方兆南一眼後，又平息了下去。

忽聽那白髯老人說道：「史兄既已和冥嶽之人結下了樑子，縱然你不找人，別人也要找

你，兄弟素知史兄性格，不再和人交往，自隱居這朝陽坪後，更是不肯插手江湖是非。不過這次情形不同，既非江湖上派別恩怨，亦非個人仇恨，江湖上所有之人都將牽扯其中，連少林派掌門方丈都不能坐視不理，事情嚴重性，可想而知，史兄縱然執意不肯插手，只怕那妖婦也饒不了你！」

灰袍和尚突然插口說道：「阿彌陀佛！貧道曾經聽師父讚揚史施主『七星遁形』精妙絕倫，世無匹敵，如果史施主答允參與此事，實我武林同道之福，我佛慈悲！」言罷，合掌垂首。

袖手樵隱史謀遁，似是被幾人你一言我一語，說得有些頗感心動，默然沉思，低頭不語。

忽見那白髯老人霍然站起身子，道：「史兄是否需要忖思一段時間，兄弟身受少林掌門方丈推重，專人持函相邀，函中再三要兄弟到史兄這朝陽坪來，勸請史兄參與其事……」

他微微一頓之後，又道：「需知此事關係著我千百武林同道命運，史兄名列當今武林中頂尖高手，縱然未和冥嶽結怨，只怕對方也不會輕易放過你，何況你還有搏殺冥嶽門人之恨，爲人爲己，都該挺身而出……」

袖手樵隱忽冷冷地接道：「伍兄最好別存相強兄弟之心，此事待我想上幾日再作決定，如若我能參與，屆時自會依照相約時間，趕往『絕命谷』之中。如若兄弟不想參與，縱然是少林寺掌門方丈親臨，兄弟還是照樣不去，哼！袖手樵隱之名，豈是叫人白叫的嗎？」

那伍姓白髯老者似是已感不耐，冷笑一聲，道：「史兄這般對待數十年相交老友，未免有些太……」

袖手樵隱接道：「如果伍兄覺得兄弟接待不周，那就只管請便！」

方兆南聽得一怔，暗道：「這老樵子果是冷傲得可以，簡直不通人情，對待相交數十年的老友，竟然也是這般冷漠。」

只聽那白髯老者連聲冷笑了一陣，道：「史兄好大的架子，如非兄弟還有要事待辦，今日非得領教史兄幾招絕學不可！」

說完大步直向廳外走去。

史謀遁目注屋頂，瞧也不瞧那老者一眼，臉上一片冷漠，既無愧疚之色，亦無留戀之想。

方兆南和陳玄霜並肩站在門口出處，那白髯老者怒氣沖沖而來，直向兩人之間撞去。

陳玄霜秀眉一揚，嬌軀微斜，一橫身攔住去路，說道：「你瞧不到這裡有人站著嗎？」

那白髯老者被袖手樵隱慪了一肚子怒火，但因知他武功高強，動起手來，既無制勝把握，又有幾樁大事待辦，才勉強按下怒火，拂袖而去。

但哪裡還能再受陳玄霜的譏諷，當下怒道：「老夫走路，從來不拐彎子，閃開！」邊說邊舉手向二人撥去。

忽聞方兆南急叫：「霜師妹不可動手！」

他喝止之勢雖快，但陳玄霜出手比他更快，皓腕疾翻，嬌軀橫躍，指顧間攻出兩掌，把那白髯老人逼退，又搶回原來位置。

她出手的迅快詭異，使在場之人爲之震駭，就是那白髯老者，也不禁爲之一怔。

袖手樵隱冷哼一聲，道：「在老夫朝陽坪上動手，可是自找苦吃，惹起老夫怒火，別想活著出去！」

他自言自語也不知罵的是哪個，但這幾句話，卻沖淡了陳玄霜和白髮老人的敵對之意。

陳玄霜首先忍耐不住，回頭瞧著方兆南，道：「師兄，這老樵子說話沒規沒矩的，咱們要不要教訓他一頓！」

方兆南還未及開口，袖手樵隱已站起了身子，緩步直走過去。

那灰袍和尚突然起身離位，奔到袖手樵隱身邊，低聲說道：「此女身上有『七巧梭』，只怕和冥嶽人物有關……」

袖手樵隱微微一怔，目注方兆南厲聲喝道：「這女娃是什麼人？快說！」

方兆南一時間想不出他問話含意，微微一笑，答道：「她是我師妹。」

袖手樵隱怒道：「你哪來的許多師妹，滿口胡說八道！」

陳玄霜嬌聲說道：「你才是滿口胡說八道，我不是他師妹，難道是你嗎？」

這一句話，可是罵得很重，她胸無城府，猶帶稚氣，想到之話，就隨口罵了出來，卻不知此話對袖手樵隱傷害甚重。

史謀遁生性再冷僻，也難以忍受此等羞辱之言，當下冷笑一聲，道：「罵得很好！」陡然欺身而上，順手一記耳光抽去，口中接道：「我打落妳滿口牙齒，看妳以後還罵不罵人！」

陳玄霜生平很少和人動手，看他揮手一掌，帶著輕微的嘯風之聲，來勢奇快無比，不禁心頭一震，柳腰微挫，疾向後閃退兩步。

袖手樵隱被她避開了一掌，心中更是惱怒，身形微晃，腳步斜移，身子微微一轉，人已欺到陳玄霜的身側，舉手一掌拍下。

這正是他獨步武林的「七星遁形」身法，舉世也難有幾人解得其中玄機。

方兆南吃了一驚，大聲喝道：「譽滿武林的袖手樵隱，竟然對一個女孩子下手，就不怕天下英雄恥笑嗎？」疾步搶攻上去。

餘音未了，陳玄霜已疾飛而起，倒退五步多遠。

袖手樵隱目睹陳玄霜身法靈巧，出手詭異，乃生平極少遇上的勁敵，忽然激起爭勝之念。

他左掌一揮，「手撥五弦」封住了方兆南搶攻之勢，右手一揚，疾劈而出，他在急怒之下，竟然用出劈空掌力，遙向陳玄霜直劈過去，但覺一股強猛絕倫的力道帶著嘯風之聲，排山倒海般地直撞過去，這一揮，他竟用了八成以上真力。

陳玄霜目睹來勢猛惡，心中大是驚駭，但背已近壁，後無退路，形勢迫得她不得不全力一拚，當下一提真氣，玉腕疾舉，雙掌護胸，一閉眼，硬接了袖手樵隱的一擊。

在場之人眼看袖手樵隱發出的掌力威勢，無不替陳玄霜捏一把汗，心想這一掌定要把陳玄霜擊斃當場。

哪知事情大出人意料之外，陳玄霜硬接一掌，仍然屹立未動，袖手樵隱在掌勢收回時，卻向後退了兩步。

原來他一掌擊去，覺得如擊在棉絮上般，毫無阻力，心中甚感奇怪，他內功精深，掌力已到收發隨心之境，當下一吸真氣，把擊出力道，重又收了回來，哪知一收擊出掌力，忽覺一股極強暗勁，趁勢反震過來，再想運力抗拒，已是遲了一步，反被那股暗勁一撞，不自禁地向後退了兩步。

陳玄霜睜開雙目瞧了方兆南一眼，嫣然一笑，縱身疾向袖手神隱撲去。

她已領教了袖手樵隱雄渾的掌力，怕他再以劈空掌力攻擊過來，是以出擊奇快無比，指點

掌劈，眨眼間攻出三掌四指。

這一輪急攻，無一不是指襲要害大穴之處，史謀遁雖然內功精湛，也不敢稍有大意讓她掌指擊中，是以迫得縱躍閃避。

他「七星遁形」身法，奇奧難測，但見身影晃動，身軀靈活無比，轉了幾轉，把陳玄霜迅快絕倫的掌指攻勢，盡皆讓開。

陳玄霜眼看對方身法怪異，出步移動之間，無不恰到好處。

自已以祖父相授絕學，「天星指」和「飛英掌」，以快打快的絕技，合併出手，竟被對方輕輕易易地閃避開去。

她不禁芳心大感驚駭，攻了三掌四指後，翻身倒躍，落到了方兆南的身側。

其實袖手樵隱何嘗不爲她的迅快掌指，暗自驚心，不但她指掌出手的迅快，爲生平僅見，而且每一指攻擊之中，無不挾帶一縷銳勁的指風。

此等功力，實非一個十幾歲的女孩所能具有，但眼前少女，卻身具此等功力，叫他如何不能驚駭。

不過他心機深沉，驚駭之色，不形於外，看不出來罷了。

在場之人，大都是久在江湖之上闖蕩的高手，對兩人交搏幾招的武功，個個都看入眼中。

心中暗自忖道：「此女小小年紀，能有這等功力，實非等閒，如非冥嶽中人，眼下江湖上，實難想出什麼人能教出這等徒弟？」

那長衫白髯老者，本欲拂袖而去，但一見袖手樵隱和陳玄霜交手情形之後，似是突然打消去意。

目光專注在陳玄霜臉上，問道：「姑娘可是冥嶽嶽主門下弟子嗎？」

陳玄霜轉臉低聲對方兆南道：「那老樵子的武功，當真是高，只怕我打他不過，咱們還是別和他打啦！」

那白髯長衫老者，看陳玄霜不理自己話語，卻和方兆南細語，心頭甚是惱怒，但他已目睹陳玄霜的武功，不敢冒然出手。

袖手樵隱和陳玄霜交手幾招之後，不但覺出她功力驚人，而且招術詭異難測。自己因「七星遁形」的身法奇奧，稍占便宜，如各以真功實學相搏，實無制勝把握，故也不肯再隨便出手。

一時間大廳上鴉雀無聲，雙方雖都暗運功力戒備，但誰也不肯搶先出手。

方兆南忽然想到那怪嫗囚居山洞，除了那峭壁間石門之外，還有一條秘徑和這朝陽坪上石屋相通，袖手樵隱隱居此處，時日不短，想必已知此中隱密。

正待開口相詢，忽見那金箍束髮的道人站了起來，緩緩抽出背上寶劍，朗聲說道：「江湖間盛傳『七巧梭』諸般事跡，可惜貧道始終未能親睹。今日能在史兄這朝陽坪上，先一會冥嶽門人，以證江湖傳說之言是真是假，縱然史兄不應允下山之事，咱們也算不虛此行了！」

此人一番話，立時提醒了廳中所有的人，那兩個身軀高大，氣宇軒昂的中年男子，相互瞧了一眼，雙雙躍飛在廳門之處，回身擋住去路。

那白髯長衫老者斜向一側橫跨兩步，站了左翼方位，灰袍僧人提起禪杖大邁一步，居中而立，袖手樵隱不自覺移了兩步，也站了右翼之位，剎那之間，組成了合圍之勢。

陳玄霜一皺秀眉，低聲問方兆南道：「他們在說什麼，『七巧梭』和咱們又有什麼關係呢？」

方兆南搖頭一嘆，道：「他們把咱們當成冥嶽中人了。」

那金箍束髮道人舉劍劃出一圈銀虹，護著身子，逼到方兆南身邊，說道：「『七巧梭』被武林朋友視爲死亡標幟，貧道聞名已久，今日幸會傳梭之人，敢問兩位，夜來到這朝陽坪上，不知有何貴幹？」

方兆南道：「在下方兆南，這位是我師妹陳玄霜……」

袖手樵隱冷冷地接了一句，道：「你的師妹倒是真多！」

方兆南不理史謀遁譏諷之言，接道：「我們夜入朝陽坪，只不過想向史老前輩借點應用之物，順便有兩件疑難不解事求教，諸位這般把我們圍困起來，不知是何用心？」

那灰袍和尚接道：「貧僧出家之人，從來不打誑語，那位姑娘身懷江湖視作死亡標幟的『七巧梭』錯是不錯！」

陳玄霜道：「不錯！你要怎麼樣？」

那長衫白髯老者半晌沒有講話，此刻突然冷冷接了一句，道：「兩位夜入朝陽坪，想必是傳梭作東，邀人赴你們招魂之宴了？」

方兆南看幾人硬指自己和陳玄霜爲冥嶽門下的傳梭之人，心中雖然十分氣惱，但陳玄霜身懷半截「七巧梭」之事，千真萬確，一時間又想不出適當措詞解釋。

方兆南沉吟了一陣，道：「這麼說來，諸位是認定了我師兄妹，是冥嶽門下的傳梭之人了？」

那灰袍和尚答道：「貧僧親眼看到那姑娘由懷中取出斷梭，和目下武林中斷梭邀宴之事，

正相謀合，那自是不會錯了！」

陳玄霜緩緩由懷中摸出半截「七巧梭」來，說道：「你們說的可就是此物嗎？」

廳中之人雖然都知「七巧梭」之名，但真正見過的人，似是不多，除了那灰袍和尚之外，都伸頭向前望去。

只見她掌心之中托著半截銀光燦爛的斷梭，在燈光照耀之下，隱隱泛起藍光。

那長衫白髯老者突然大喝一聲，道：「一點不錯，此物正是此次重現江湖的『七巧梭』。」

袖手樵隱冷然接道：「老夫還是初見此物，給我瞧瞧！」

陳玄霜一縮手，把半截斷梭藏入懷中，道：「有什麼好瞧的，看一眼就算了……」

袖手樵隱怒道：「妳敢這等藐視老夫，半截斷梭，難道老夫還會要妳這東西不成？」

陳玄霜道：「這是爺爺遺留之物，如何能夠讓你拿在手中，哼……」

袖手樵隱道：「不管什麼人遺留之物，老夫也要仔細看上一看！」晃身直欺過來。

方兆南急道：「老前輩乃武林中極有身分之人，豈可硬搶別人之物？」舉手疾向袖手樵隱拂去。

袖手樵隱冷哼一聲，道：「你竟敢和老夫動手！」右手急出一招「金索縛蛟」，迅速絕倫地向方兆南手腕之上扣去。

他見那褸衣村女武功高強，身法靈活，而且內功深厚，剛才和她動手之時，吃了大虧，心中已存向方兆南下手之意，只是一時之間找不到藉口，現一見方兆南向他出手，正合心意，他在數月之前已見過方兆南的武功，心想這一招擒拿手法，定然可以得手。

哪知事實大出了他意料之外，方兆南突然一翻掌，拂出掌勢，忽然間變成點擊之勢，食中二指如疾電奔馳一般，反向袖手樵隱脈門之上點去。

這一招變化不但迅如電火，而且大出意外，袖手樵隱被他迅快的點襲之勢，逼得向後退了一步，怔在當地。

要知他數月之前，初見方兆南時，他武功尚十分平庸，想不到三月不見，他武功竟似精進數倍，這拂擊和指襲之間，暗含了拂穴截脈的極高手法。

方兆南施展出那老人傳授的武功，迫退了袖手樵隱之後，並未再趁勢追襲。

他望了群豪一眼，朗聲說道：「在下師妹雖然身懷半截七巧梭，但我們卻和傳梭邀宴天下英雄的冥嶽中人毫無關係，而且還和他們結有樑子！諸位如若不信，盡可詢史老前輩，在下和冥嶽中人結怨的事，他雖未能盡知底細，但卻是親眼看了一部分經過的情形。」

群豪一齊轉眼望著袖手樵隱，似是在等待他的答覆。

史謀遁冷冷地接了一句，道：「此事倒是不錯。」

那手執禪杖的灰袍和尚，忽然插口接道：「據貧道所知，這『七巧梭』除了現下那冥嶽嶽主之外，尚未聞得其他之人用過……」

方兆南道：「這半截七巧梭是我師妹一位長輩留下的遺物，來自何處，在下不很清楚，不過兄弟可以肯定告訴各位……」

忽然眼見靠壁一張木桌之上，端放著一支銀光閃閃的「七巧梭」，不禁叫道：「這是哪裡來的『七巧梭』？」

群豪轉頭望去，果見一銀光閃閃的「七巧梭」放在桌面之上，梭下壓著一張白箋。

袖手樵隱冷哼一聲，伸手取出棱下白箋，群豪都爲了桌上的梭箋，驚得呆了一呆，齊齊圍了上去。

探頭望去，只見上面寫道：「敬邀閣下於今年端午佳節午時之前，趕到冥嶽『絕命谷』中，敬備『招魂』之宴，爲閣下接風洗塵，如若膽敢不赴此約，定將全予殺斃。」

下面署著冥嶽嶽主柬邀幾個大字。

方兆南瞧得心中暗暗忖道：「原來此人自稱冥嶽嶽主，不知是何用意？」

袖手樵隱把手中白箋交給那白髯老者道：「伍兄請仔細瞧瞧這短箋上的筆跡，可和其他柬子上的筆跡一樣嗎？」

那白髯老者接過白箋，看了一眼，道：「這個兄弟已記不得了，但這柬子形狀瞧來，沒有差別。」

袖手樵隱冷哼一聲，回頭對站在身側的盛金波道：「你早上打掃這廳房之時，可見到這張白箋嗎？」

盛金波道：「沒有，弟子中午之前，還打掃過這座客室。」

袖手樵隱不再追問，隨手把「七巧梭」藏入懷中。

那灰袍和尙突然插嘴道：「史施主既然接過了這邀約之柬，不知是否要履約赴宴？」

袖手樵隱冷然一笑，道：「老夫雖不願過問他人之事，但也不容他人尋我麻煩，哼！說不得要破例下山一行，瞧瞧那自稱爲冥嶽主人是何等人物！」

那長衫白髯老者一聽史謀遁答允下山之事，立時接口道：「史兄既允下山，兄弟此行總算不虛……」

他微微一頓之後，接道：「望重武林的少林寺主持方丈，爲此要親自移駕東嶽，主持天下英雄大會，群集我武林同道高手，共謀對敵之策。會期定在三月初三日，距今時已不足一月工夫，望史兄能及時趕往參與。」

那灰袍和尚接道：「東嶽之會，不但關係我武林同道中千百生靈的命運，而天下高手盡皆參與，也可多結識幾位朋友……」

袖手樵隱冷接道：「我既然答應了屆時赴約，決然不會誤時，荒山之中，無物敬客，諸位有事，早些請便吧！」

在場之人聽他竟然出言逐客，個個臉上神色微變，那長衫白髯老者先大步出門而去，兩個中年大漢和那灰袍和尚也相隨離開。

袖手樵隱目送幾人背影，臉上毫無表情。

陳玄霜低聲對方兆南道：「這人不通人性，咱們別理他啦！」她自和袖手樵隱相搏兩招之後，已知這樵夫打扮之人，武功十分高強，如若再打起來，實難有制勝把握，不如早些離去。

方兆南還未來得及答話，袖手樵隱已搶先說道：「既然來了，豈能這般容易離去？」他微一停頓之後，目光投注在方兆南臉上，冷然問道：「你有什麼事要請教老夫，現在快些說吧！說完之後，老夫要好好地教訓你們一頓。」

方兆南看眼下情勢已難免一場大戰，倒不加落得豪放一些，當下微微一笑，道：「老前輩這朝陽坪上，可只有你們師徒兩個人嗎？」

史謀遁雙眉一聳，怒道：「不是我們師徒二人，還會有你不成？」

方兆南冷笑道：「這朝陽坪下山腹密洞之中，住著一位身受重傷的老嫗，難道說老前輩就當真不知道嗎？」

袖手樵隱微微一怔，道：「老夫居此數十年，就不知此事，你在哪裡聽到人胡說八道……」

方兆南大聲說道：「此人是我親目所見，難道還會相欺不成？老前輩若不信，不妨同去一瞧究竟！」

袖手樵隱道：「真有這等事嗎？」

方兆南道：「在下一向不打誑語。」

史謀遁沉吟片刻，道：「好！如若沒有此事，你們兩個別想好好地離開朝陽坪！」

方兆南看他神色似非裝作，一拉陳玄霜轉身向外走去。

袖手樵隱緊隨兩人身後，出了茅舍，走到那山角之處，轉入一座石洞之中。

數月之前，方兆南同周蕙瑛經由此洞走過，記憶猶新，入洞之後，毫不停留，直向前面走去，深入數丈之後，形勢逐漸狹窄，僅可容一人側身而過。

袖手樵隱緊隨在方兆南身後，他武功高強，也不怕方兆南暗施算計。

四人奔行一陣，到了那洞中傾斜之處，方兆南回頭說：「諸位小心！」當先滑落和那老嫗相遇的洞中。

同行四人，個個都有驚人武功，一瞧方兆南當先而下，都照樣滑落下去。

盛金波晃燃了手中火摺子，果然見一具僅餘髮骨的屍體，散落一地。

方兆南指著那散落的白骨，說道：「上次晚輩和師妹由此經過之時，此人還未死去，強行把我師妹留在此處，迫我到九宮山中找知機子言陵甫，替她討取九轉生肌續命散，以藥易人，限期三月。哪知晚輩依約返來時，她卻已等得不耐，把我師妹先行害死，晚輩氣忿之下，把她屍骨推落在地上。」

袖手樵隱仔細瞧了一陣，伸手從那散垂在地上的亂髮之中，取出了一枚金釵，映著燈光一瞧，不禁臉色一變，他自言自語地說道：「想不到名傳武林的玉骨妖姬，竟然隱居在我這朝陽坪下蟄伏了數十年！」

方兆南伸首過去一瞧，只見那金釵之上，雕刻著俞罌花三個小字，字跡歪斜，而且痕印深淺不均，一望即知不是匠人所刻。

大概是她被人滿身塗了化肌藥物之後，自忖必死無疑，拔出這支金釵，用指甲之力在釵上留下了自己的姓名。

方兆南和陳玄霜，都不知玉骨妖姬俞罌花是何來歷，雖聽他叫出了姓名，仍是茫無所知。

袖手樵隱把金釵放入懷中之後，說道：「此人何時隱居在我朝陽坪下，我是確實不知……」

他望了方兆南一眼，接道：「不知令師妹屍體現在何處？」他瞧完了這洞，不見周蕙瑛的屍體，故而問了一聲。

方兆南道：「我師妹屍骨已被我移置洞外，老前輩既然不知此事，在下也就不便多問，但這俞罌花來歷，不知老前輩能說給晚輩聽嗎？」

袖手樵隱冷哼了一聲，說道：「老夫生平最是不思多話，但你帶我找到玉骨妖姬的屍骨，雖是無心，但老夫卻不願無端受人之惠，就把玉骨妖姬其人事跡，告訴你以做答謝。」

方兆南忽然想起師妹遺體還放在那大岩石上，雖然已經用樹枝山石圍護起來，始終還是放心不下。

當下說道：「老前輩既肯相告，晚輩感謝不盡，不過我師妹遺體放在外面，心下終是難安，敢請移駕我師妹遺體存放所在，晚輩只要聽得這俞罌花來歷之後，就立時告別，決不再驚擾老前輩的清修。」

袖手樵隱冷哼了一聲，道：「年紀輕輕，花招卻是不少！」

方兆南已知他孤僻性格，也不放在心上，微微一笑，當先躍出洞去。

陳玄霜、袖手樵隱、盛金波緊隨他身後追去，四人一口氣跑到陳放屍體大岩石處。

方兆南瞧那圍在屍體四周樹枝，仍甚完好，才放下心，說道：「老前輩說完玉骨妖姬之事，晚輩就立時告別！」

袖手樵隱仰臉望著天上繁星，似在回憶往事。

過了一盞熱茶工夫之久，才冷冷地說道：「這玉骨妖姬俞罌花，乃數十年前江湖上最爲淫惡的一個女盜，心狠手辣，殺人無數。曾被武林中正大門派中高手，聯合追殺，想不到她竟選在我這朝陽坪下隱居起來！」

這一番話說得甚是簡單，叫人聽不出一點內容。

方兆南一皺眉頭，忖道：「如是這般單純之事，我還要問你做甚。」

不禁問道：「不知那玉骨妖姬其人的武功如何？」

袖手樵隱是一位最不思講話之人，如不一句一句地追問於他，他決不思多費唇舌。

袖手樵隱沉吟了半晌，道：「如是武功平庸之輩，豈足當得淫惡之名，這二十年來，你可算和老夫說話最多之人……」

忽然轉過身子，大步而去。

方兆南正待追趕上去，攔住他的去路，忽然心中一動，暗道：「此人既不常在江湖之上走動，性格又極爲孤僻，只怕對江湖上的人物形勢，所知有限，縱然攔住了他，也難問出個所以然來，倒不如讓他去吧！」

盛金波一見師父轉身走去，立時緊隨身後而行，兩人腳程極快，片刻之間走得沒了影子。

陳玄霜望了兩人去向，啐了一口道：「不通情理的老怪物！」

方兆南倚身在大岩石上，心中暗自想道：「眼下師妹既已死去，西湖棲霞嶺之行，已無必要，餘下二樁心願。一是爲師父、師母報仇。現在仇人雖已知道，但對方實力強大，以一己之力決難如願，天下英雄聚會泰山，共籌對付冥嶽嶽主之策，倒不失是一個好機會，眼下會期即屆，倒不如趕奔東嶽一行。想那天下高手聯合之力，自是強大無比，冥嶽中人決難對付得了，雖然不能手刃師門仇人，但如能親眼看到他飲刃濺血死去，也可聊以自慰。二是想法替陳玄霜找一所安身立命之處，以酬謝那老人相授武功之恩……」

心念一轉，回頭望著陳玄霜道：「師妹可想到東嶽去看看那天下英雄聚會的熱鬧嗎？」

陳玄霜喜道：「好啊！我早就想對你說了，但怕你想師妹之死，不願瞧這等熱鬧之事，不敢開口。」

方兆南黯然一嘆，縱身躍到大岩石上，負起師妹屍體，說道：「咱們找處風景絕美陰蔽之處，把她暫時埋起，待瞧過泰山英雄大會之後，再來把她屍骨運回，和我師父、師母合葬一起。」說完負起屍體，躍下岩石。

陳玄霜不知他何以又改變火葬的主意，但卻不便多問，兩人默然向前走去。

夜色沉沉，山風呼嘯。

方兆南茫然向前走著，直待去路被一座山壁擋住，他才停下了腳步。

抬頭望去，只見一座高聳雲表的山峰橫阻去路，兩側山勢綿連，也在百丈以上。

三面山勢拱圍，圍成一條死谷。

大概是死谷中不易被嚴寒的山風吹襲，氣溫迴異他處，寒夜中仍有溫暖如春之感。

方兆南打量了四周的山勢形態，心中暗道：「此處地勢甚佳，不如就把師妹葬在此處。」

心念一動，放下屍體，找一座土石稍鬆之處，伸手向地上抓去。

他此刻心中正在回憶著兒時和師妹相伴遊樂情景，心神不屬，一把抓空，才想起長劍早已失落。

轉臉向陳玄霜望了一眼道：「師妹可有用以掘土之物嗎？」

陳玄霜將偶然在那石洞之中，撿到的一塊形如短劍一般的銀牌，由懷中取了出來，說道：「咱們就用此物掘土吧！」

方兆南想到自己也有一塊金笄，雖然此物鈍難傷物，但總比用雙手掘土強些，也從懷中取出，蹲下身子，開始挖土。

陳玄霜在他對面蹲下，揮動手中銀牌相助。

兩人都是功力甚深之人，腕力極強，片刻之間，已經挖好了一個土坑。

方兆南抱起師妹屍體，放入土坑，卻不忍把土石填上，凝目相注，熱淚奪眶而出。

不知過去多少時間，忽聞一個異常清脆的聲音說道：「瑛兒！瑛兒！」

聲音雖是清脆，但吐字卻極生硬，聽來使人心生驚怖之感。

十三　疑雲乍起

方兆南與陳玄霜兩人，一齊抬頭看去，只見一隻高大的白毛鸚鵡，落在旁邊一株矮松之上。

方兆南識得此鳥，正是陪伴玉骨妖姬俞罌花的白鸚鵡。心中一動，暗道：「此鳥甚是靈巧，又能口吐人言，或許知道我師妹被害之情。」當下向樹上一招手說道：「鳥兒，鳥兒！飛下來，我有話問你。」

他本是存著萬一僥倖之心，哪知一招手，白鸚鵡竟然應手而下，落到他身側。

這等罕見的靈巧鳥兒，能見到的人，大概無不喜愛，陳玄霜歡喜地跳了起來，說道：「師兄，這鸚鵡真好……」

忽然目光觸到了僵臥在土坑中的屍體，立時住口靜站一側。

方兆南黯然一笑，望著那大白鸚鵡，說道：「鳥兒！鳥兒！你如真個通靈，就告訴我，我師妹被害經過。」

白鸚鵡轉頭望望僵臥在土坑中的屍體，叫道：「不……不……瑛兒，不……瑛兒！」

牠大概沒有學說過不字，叫將起來，口齒不清，聽得人莫名所以。

方兆南凝神靜聽，除了瑛兒兩字叫得十分清晰，始終沒法分辨出牠在瑛兒兩字之前，說的什麼。

方兆南不覺心頭大急，高聲說道：「你說的什麼?」

餘音未住，白鸚鵡突然振翼而起，破空飛去。

方兆南急忙一躍而起，大聲呼叫，但那白鸚鵡卻不再理他，疾飛而去。

方兆南呆呆地望著白鸚鵡的去向，楞了半天，忽然心有所悟，暗道：「此鳥定然吃過人的虧，而且那人在傷牠之時，又先說過什麼二字，是以牠聽得了什麼二字之後，立時振翼急去……」

他不禁大感懊悔，頓足一聲長嘆，塡好土石，留下記號，離開山谷。

陳玄霜忽然間變得十分溫柔，款款細語，勸他保重身體。

方兆南心中亦知徒自憂傷於事無補，當下勉強振起精神，和陳玄霜連夜離開了抱犢崗。

周蕙瑛之死，不但使方兆南萬念俱灰，而且心中感到愧疚無比。

如果自己不貪圖學駝背老人精奇的武功，早日趕回抱犢崗來，師妹決不致遭那怪嫗毒手，落得個橫屍密洞的悲慘結果。

這份愧疚之心，加深了他的懷念之情……

他原擬和周蕙瑛同赴西湖棲霞嶺，拜晤垂釣逸翁林清嘯的打算，也因周蕙瑛這一死，打消了西湖之行的念頭。

他默算天下英雄聚會泰山的日期，相距只不過月餘的工夫，當下對陳玄霜說道：「師妹，我答應帶妳到西湖遊歷之事，只好向後移動了，因爲天下武林高手的泰山之會，距今不過月餘

工夫。這場大會主持之人，乃當今領導武林各大門派的少林寺主持方丈，與會之人，自然都是名重一方的高人。想這次大會的熱鬧，實是千古難得一見盛舉，咱們也可藉這一段時間，遊歷一下魯南風光……」

忽然想到陳玄霜一直相隨祖父，住在魯南，想必對山東各地風光，早已熟知胸中，這般隨口而言，只怕她心中不樂。

哪知陳玄霜卻嫣然一笑，道：「好啊！我雖和爺爺在魯南住了甚久，但他老人家只知日夜催我練習武功，從來就不肯帶我到外面走動……」

說話之間，笑意盈盈，斜睨著方兆南，臉上歡愉洋溢，目光中滿是感激之情。

方兆南看她身上衣衫，仍是那件褸褴褲褂，暗中忖道：「她膚色雖覺稍黑點，但面形輪廓卻是秀麗無比，如果換上一襲新衣，定是位風姿卓越的玉人……」

相距泰山英雄大會的時間還有月餘之久，兩人盡多有充裕的時間可用，是以不再兼程急趕，一面遊賞著沿途風光，一面緩緩步行。

這日，到了兗州城中，沿途上，但見車馬驛道，大都是三山五嶽中的英雄，趕赴泰山英雄大會的高人。

他暗暗驚奇那冥嶽嶽主的威風，就憑著一枚銀梭，一紙白箋，竟然能使望重武林的少林方丈，親自出馬。

忖思之間，到了一座甚大的客棧之前，平時這般時光，大都有店家攔路讓客，今日卻是大不相同，似是客棧早已住滿了客人一般。

方兆南大步走入店中，叫道：「店家！有房間嗎？」

店小二回頭看了方兆南一眼，看他衣著華貴，趕忙陪笑說道：「這幾日來，客人多，現在天雖未黑，但所有房間，都已為客人定下，客爺還是請到別家瞧瞧去吧！」

瞥眼見陳玄霜一身褸襤褲褂，緊依方兆南而立，不禁多望了兩人一眼。

方兆南一連走了數家，店家都是一般的口氣回答，知是天下高手，即將群集泰山，趕來赴約的。

但因為現在相距會期尚早，都不思兼程趕路，兗州又是魯南大鎮之一，商家茶樓，到處皆是，故都在此落腳。

陳玄霜低頭瞧了瞧身上襤褸的衣服，道：「店家都不讓我住店，可是因為我身上穿的衣服太破嗎？」

方兆南想不到她有此一問，不覺怔了一怔，道：「咱們找到了客棧之後，先替妳做幾件新衣服。」

陳玄霜嬌媚一笑，道：「這兩件褸破的褲褂，我已經穿了好幾年啦！爺爺在時，從不提給我做衣服的事情，當時也只有他老人家和我守在一起，穿得破爛一些，也不覺得，唉！如今和你在一起，要是我穿得太破爛了，不是害你丟人嗎？」

方兆南看她臉上滿是愧疚之色，心中忽生憐惜之情，低聲說道：「不要胡思亂想啦！妳就是再穿破舊一點，我也是一樣待妳。」

說話之間，又到一處大客棧前，抬頭看高樓聳立，橫匾之上，寫著三個斗大的金字：「會英樓。」

方兆南打量了那大樓一眼，心中暗自忖道：「此店這等宏大，大概會有空房。」於是大步走了進去，問道：「店家有空的房間嗎？」

這座客棧，兼營著酒飯生意，店小二人數雖甚眾多，但因座上客滿，都正在忙著送酒上菜，其中一人回頭望了方兆南一眼，答道：「客人晚來了一步，已經沒有空房了，客官請到別家看看去吧！」

方兆南道：「我們一連問了幾家，都答說已經客滿，貴店甚是宏大，一、兩間空房，大概總可找得出來吧？」

店小二搖頭笑道：「我們開的是店，賣的酒飯，客官賞光照顧，我們歡迎還來不及，怎可相拒不納，實是沒有空房，還得請客官擔待一、二！」

此人說話甚是文雅，而且態度謙和，方兆南心中雖然甚感彆扭，但也無法發作。

正感爲難之際，忽見一人大步走了過來，說道：「兄台如果不嫌委曲，在下定的一座跨院尙可讓出兩間。」

方兆南轉頭望去，只見那說話之人，古衫長髯，正是在九宮山中所遇的一筆翻天葛天鵬，當下抱拳笑道：「想不到在此地又和老前輩遇在一起……」

葛天鵬笑道：「此非談話之地，方兄如不見棄，請到房中一坐如何？」

方兆南道：「恭敬不如從命，晚輩不客氣了。」

葛天鵬道：「老朽走前一步帶路。」轉身向裡走去。

方兆南、陳玄霜魚貫相隨身後，穿過了兩重院落，到了一處獨立跨院中。

正廳之上，已經擺好酒菜，四個人對面而坐，一見葛天鵬帶著方兆南走了進來，一齊站起身子，抱拳作禮。

方兆南看那四人，正是九宮山中所見的天風道長、神刀羅昆和葛氏兄弟。

羅昆一拂顎下白髯，大笑說道：「九宮山中多蒙賜藥相救，但我等醒來之時，兄台已經飄然遠走，今日不期而遇，正好一謝救命之恩，來！老朽先敬兄台一杯！」

伸手端起桌上酒杯，雙手送了過來。

方兆南難卻盛情，只好接過酒杯，一飲而盡，笑道：「老前輩言重了，那日相送之藥，晚輩只不過是借花獻佛，幾位洪福齊天，晚輩實難居功！」

原來那日在九宮山中，方兆南誤打誤撞，把言陵甫相贈的「辟毒鎮神丹」相贈幾人，療治毒傷，竟被他無意之間，用對了藥物，救了性命。

葛天鵬待幾人休養了半日，確定幾人傷勢真好之後，才說了追找幾人來意。

原來他接得少林主持方丈的請柬，要他三月三日之前，趕到泰山，大會天下英雄，共謀對付敵人之策……

天風道長聽完之後，立時把隨行弟子遣派回去，自己卻伙同羅昆以及葛氏兄弟，易道而行，由九宮山中直奔泰山而來。

葛天鵬原本不想要自己兩個兒子隨行，但葛煌、葛煒執意非來不可，葛天鵬沒有法子，只好帶他們兄弟二人同行。

這次重逢，幾人對待方兆南的神態，大不相同，紛紛敬酒，甚是恭敬。

葛煌、葛煒，曾聽父親談起方兆南武功如何高強，兩人心中甚是不服。

因爲兩人曾和方兆南動手相搏過一次，對他武功加何，心中早已有數，又不敢硬駁爹爹之言，但卻已把此事，暗記心中。

此時一見到方兆南時，立時動了比武之念，只是葛天鵬在座，兩人不敢說出來罷了！

羅昆和天風道長，雖然也不信葛天鵬頌讚方兆南武功之言，但兩人都是年達五旬之人，已無好強爭勝之心，而且方兆南對自己又有過救命之恩，是以對他恭敬之心，倒是心口如一。

酒席之前，以葛天鵬神態最爲恭敬，他不但感謝方兆南賜藥相救兒子性命之恩，而且對他出手一擊而中自己的神奧手法，更是萬分佩服，恭敬之情發乎於心。

酒飯過後，葛天鵬吩咐葛煌、葛煒遷進羅昆房中，自己和天風道長同室，讓出兩間房子來給方兆南與陳玄霜。

葛氏兄弟目睹父親對待方兆南諸般愛護，愈堅找他比武之心，兄弟兩人同一心意，想先把方兆南打敗之後，再告訴父親。

那時，葛天鵬縱然相責，但已造成事實，了不得罵上一頓，也就算了。

方兆南回房之後，立時喚過店家，召來裁縫，連夜替陳玄霜趕製新衣，不怕花錢，什麼事做起來，都無困難。

天未亮，新裝已好。

陳玄霜人本嬌美，換上新裝，更是容光煥發，嬌美無比。

除了膚色稍嫌黑些之外，無一不是美到極點，也正因她膚色稍黑，卻另具一種風采，黑中透俏，嫵媚橫生。

陳玄霜把穿用數年的褸破褲褂仍然好好地存了起來，她數年以來，一直穿著這套衣服，如今雖著新裝，但卻不忍把舊衣拋棄。

次晨天色一亮，葛天鵬竟然親自來請方兆南、陳玄霜出去用飯。

方兆南見人家對自己這般尊敬，心中頗覺不好意思，但葛天鵬一言一行，又使他生出卻之不恭之感，只好隨後相隨而去。

神刀羅昆、天風道長以及葛氏兄弟早已在廳上相候，見葛天鵬帶著兩人走來，一齊起身相迎。

用過早餐，葛天鵬笑問方兆南道：「兩位可是應邀趕赴泰山英雄大會的嗎？」

方兆南笑道：「晚輩乃名不見經傳之人，哪裡能有受邀之榮，但聞泰山英雄大會，乃近代江湖最隆重的盛事，天下武林高人，均將趕往參加，晚輩亦想借此機緣，一開眼界！」

葛天鵬臉色一整，說道：「方兄以弱冠之年，身集武學之大成，在下數十年來走遍大江南北，白山黑水，遇過高人無數，但像方兄這般年齡，這般武功之人，可算僅此一遇。方兄如肯赴會，老朽當在天下英雄之前，推薦方兄武學，一新天下英雄耳目。」

他這番頌讚之言，說得煞是虔誠。

但聽在葛氏兄弟兩人耳中，卻是大不受用，暗自忖道：「爹爹生平孤傲，一支文昌筆打遍了南七北六一十三省，武林中受他尊敬之人，聊聊可數，不知何以對此人，竟然這般推崇，必得想個法子，挫辱上他一番，也好消消這口胸中怨氣。」

兩人在九宮山和方兆南曾經有過動手之舉，知他武功平常，兄弟兩人，任何一個出手，都有勝他的把握。

天風道長和神刀羅昆，對葛天鵬頌讚方兆南武功一事，亦覺太為過分，天風道長涵養甚佳，心中雖覺太過，但卻不願爭論。

羅昆卻是個老而率直，胸不存物之人，回目望著方兆南微微一笑，問道：「方兄隱技自珍，使我等在九宮山中錯失一次開眼界的機會，想不到老朽跑了一輩子江湖，竟然看不出方兄是位身負絕學之人。」

這番諷譏之言，說得甚是露骨。

但葛煌、葛煒卻聽得心中甚是快樂，不禁相視一笑。

方兆南只覺得臉上一熱，訕訕笑道：「晚輩自知武功有限得很，豈敢班門弄斧……」

葛天鵬臉色一整，奇道：「羅兄此言從何說起，這位方兄武功，兄弟曾經親目所見，出手一擊，神奇難測，不是兄弟妄自尊大，當今武林高手，勝過兄弟之人雖多，但如說一擊能中兄弟之人，只怕難以選得出來幾個。這位方兄一招攻勢，輕輕易易地擊中了兄弟前胸，如非他手下留情，兄弟就是不死也要被重創在九宮山中了！」

神刀羅昆微微一怔，道：「當真有此等之事嗎？」

葛天鵬冷冷答道：「兄弟幾時講過謊言了！」

羅昆奇道：「這就叫人猜測不透了，兄弟在九宮山中，也曾親眼瞧到兩位令郎和這位方兄動手，如非令郎毒性發作，和這位陳姑娘及時趕到相助，只怕……」

他忽然想到方兆南對自己有過贈藥救命之恩，豈可在口頭之上，太過損傷，趕忙改口接道：「那場相搏勝負，就很難料得了！」

葛天鵬目光投到葛煌、葛煒身上，說道：「有過此事嗎？」

葛氏兄弟齊聲答道：「孩兒不敢說謊，確有其事。」

一筆翻天葛天鵬略一沉吟，說道：「滿口胡言，難道爲父還能欺騙你們不成……」

他不便出言頂撞羅昆，卻把胸中一股氣忿，發在兒子身上。

天風道長說道：「令郎說得不錯，這件事，貧道也是親眼目睹。」

葛天鵬轉臉望了方兆南一眼，怎麼看也是在九宮山中所遇之人，心中大感不解，嘆道：「這就有些奇怪了……」

方兆南笑道：「老前輩不必太爲此事費心，此等之事，何苦定要把它弄個清楚呢？」

他因不想講出陳玄霜爺爺相授武功之事，是以用言語支了開去。

葛天鵬哈哈一笑，道：「方兄恢宏大度，自是不屑和犬子一般見識，想來定是誠心相讓他們了……」

他微微一頓之後，接道：「往事已過，不提也罷，現下天已不早，咱們也該起程趕路了。」

說完，當先離了座位。

群豪相隨，出了「會英樓」，趕奔泰山大道而去。

沿途之上，只見行人接蹬，駿馬奔馳，盡都是趕奔泰山的武林中人。

葛天鵬微微一笑，對方兆南道：「眼下之人，大都是趕往泰山赴會，兄弟因洗手隱居，退出了江湖多年，除了昔年幾個老友之外，後起之秀，大都不相識了……」

正說之間，忽聞蹄聲得得，兩匹長程健馬，由幾人身側疾掠而過。

兩匹健馬奔行之勢雖快，但馬上人仍然看到了葛天鵬，忽然一帶韁繩，健馬打個轉身，長嘶一聲，回過頭來。

馬上人一躍而下，高聲叫道：「葛兄，久違了！不知是否還記得我等？」

兩人一面說話，一面奔過來。

葛天鵬笑道：「賢昆仲名滿江浙，江南武林之中，誰不認識。」

說話之間，兩人已奔到了葛天鵬身前三、四尺之處，瞥眼瞧到了方兆南，突然一齊止步。

方兆南凝目望去，只見前兩人，竟是在抱犢崗朝陽坪中所遇的兩個中年大漢。

葛天鵬一瞧兩人停下腳步，自己卻向前搶了兩步，抱拳笑道：「兩位在快馬飛奔之時，一眼竟能瞧出老朽，足證內功愈發精進了許多！」

左面大漢目光炯炯，掃了方兆南、陳玄霜兩人一眼，低聲問道：「那一男一女可是和葛兄同行之人嗎？」

葛天鵬道：「不錯，兩位也認識他們二位嗎？」

右面大漢說道：「葛兄既肯和他們走在一起，想必已知道兩人的來歷了？」

葛天鵬道：「萍水相逢，一見心折，彼此之間，過去並不相識，兩位這等追根詢柢不知是何用意？」

那左面年齡稍長的大漢，說道：「兄弟數日前曾在抱犢崗上，朝陽坪袖手樵隱之處，曾和兩人見過一面，不是兄弟故作危言聳聽之事，這兩人的身分大爲可疑，更是危險！兩人不但武功高強，而且身懷『七巧梭』出入江湖，即非是冥嶽中人，亦必和冥嶽中人有著關係。」

他們說話聲音雖小，但方兆南相距甚近，字字句句都聽得十分清楚，回頭瞧了陳玄霜一眼，正待開口說話。

陳玄霜已搶先說道：「這兩個人定然在說我們了，我去教訓他們一頓。」

方兆南搖頭說道：「我正要告訴妳，別理他們，讓他們隨便說吧！」

忽聽葛天鵬冷笑一聲，高聲說道：「兩位不曾相欺老朽，難道老朽還曾騙兩位不成？」

方兆南抬頭看去，只見一筆翻天葛天鵬滿臉冷漠神色，望了高居健馬之上的兩個中年大漢一眼，轉身向一側走去。

原來三人為方兆南的來歷，在引起爭辯。

那兩個大漢硬指方兆南是冥嶽中人，葛天鵬卻一力替方兆南辯護，談了兩句，葛天鵬不耐起來，怒向一側走去，不再和兩人說話。

兩個中年人一帶馬韁，轉過頭去，齊聲說道：「葛兄不信我們兄弟之言，那也是無可奈何之事……」

言未盡意，卻突然一抖韁繩，健馬急奔如飛，向前跑去。

葛天鵬望著兩人背影冷哼了一聲，回頭對羅昆道：「天南雙雁在武林之中，也算是頗有聲譽之人，怎地講出話來，捕風捉影，滿口胡言，想來定然是徒有虛名之輩！」

羅昆忽然想到那日寒水潭中之事，凡是被擒之人，都被那紅衣少女打了一掌，途中毒發，單單方兆南沒有事情，此中情形，實是可疑。

當下說道：「天南雙雁領袖江浙一帶武林朋友，以兩人在武林中地位身分，只怕不會胡言亂語，此中……」

忽然覺得方兆南和陳玄霜就在身側，趕忙住口不語。

回頭望去，只見方兆南抬頭望著悠悠白雲，恍如未聞，陳玄霜卻是柳眉微聳，滿臉怒容。此女人雖嬌美，輕顰淺笑之間，風韻嫣然撩人，但在忿怒之時，卻是臉罩秋霜，眉泛殺機，重重殺氣，直透華蓋。

葛天鵬皺皺眉頭，說道：「羅兄此言，兄弟甚為不解，難道羅兄也懷疑方兄和那位陳姑娘都是冥嶽中人嗎……」

他略一停頓之後，說道：「縱然真是冥嶽中人，但人家也對你們有過救命之恩，豈能存不恭之心？」

這幾句話，說得聲音甚大，不但神刀羅昆和方兆南、陳玄霜等聽得字字入耳，就是走在較後的天風道長和葛氏兄弟，也聽得清清楚楚。

葛煌低聲對葛煒說道：「爹爹生性，一向孤傲，不知何以單單會對那姓方的小子，百般護愛，雖然他對我們有過賜藥救命之恩，但也不致使爹爹對他佩服得五體投地，此中定然另有原因！」

葛煒略一沉吟，道：「我心中想到了一個方法，既可測驗出那姓方之人的武功，給爹爹看看，也可藉詞推諉父親責難。」

葛煌道：「什麼方法，快說出來，讓我想想看，是否可行？」

葛煒道：「咱們裝作無意而故意地向他身上撞去，趁勢以迅快的拳腳攻勢，把他迫退，或是藉機施展點穴，點住他的穴點！」

葛煌道：「雖非什麼善策，但卻是眼下可行辦法之一。」

葛煒道：「既然可行，我們現在就去試試！」

說完，當先向前奔去。

方兆南似有意迴避別人，故走得異常靠邊，離眾人較遠。

葛煒將近方兆南時，突然加快腳步，身子一側，直向方兆南背心上撞去。

這一下來勢極出意外，而且蓄勢而發，迅快無比。

方兆南雖是聰明絕世之人，但一時之間，也難想到葛煒是有意地撞擊而來，當下疾向側面讓開兩步，伸手向葛煒扶去。

葛煒冷笑一聲，右手猛然一翻，疾向方兆南手腕之上扣去。

方兆南沒有想到葛氏兄弟竟敢這般明目張膽地向他挑戰，不覺心頭大怒，一挫腕，收回扶向葛煒的右手，左掌反手一記「風雷並發」猛劈過去。

葛煒心中所以對方兆南忿忿不平，並非對他本人有何惡感，而是對父親百般誇獎他武功一事，大感不平。

他希望能一出手把方兆南制服住，好讓父親瞧瞧，方兆南決非什麼了不得的高手。

哪知今非昔比，方兆南反手一擊，果然奇奧難測，迫得他橫向左側躍退，才把方兆南這一擊避開。

葛煌原來擔心弟弟突然出手一擊，傷了對方，或是把方兆南折辱了，在眾目睽睽之下，使對方無法下台。

可是事實卻大出兄弟兩人的意料之外，葛煒不但一擊落空，而且還被人反手一招，迫得橫向左側麥田之中躍去。

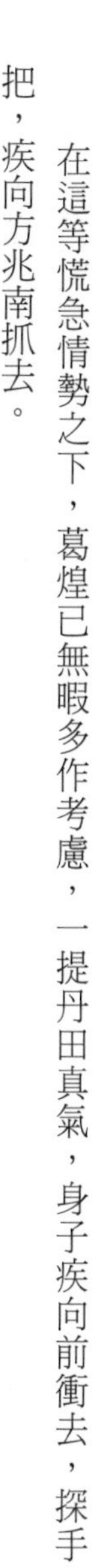
在這等慌急情勢之下，葛煌已無暇多作考慮，一提丹田真氣，身子疾向前衝去，探手一把，疾向方兆南抓去。

陳玄霜目睹方兆南足以從容對付兩人，向後退了幾步，站在一側，看起熱鬧來了，但是暗中卻提聚真氣，蓄勢戒備，只要一發覺方兆南抵敵不住，立時出手相救。

方兆南身子微微一側，讓開葛煌撲來之勢，順手一招「拂柳摘花」，右掌巧妙無比地一翻一轉，五指疾快絕倫地扣住了葛煌脈門。

方兆南口中低聲喝道：「兩位這般對待兄弟，不知是何用心？」

掌勢一帶一推，葛煌身不由主地打了幾個轉，踉蹌退出去四、五尺遠。

他所用這幾招對敵手法，都是那駝背老人所授，招招是神奇無匹之學。

不但葛煌、葛煒兩個以身相試之人，心中暗生驚駭，就是神刀羅昆和天風道長，也瞧得目瞪口呆，半晌說不出話來。

他們只覺對方武功，在短短月餘之中，進境奇快，和九宮山中相比起來，判如雲泥之別。

要知武功一道，差之毫釐，失之千里，一個功力的深淺，需由修習的時間，以及方法上的差異，進境不同，也決不是數月之間的事。

但手法、招術上的變化，卻是要靠師承、天賦的不同，能在極短的時間中，有所大成。

方兆南聰明絕頂，又有著甚好的武功基礎，那駝背老人所授他的武功，大都是武林中罕難一見之學，是以，方兆南出手一擊，無不是奇奧難測的手法。

葛煌、葛煒哪裡會知道他在短短月餘之中，竟有了這等曠絕的奇遇。

葛天鵬見多識廣，一看方兆南出手兩招，一似少林門下手法，一招卻又像武當派中「拿穴

拂脈」的手法，不覺心中大感駭異。
心中暗忖道：「此人這等年紀，怎麼所學武功如此博雜？」
但口中卻高聲說道：「方兄請替我好好地管教這兩個孩子，不給他們一點苦頭吃，他們實在不知天高地厚！」
方兆南心中對葛氏兄弟，猝然施襲之事，心下甚是惱怒，但他自己亦不知那老人相授的武功，竟然招招奇奧，隨手用將出來，就輕易制服了強敵。
直待他連施兩招，容易地就把葛氏兄弟制服後，明白了此刻自己的武功，已高出了兩人甚多。
待準備再一出手懲戒兩人一下時，卻被葛天鵬一番恭維之話，說得不好意思起來。當下笑道：「晚輩怎敢對兩位世兄無禮。」垂手退到一側。
葛煌打了五、六個轉，才站穩身子，葛煒也無法控制住橫躍之勢，落到了麥田中，但他一點麥田中的泥地，立時又躍回大路之上。
兄弟兩人相互望了一眼，各人臉上，都是一片茫然之色。
葛天鵬冷哼一聲，罵道：「你們兩個不知天高地厚的畜生，還不快過去向方大俠行禮陪罪，當真要我陪著你們丟人不成？」
葛煌、葛煒不敢違抗父親之言，只得向前走了幾步，躬身說道：「方大俠，請恕我兄弟冒犯之罪！」
方兆南長揖還禮，連聲地說道：「不敢，不敢，咱們年齡相若，以後還是以兄弟相稱，聽來也較為親切。」

葛氏兄弟目睹方兆南毫無驕傲之色，心中對他增了不少好感，暗道：「此人勝了我們，但卻毫無驕傲之氣，倒是難得。」

兩人相視一笑而退。

要知葛氏兄弟，除了年輕好勝，爭名之心稍強之外，都是心地十分純潔之人，絲毫未染江湖習氣。

兩人經過這一次試驗之後，已知對方武功，比自己高出甚多，敬服之念，油然而生。

幾人這一陣折騰，雖只片刻工夫，但已引得路人駐足。

這條路上行人，大都是趕赴泰山大會之約的武林高手，個個都是行家。

葛氏兄弟和方兆南動手相搏兩招經過，雖如電光石火一般，但已有不少人瞧到眼中，幾十道目光，一齊向方兆南投注過去。

顯然，他們都爲這英俊少年出手兩招的奇奧手法所震駭，每人臉上的神色，都微帶驚異之狀。

忽聞蹄聲得得，三匹健馬，風馳電掣一般，急急奔來。

方兆南一瞧馬上之人，不禁心頭吃了一驚，暗自忖道：「今日之局，只怕難以就此善罷！」

原來那三騎快馬之上，除天南雙雁二人之外，還有一位長衫白髯的老者，正是在抱犢崗朝陽坪袖手樵隱之處，所遇見的那位老人。

葛天鵬見天南雙雁去而重返，而且還多帶一個人來，臉上微泛怒意，冷哼一聲，自言自語說道：「倒是想不到天南雙雁竟然真的帶人來找麻煩了！」他這兩句話，雖是自言自語，但卻無疑示意給天風道長和羅昆聽。

羅昆還未及答話，那三匹急奔而來的快馬，已奔到幾人停身之處。

當先那長衫白髯老者，一收馬韁，穩住那快馬急奔之勢，抱拳笑道：「數十年不見葛兄，風采依然當年，不知是否記得兄弟？」

葛天鵬細看來人，竟是名滿大江南北的追風鵰伍宗義，心中甚感好奇，暗道：「怎麼堂堂大名的追風鵰伍宗義，竟然和天南雙雁走在一起了？」

他生性孤傲，很少看得起人，但因追風鵰伍宗義在江湖之上名頭不小，數十年來，兩人又有過一番相交之情。

葛天鵬當下抱拳說道：「伍兄別來無恙？」

伍宗義微微一笑，把目光投注在方兆南身上，說道：「此人和葛兄相識多久了？」

此言問得單刀直入，葛天鵬拂然不悅，冷冷答道：「伍兄和這位方兄可有什麼過節嗎？」

伍宗義聽他出口之言，對方兆南偏護甚殷，不禁微微一皺眉頭，沉吟半晌，才微笑答道：「兄弟個人和他只不過有著一面之識，自是談不上恩怨二字。」

葛天鵬道：「那是最好不過，這位方兄，對兄弟犬子有過救命之恩，伍兄縱然有什麼不滿這位方兄之處，也望瞧在兄弟份上，不要再事追究。」

他先發制人，開口先把伍宗義的嘴巴封住，要他無法提出心中所想之事。

伍宗義沉吟了一陣，道：「看在葛兄份上，兄弟心中縱有對這位方兄誤會之處，也不願再多追究。」

一抖馬韁，疾向前面奔去。

方兆南人本聰明，一瞧伍宗義奔走的行色，已知他並非真的不究此事，這一走，只怕將有更厲害的方法，對付自己。

但此事，甚難對人出口，只有暗中提高警覺。

哪知沿途之上，竟未再遇到意外，不禁暗叫一聲：「慚愧！」

這日中午時分，到了泰山腳下。

各地受邀參與泰山大會的武林高手，亦大都陸續趕到，但見老老少少接踵而至，絡繹不絕，盡都是各地極負盛名的武林高手。

這般人中，有很多早已息隱江湖，平日甚難一見，但卻趕來參加這次英雄大會。

神刀羅昆老興勃發，一拂長髯對葛天鵬等說道：「這次盛會，雖不能說天下高手無一不與，但就我們一路見聞所得，已該是千百年來武林道上，從未有過的盛事。想來這次英雄大會之盛，兄弟雖不敢斷言絕後，但確屬空前，哈哈！想不到我這行將就木之人，還能目睹這次英雄大會，只此一樁，縱然埋骨東嶽中亦無抱憾之感了！」

葛天鵬雖覺得此次大會之盛，確是大出人意料之外，就算少林方丈威名遠震，也難有此等號召之力，心中甚覺奇怪。

但他乃持重之人，不盡了解之事，從不肯隨口輕言，微微一笑，未置可否。

方兆南雖然在江湖上走過一些時日，但他見聞不多，聽羅昆之言，心中暗自喜道：「此次不但可大開一番眼界，而且可借重天下英雄之力，以報師門之仇。」

他想到高興之處，不覺面上浮現出微笑之意。

葛天鵬回顧天風道長等一眼，笑道：「我曾數度來此遊歷，對此山徑甚熟，我要走前一步，替各位帶路了。」當先向前奔去。

泰山世稱東嶽，屬我國陰山山系。

起於山東省膠州灣西南，盡於運河東岸，群峰羅列，以丈人峰爲高，風景秀絕，以東、西、南三天門及東、西、中三溪，最爲著名。

其中峰巒溪洞，不可勝數。

少林寺主持方丈，爲挽救武林浩劫，移駕東嶽，傳柬天下，邀請武林高手，集會明月嶂，共謀對敵之策，使武林中掀起一場前所未有的盛會。

要知少林派在武林各大門戶之中，早有領袖群倫之譽。

中嶽嵩山的少林寺，隱隱被武林中視爲武學集粹的標幟，傳言中少林寺有七十二種絕技，無一不是曠絕武林的奇奧手法。

這傳言，千百年來一直影響武林人心，再者少林寺清規森嚴，門下弟子非有大成，不許在江湖之上走動。

是以，少林一派，最受武林之中推崇，除非武林間有了重大變故，少林寺很少被捲入門戶紛爭之中。

一則因其威名盛著，黑白兩道中人，都對少林門下謙讓幾分，二則寺中僧侶在江湖行走的機會不多，綠林道中人一得到少林僧侶路過之訊，大都暫避其鋒。這等沿習之情，更增加了少林寺在江湖上的威望。

且說葛天鵬帶著天風道長等一行，直奔明月嶂去。

三月天氣，嫩草萌芽，綠茵處處，松風拂面，頓使塵氣一消，葛天鵬輕車熟路，帶著幾人超越捷徑而行。

翻越過幾座山嶺之後，山勢陡然一變，抬頭危峰刺天，立壁如刃，絕峰危稜之間，雲氣朦朧。

所幸幾人武功都非泛泛之流，輕身功夫，都已登堂入室，奔行在危崖峭壁之上，仍然如履平地。

大約有一個時辰之久，葛天鵬突然停下腳步，遙指著前面一座山峰，說道：「前面那座山峰，就是明月嶂了，峰上松柏環繞，風景甚是清幽。當年老朽曾和一位好友，在峰頂上賞月，通宵長談，縱論江湖，唉！想到二十餘年之後，我仍能舊地重遊，可是我那位好友，卻早已墓木高拱，青山依舊，世事全非，觸景傷情，不無人生若夢之感。」

神刀羅昆拂鬚一笑，道：「葛兄觸景懷人，憑弔故舊，倒叫羅某也憶起一段往事來了……」

他抬頭望著無際蒼穹，豪氣忽發，長嘯一聲說道：「昔年江南武林同道，爲掃蕩玉骨妖姬俞罌花的穴巢，傳柬相邀，聚集了武林高手四、五十位之多。記得那時葛兄還是二十歲之人，豪俠之氣，溢於言表，使同行不少高手，爲之心折，那次大會，曾被譽爲武林中難得一見的盛事。想不到數十年後，天下高手又群集東嶽之舉，這次不但由一向不插手江湖是非的少林寺方丈大師主持其事，而且參與高手之多，可算得千百年來武林空前創舉，老朽得以參加旁觀，一睹天下高人，實爲生平最大幸事。」

說完，仍然大笑不絕，顯然他心中確有著無比的高興。

方兆南聽他提出玉骨妖姬之名，心中突然一動，接口問道：「老前輩剛才提到的玉骨妖姬，不知是否還活在人世之上？」

羅昆道：「此乃四十年前之事，那玉骨妖姬只怕早已屍骨成灰了。」

忽想到方兆南不過是二十歲上下之人，何以會知此事，回頭問道：「那玉骨妖姬縱橫江湖事，早已成爲過去，二十年來，已很少有人在江湖間傳說此事，不知你何以得知？」

方兆南本想把朝陽坪山腹中，相遇玉骨妖姬俞罌花之事，告訴眾人，但一轉念，想到自己人微言輕，縱然說將出來，別人也是難於相信這等近於玄奇之事，當下微一搖頭笑道：「晚輩曾聽一位長輩，談過玉骨妖姬其人，剛聽得老前輩重又提起，不自覺地插口問了一聲。」

羅昆笑道：「這就是了，數十年前玉骨妖姬曾把江南地面鬧得天翻地覆，但她也曾替武林同道做了一件功德無量之事，如今評判於她，倒很難下個適當定論了。」

談話之間，已到了明月嶂下。

正待尋路登峰，忽聽迎面一塊大岩石後，響起了一聲：「阿彌陀佛！」

兩個身軀高大的僧人，同時由突岩後轉了出來，擋住去路。

左面一僧一橫手中鐵禪杖，說道：「諸位施主，可是應邀參與英雄大會的嗎？」

葛天鵬抱拳笑道：「不錯……」

右面一僧立時接口說道：「前面之處，派有接引登山之人，不知諸位施主，爲何不肯走前山大道，卻繞這後山嶇徑登峰？」

葛天鵬道：「老朽熟悉山中形勢，故而超越捷徑而來。」

兩個僧人，四道眼神投注在幾人臉上，望了一陣，神色恭肅地說道：「施主既係本寺方丈相邀，想必早知此次大會宗旨何在?前山大道，早已安設有相迎驛站，如若不合參與此次大會之人，將在各處驛站之上，勸送下山……」

羅昆一拂長鬚，道：「這麼說來，貴寺方丈邀集的英雄大會，並非是人人皆可參加的了？」

左面一僧右手提杖，左掌當胸，低喧一聲佛號，道：「敝寺方丈，素對我天下武林同道，一視同仁，焉有等級之分？只因此次英雄大會，事非尋常可比，凡是受邀之人，都經敝寺方丈三思之後，才行奉請。但風聲早已傳遍江湖之上，有些未受邀請之人，亦自行趕來參加。因此敝寺方丈不得不在登峰要道之上，設下相迎驛站，凡是未得邀請之人，一律奉勸下山。諸位施主如若都是受邀之人，但請取出奉邀之柬，貧僧等不敢有所留難。」

這幾人之中，除了一筆翻天葛天鵬，接得少林寺方丈百一大師的邀請之柬外，其餘的人，都未得有相邀之柬。

一時之間呆在當地，目光投注在一筆翻天葛天鵬的身上。

葛天鵬緩緩伸手取出懷中函箋，微微一笑，道：「貴寺方丈和在下有過數面之緣，承他看得起我，馳函相召參與這英雄大會，在下甚感榮寵……」

二僧一見函箋，立時就認出是方丈手筆，齊齊躬身說道：「施主既執本寺方丈親筆相邀函箋，但請登山，敝寺方丈，早已在明月嶂上候駕數日了。」

葛天鵬道：「老朽雖蒙寵邀，但自知武功有限，恐有負貴寺方丈厚望，因此代做東主，邀請了四位好友，並帶兩位犬子同來。兩位如果難作得主，不妨分出一人，到明月嶂貴寺方丈之

處請示，老朽願和諸友在此恭候！」

兩僧互相望了一眼後，右面一僧說道：「此次英雄大會，旨在籌謀對付一個多年不在江湖上露面的強敵，此人數十年前，曾在江湖上現過行蹤，出道年餘，舉世皆驚……」

他似是言未盡意，但卻不肯再說下去，微微一頓之後，另起話題，接道：「此事關係著武林蒼生劫運，敝寺方丈爲此傳諭寺中僧侶，嚴禁行腳江湖。爲挽此浩劫，已用了三年準備工夫，不敢相欺諸位，敝寺中三代弟子高手，均隨方丈而來，就貧僧所知，千百年來，敝寺中，尚未有過這等謹嚴的戒備……」

葛天鵬道：「大師以悲天憫人之心，立志挽救武林浩劫，必將傳譽千古，永受天下武林同道敬慕……」

左面一僧微笑接道：「敝寺方丈雖然傳諭動員敝寺中三代高手，但仍恐實力不敵，又分柬奉邀武林高手，集會東嶽明月嶂，共謀對敵之策。是以，這次的英雄大會，實和江湖上一般英雄大會不同，既無盛名之爭，又無可得之利，凡是受邀參與之人，都是以拯救世人之心，共赴危難……」

他抬頭緩緩掃掠了方兆南、葛煌、葛煒等一眼接道：「因此，敝寺方丈嚴令貧僧等，勸阻未得邀請之人，參與大會，此舉並非含有何意，而是想替武林中留下一點精英。葛大俠一人赴此大會，已算對得住武林同道了，至於兩位公子和大駕相邀而來的好友，還是請回得好！」

葛天鵬回顧了方兆南和葛氏兄弟兩眼，心中暗暗忖道：「這和尚說得倒是不錯，我這兩個孩子，盡皆隨我赴會，萬一此次謀敵未成，盡遭劫難，不但斷了我葛家香火，而且事實上確然大可不必……」

他沉思一陣後，望著葛煌、葛煒說道：「我赴會東嶽一事，臨行之際，並未對你們母親說過，現下你們兩兄弟中，只准一人隨我赴會，另一個回家去，告訴你母親一聲……」

他當著天風道使、神刀羅昆等之面，不便分析利害，勸使愛子回去。

而且知子莫若父，他深知葛煌、葛煒的生性倔強，才故意提到他們母親，希望能以母親慈愛的呼喚，使兩人自動提出回家一行。

哪知葛煌、葛煒對望了一眼，彼此默不作聲，突然見方兆南向前大踏兩步，逼近兩個僧人，說道：「貴寺方丈爲天下武林蒼生消解浩劫之心，確是大慈大悲，令人敬仰。不過，只限定受邀之人，才能參與此會，未免有些小覷天下英雄，難道貴寺方丈不識之人，就沒有一人武功夠得上參與這次大會嗎？」

他見兩個和尚言詞雖甚和藹，但神情間卻有著無比的堅決，如若相求兩人，只怕難以如願獲得放行，倒不如拿話相激兩人一下再說。

果然兩僧被方兆南幾句相激之言，引起不悅之色。

左面一僧喧了一聲佛號，說道：「不知小施主之言用意何在，貧僧等奉命守據要道，堅阻未受邀請之人入山。小施主如自信有能登山，貧僧自可相示一條明路，前山大道，分設了五處驛站，如若小施主自信能夠闖過，本寺方丈縱有不允未持邀函者入山之諭，但也是一樣請闖過五處驛站之人，參與大會。」

方兆南回頭望了身側的葛天鵬一眼，心中暗自忖道：「此去前山，只怕路途尚遠，前面既有五處驛站之設，後山復有扼守入山要道之人，前山可以武功闖過，後山也未嘗不可。」

是以當即問道：「前山路遠，如若在下想從兩位大師父奉命把守的後山之處闖進，不知是

否可以？」

兩僧同時向後退了兩步，面色嚴肅地說道：「貧僧等敬望小施主三思而行，前山五處驛站，專為相迎天下英雄而設。縱有闖山之人，也是有驚無險，這後山要道，乃非必經之路，小施主如若憑藉武功硬闖，能否安然度過，貧僧實難預言。」

言下之意，無疑警告方兆南，如他要從後山硬闖，只恐有殺身之禍。

方兆南心急師仇，縱然自己無能報得，亦必要目睹仇人濺血一死，也可稍覺心安，是以他登山參與英雄大會之意，較之任何人都為迫切。

方兆南當下說道：「既有闖山之規，想來那山前山後，都是一樣，兩位師父如能體念晚輩一片登山至誠，網開一面，容我等過去，晚輩感激不盡，如若執意不肯放過，說不得晚輩只好硬闖了……」

兩個和尚不等方兆南話完，突然向後一躍，隱入那大岩石後不見。

但聞岩後傳出低沉的喝聲，道：「幾位如果存心以武功硬闖，最好還是走前山的好，需知刀槍無眼，萬一傷著諸位，那就不值得了！」

方兆南回頭望了葛天鵬一眼，道：「老前輩身懷受邀之柬，不妨先行登山，晚輩將試闖一下少林群僧，是否真能擋得住。」

話至此處，忽然覺得自己口氣，太過托大，趕忙住口不言。

葛天鵬微微一笑道：「老朽地形較諸位熟悉甚多，願隨諸位同行。」

葛煌、葛煒同時求道：「此次英雄大會乃數百年難得一見的盛事，懇請爹爹恩准兒等同往參與，也好長些見識。」

葛天鵬自不好當著天風道長等人之面，說出私心之苦，於是怒視了他們兄弟一眼，道：「此次大會，群集天下高人，准你們同行參與，已是大不應該之事，大會之上，切記不可妄自生非惹事……」

葛煌、葛煒齊聲道：「爹爹放心，兒等決不妄生是非就是。」

方兆南回眸瞧了陳玄霜一眼，道：「師妹切記不可出手傷人！」

忽地縱身一躍，當先向上衝去。陳玄霜緊隨他身後追去。

請續看《絳雪玄霜》（二）

臥龍生武俠經典珍藏版 9

絳雪玄霜（一）

作者：臥龍生
發行人：陳曉林
出版所：風雲時代出版股份有限公司
地址：10576台北市民生東路五段178號7樓之3
電話：(02) 2756-0949　　傳真：(02) 2765-3799
執行主編：劉宇青
美術設計：許惠芳
行銷企劃：林安莉
業務總監：張瑋鳳
出版日期：臥龍生60週年珍藏版 2022年4月
ISBN ：978-986-5589-70-7
風雲書網：http://www.eastbooks.com.tw
官方部落格：http://eastbooks.pixnet.net/blog
Facebook：http://www.facebook.com/h7560949
E-mail：h7560949@ms15.hinet.net
劃撥帳號：12043291
戶名：風雲時代出版股份有限公司

風雲發行所：33373桃園市龜山區公西村2鄰復興街304巷96號
電話：(03) 318-1378　　傳真：(03) 318-1378
法律顧問：永然法律事務所 李永然律師
　　　　　北辰著作權事務所 蕭雄淋律師

行政院新聞局局版台業字第3595號 營利事業統一編號22759935

定價：320元　　

國家圖書館出版品預行編目資料

絳雪玄霜／臥龍生 著. -- 臺北市：風雲時代出版股份有限公司，2021.06- 冊；公分（臥龍生武俠經典珍藏版）
ISBN：978-986-5589-70-7（第1冊：平裝）
ISBN：978-986-5589-71-4（第2冊：平裝）
ISBN：978-986-5589-72-1（第3冊：平裝）
ISBN：978-986-5589-73-8（第4冊：平裝）

863.57　　110007330